Por que ser CRISTÃO?

Por que ser CRISTÃO?

Timothy Radcliffe

Dados Internacionais de Catalogação na Publicação (CIP)
(Câmara Brasileira do Livro, SP, Brasil)

Radcliffe, Timothy
Por que ser cristão? / Timothy Radcliffe ; tradução Paulinas Lisboa, Portugal. – São Paulo : Paulinas, 2011. – (Coleção manancial)

Título original: What is the point of being a christian?
ISBN 978-85-356-2910-1

1. Igreja Católica - Doutrinas 2. Vida cristã - Escritores católicos I. Título. II. Série.

11-10265 CDD-248.482

Índice para catálogo sistemático:

1. Vida cristã : Prática religiosa : Catolicismo 248.482

1ª edição – 2011
1ª reimpressão – 2012

Título original: *What is the Point of Being a Christian?*

Publicado por acordo com The Continuum International Publishing Group.

Citações bíblicas: *Bíblia Sagrada*, tradução da CNBB, São Paulo, 2008.

Direção-geral: *Bernadete Boff*
Editora responsável: *Vera Ivanise Bombonatto*
Tradução: *Paulinas Lisboa – Portugal*
Copidesque: *Anoar Jarbas Provenzi*
Coordenação de revisão: *Marina Mendonça*
Revisão: *Ruth Mitzuie Kluska*
Gerente de produção: *Felício Calegaro Neto*
Projeto gráfico: *Telma Custódio*

Paulinas

Rua Dona Inácia Uchoa, 62
04110-020 – São Paulo – SP (Brasil)
Tel.: (11) 2125-3500
http://www.paulinas.org.br – editora@paulinas.com.br
Telemarketing e SAC: 0800-7010081

Para minha mãe,
cuja vida responde a questão.

Sumário

Prefácio

Timothy Radcliffe foi mestre-geral da Ordem dos Pregadores (dominicanos) entre os anos 1992 e 2001. O seu brilhantismo na pregação, quer na escrita quer na homilética ou em retiros e conferências, foi então mais divulgado e conhecido, tornando-o um *best-seller* mundial, não só entre os meios tradicionalmente ligados ao cristianismo e à vida religiosa em concreto, mas também no mundo dos não crentes e dos fiéis de outras religiões (diálogo inter-religioso).

Este livro, agora publicado em português, é bem eloquente do que tem sido toda a vida deste frade pregador: profundamente convencido do tesouro que constitui o Evangelho de Jesus Cristo, sente que não pode subtrair-se à responsabilidade de partilhá-lo com os outros – seja os que pura e simplesmente não o conhecem, seja aqueles que foram vítimas de catequeses tantas vezes distorcidas.

Partilhar um tesouro, dar a conhecer o Evangelho, é feito como uma *proposta*, nunca como uma imposição violenta nem tampouco como uma persuasão desonesta e "facilista". Mas o autor acredita que os valores mais defendidos na nossa cultura ocidental, desde os primórdios da modernidade até hoje – a liberdade, a justiça, a igualdade, o gozo de viver, a importância da razão humana e das descobertas científicas que lhe estão associadas, o bem-estar, a arte, a ética, a solidariedade etc. –, são os valores que se descobrem nos fundamentos da vida de Jesus e da sua Boa-Nova (= Evangelho), embora tenham sido dramaticamente postos em choque nessa relação entre cristianismo e cultura, que sempre deveria ser de *diálogo* entre realidades que se sabem autônomas e nunca de oposição/ruptura ou fusão/identificação.

Se hoje se pode falar e apresentar o cristianismo de forma serena e credível nesta nossa cultura secularizada, e em vastas zonas impregnada de indiferentismo, então este livro de Timothy Radcliffe é o exemplo acabado dessa possibilidade. Uma obra, pois, indispensável. Recomendada e a recomendar.

José Nunes op

Introdução

"Por que ser cristão?", perguntou-me recentemente um amigo. Confesso que fiquei surpreendido com a pergunta. Fui educado como cristão, mas nunca me interessei muito pela minha fé até me perguntar se seria ou não verdade. Se era verdade que a humanidade estava destinada a tomar parte na inexprimível felicidade do próprio Deus, então esse deveria ser o objetivo da minha vida. Se não era verdade, deveria evidentemente deixar a Igreja. Por isso, respondi a esse meu amigo, "porque é verdade". Mas isto não o satisfez minimamente. "Mas que sentido tem ser cristão? Qual é o objetivo?"

Manifestamente, não estávamos nos entendendo. Se o cristianismo é verdade, não tem outro sentido senão o de apontar para Deus, que é o sentido, o ápice de tudo. Se nos interrogamos sobre o sentido de algo, do que fazemos e, em última análise, levarmos adiante essa interrogação, e o assunto for suficientemente sério, acabamos por nos questionar sobre o sentido de tudo, sobre o objetivo final e o sentido das nossas vidas, e é disso que as religiões tratam. Uma religião que tente fazer publicidade de si mesma, "vender-se", porque seria útil para outras coisas – porque nos ajuda a levar uma vida estável, porque liberta do *estresse* ou porque nos faz ricos –, está causando a sua própria ruína. Se ela tem de justificar-se, pondo-se ao serviço de um outro objetivo, ela não pode ser uma religião séria, credível.

O sentido de qualquer religião é o de nos transmitir o sentido de Deus, que é o sentido de tudo. É por isso que "não faz sentido" perguntarem-nos se acreditar em Deus é significativo, porque Deus é a medida de todo o significado.

Mas o meu amigo não estava convencido: "O que você ganha com isso? Que diferença é que isso faz para você?". Comecei a entender o que é que ele tinha em vista. Estas verdades a que aderimos devem ter consequências na vida de cada um, como têm implicações a verdade da lei da gravidade ou o fato de que a Terra seja um globo. Porque podem projetar-se aviões que levantem voo e, se voarem numa determinada direção, eventualmente regressarão ao ponto de partida. Se as verdades do ensino cristão não têm nenhum efeito na nossa vida, que espécie de verdades serão? Se Deus é o sentido de tudo, ser religioso, estar-se orientado para Deus como para o seu objetivo derradeiro, tem de transparecer de alguma forma na vida de uma pessoa.

Por isso, o cristianismo tem de fazer alguma diferença, mesmo se não se é cristão para obter essa diferença. Por exemplo, se se viesse a descobrir que os cristãos são mais calmos e descontraídos do que as outras pessoas, não seria por isso que se iria pressionar as pessoas a partilhar a nossa fé para andarem menos estressadas: "Faça-se cristão e dormirá melhor à noite". Isso seria fazer da religião um mero acessório, útil para o nosso modo de viver, como fazer ginástica. Seria promover Deus como utilitário para mim, como um óleo de banho ou a aromaterapia. Mas o fato de a fé de alguém o tornar apenas como exemplo, mais descontraído ou feliz ou corajoso, poderá sugerir que as pretensões de verdade do cristianismo não são banais e que valerá a pena investigar. Se orientar a própria vida para Deus, como seu destino derradeiro, tem consequências – na liberdade, tal como irei defender –, não é por isso que se vai dizer às pessoas: "Faça-se cristão, porque isso o fará livre". Mas se os cristãos forem vistos como pessoas livres de forma atraente e intrigante, os outros podem interessar-se em saber por que e, por fim, interessar-se também no Deus que adoramos.

O cardeal Suhard, arcebispo de Paris na década de 1940, escreveu: "Ser testemunha não consiste em empenhar-se em propaganda nem sequer em agitar as pessoas, mas em ser um mistério vivo. Significa viver de tal forma, que a vida não teria sentido se Deus não existisse".[1] Deveria haver alguma coisa nos cristãos que levasse os outros a interrogarem-se e a quererem saber o que está no coração das nossas vidas.

No século segundo ou terceiro, um cristão anônimo escreveu a *Epístola a Diogneto*, em que aprofunda o que há de diferente nos cristãos:

> Os cristãos não se distinguem dos demais homens nem pela nacionalidade nem pela língua nem pelos costumes. Nem, em parte alguma, habitam em cidades peculiares, nem usam alguma língua distinta, nem vivem uma vida de natureza singular. Nem uma doutrina desta natureza deve a sua descoberta à invenção ou conjectura de homens de espírito irrequieto, nem defendem, como alguns, uma doutrina humana. Habitando cidades gregas e bárbaras, conforme coube em sorte a cada um, e seguindo os usos e costumes das regiões, no vestuário, no regime alimentar e no resto da vida, revelam unanimemente uma maravilhosa e paradoxal constituição no seu regime de vida político-social. Habitam

1 E. SUHARD, *Essor ou déclin de l'Église*, Paris, 1947; citado por S. HAUERWAS, *Sanctify the Time*, Edinburg, 1998, p. 38.

pátrias próprias, mas como peregrinos: participam de tudo como cidadãos e tudo suportam como estrangeiros.[2]

A afirmação é, portanto, de que há qualquer coisa de inegavelmente diferente na maneira de viver dos cristãos, que poderá levar os outros a estranhar e a interrogar-se. Tertuliano escreveu, no século segundo, que as pessoas se espantavam de ver os cristãos amarem-se uns aos outros. Haverá algo de espantoso na nossa maneira de viver?

Entre os jovens há uma imensa fome espiritual. O *Inquérito Europeu de Valores* de 1999 mostrou que um número crescente de jovens se declara religioso.[3] Buscam um sentido para as suas vidas. Estão, muitas vezes, mais interessados em "espiritualidade" do que em doutrina, e não lhes agrada pertencer a qualquer forma institucional de religião que possa limitar a sua autonomia. Nas palavras de Grace Davie, uma socióloga que tem estudado a religião na Europa, acreditam sem afiliação alguma.[4] Frequentemente, estão mais interessados noutras religiões do que no cristianismo.

Como cristão, acredito que a minha fé é "uma boa notícia", que é o sentido literal da palavra "Evangelho". Por que é que tão frequentemente não é vista como tal pelos jovens, vista como maravilhosa e atraente? Por que são as afirmações que fazemos acerca da nossa fé tão pouco convincentes ou mesmo aborrecidas? Será porque não há nada de inegavelmente diferente nas

---

[2] Citado de *A Diogneto* (ed. bilíngue), trad. de M. L. Marques, col. Philokalia 2, Lisboa, Alcalá, 2001, pp. 51ss.

[3] Y. LAMBERT, "A Turning Point in Religious Evolution in Europe", in *The Journal of Contemporary Religion*, vol. 19, n. 1, 2004, pp. 29-45.

[4] G. DAVIE, *Religion in Modern Europe: A Memory Mutates*, Oxford, 2000, p. 3.

nossas vidas? Habitualmente, nada há que desconcerte e leve à interrogação, de tal modo que as nossas vidas não teriam sentido se Deus não existisse.

Todas as Igrejas cristãs fizeram, nos últimos anos, um grande esforço para anunciar o Evangelho. Na Igreja Católica, tem havido, sem dúvida, muitos discursos sobre evangelização. Dioceses e paróquias delinearam ambiciosos planos para dar a conhecer a nossa fé. Habitualmente, deram muito pouco resultado. Falamos de amor, liberdade, felicidade e coisas assim, mas enquanto as nossas Igrejas não forem realmente vistas como locais onde as pessoas são livres e corajosas, como irá alguém acreditar em nós? Jesus falava com autoridade, não como os escribas e fariseus, e a sua autoridade vinha da sua manifesta liberdade e alegria. As suas palavras impressionavam, porque estavam inseridas numa vida admirável, aberta aos outros, festejando com prostitutas, sem medo de ninguém. Assim, neste livro, desejo refletir sobre a diferença que a fé poderá representar na nossa maneira de viver.

Quero que fique claro, já de início, que o que pode ser inegavelmente diferente não é que os cristãos sejam melhores do que os outros. Não se pode provar que o sejam. Jesus disse: "Não vim chamar os justos, mas os pecadores" (Mc 2,17), e é o que continua a fazer. Ele comeu e bebeu com os de má reputação. A Igreja é um lar para todos, especialmente para aqueles cujas vidas são um caos. Justamente, o primeiro cristão a ir para o céu foi o ladrão crucificado ao lado de Jesus. Segundo um poema siríaco primitivo, o anjo que trata dessas coisas tentou impedi-lo de entrar, porque não era o gênero de pessoa para aquele lugar![5]

---

[5] Cf. S. TUGWELL OP, *Human Immortality and the Redemption of Death*, London, 1990, p. 171.

De qualquer modo, uma comunidade que fundasse a sua existência na pretensão de superioridade moral seria não só repulsiva, como levaria inevitavelmente as pessoas a averiguar os seus fracassos e a divulgá-los com regozijo. Se as Igrejas são tão frequentemente atacadas nos meios de comunicação, e cada um dos nossos pecados dá lugar a manchetes, é porque, em geral, embora erradamente, se pensa que o sentido de ser cristão é o de ser melhor do que os outros.

Este livro não vai tentar descobrir *o* ingrediente especial do cristianismo, o segredo da sua atratividade, como o misterioso ingrediente especial do licor da Chartreuse ou da Pepsi-Cola. Vai, antes, considerar alguns dos diferentes aspectos da fé cristã, aprofundando aqueles que nos possam levar a divergir da cultura dominante da nossa aldeia global. São estas diferenças que explicam as afirmações que fazemos acerca da fé. Se as nossas vidas não forem, em certo sentido, diferentes, se adotamos apenas o conformismo, as nossas palavras a respeito da fé serão vazias de sentido.

Como animais que compreendem as coisas falando delas, a nossa fé tem de tomar a forma de afirmações. Asseveramos que as coisas são verdadeiras. São Tomás de Aquino, um dominicano do século XIII, defendeu que a nossa fé não visa às palavras em si mesmas, mas aquilo para que as palavras apontam, isto é, o nosso Deus que está para lá das palavras.[6] O que não significa que as palavras não tenham importância. Muito pelo contrário. São a escada que subimos para o mistério. Mas as palavras só comunicam se apontarem para além de si mesmas.

---

6 *Summa Theologiae* (a partir daqui *ST*) II, II, 1, 2 ad 2.

Hugo de Saint-Cher, um outro dominicano do século XIII, afirmou que, "no estudo, o arco está tenso e, depois, na pregação, a seta é lançada". Adaptando esta metáfora, as nossas afirmações de fé são como as setas de um arqueiro. A finalidade das setas é serem apontadas a um alvo e atiradas na sua direção. Se o arqueiro andar com uma seta no arco, mas nunca disparar a corda, a seta não serve para nada. E o mesmo se passa com as nossas afirmações de fé. Só têm sentido se forem como que projetadas em direção a Deus, que está para lá de todo o conceito. São os aspectos intrigantes da vida cristã que dão ao que dizemos o seu sentido e projetam as nossas afirmações para o mistério. Por exemplo, qualquer um pode dizer "Deus é amor". Mas só será uma afirmação com algum sentido cristão, se o seu contexto for o de uma comunidade que, embora pobremente e com inúmeros fracassos, realmente ame. Se dissermos que Jesus ressuscitou dos mortos, mas não houver sinais de ressurreição na nossa vida, bem podemos falar de ressurreição até o advento do Reino, que as nossas palavras não terão nenhum sentido. Seria como um homem que, num país em que o álcool fosse proibido, falasse do prazer de beber vinho – uma atividade tipicamente dominicana, como veremos. As suas palavras não teriam o contexto que lhes daria algum sentido.

Muitas vezes, queixamo-nos da imensa ignorância dos jovens relativamente ao cristianismo. Mas será uma pura perda de tempo produzirmos mais documentos, vídeos, programas de rádio e de televisão, se não nos esforçarmos também por fazer da Igreja um lugar de coragem, alegria e esperança evidentes. Devemos escolher com cuidado as palavras que usamos. A Verdade conta. Mas as nossas palavras serão inúteis, se não estiverem ancoradas em comunidades que mostrem como estão apontadas para além de nós mesmos, para Aquele que nos procurou e nos deu a sua Palavra. Santo Antônio, o pregador franciscano do século XIII, queixava-se de que a Igreja estava "farta" de palavras. As coisas não mudaram muito. Continuamos a produzir grandes quantidades de documentos, longos e aborrecidos sermões, mas se não se apreender uma lufada de liberdade nas nossas vidas, as nossas palavras corromperão radicalmente a pregação do Evangelho.

O sentido do cristianismo é o de orientar para Deus, como o sentido das nossas vidas. Ter esperança é agarrarmo-nos à confiança de que haverá um sentido derradeiro para a existência humana. Se não há, o cristianismo – e qualquer outra religião – é pura perda de tempo. Assim, o primeiro capítulo vai considerar o que significa ter esperança e como isso pode manifestar-se na nossa vida. Com efeito, todo este livro é uma busca acerca da nossa esperança. Mas a nossa fé não consiste em que tenhamos de fazer arduamente uma caminhada para Deus, como Frodo e Sam na sua penosa aproximação de Mordor.* A nossa fé consiste em que Deus nos procurou e encontrou. Deus está presente na vida dos seres humanos, mesmo quando não é nomeado e não é reconhecido. Por isso, o objetivo da nossa esperança, o nosso destino final, já está de certo modo presente. Os Pregadores não trazem as pessoas para Deus; damos nome ao Deus que esteve sempre lá, antes de nós. Como cristãos, acreditamos que esta presença de Deus entre nós toma a forma de liberdade, felicidade e amor. São as primícias do Reino. Por isso, os capítulos 2 e 3 abordam

---

* O autor faz aqui alusão à conhecida obra de J. R. R. TOLKIEN, *O senhor dos anéis*, e aos seus personagens principais. (N.E.)

a maneira como o cristianismo nos convida a uma forma nova e provocadora de liberdade e felicidade. Talvez possa surpreender, mas não dediquei nenhum capítulo ao amor, porque é a forma de toda a vida cristã e, por isso, cada um dos capítulos deste livro é, em certo sentido, uma reflexão sobre o que significa amar.

Nesse momento, tornar-se-á evidente que a entrada na verdadeira liberdade e felicidade exige de nós uma profunda transformação. A liberdade não é apenas a escolha entre alternativas, e a felicidade não é apenas uma alegre emoção. São uma participação na vida de Deus, o que exige de nós uma espécie de morte e ressurreição. Isto é assustador. Precisamos de coragem para permitir que o Deus que está conosco nos liberte e nos encha de alegria. É o assunto do capítulo 4 e é a virtude de que mais urgentemente, hoje, necessitamos na Igreja. Tornar-se-á evidente também, espero, que se tornar livre e feliz não são apenas processos mentais. Ser humano implica, profundamente, os nossos corpos. Não só temos corpos, mas também somos corpos. A condição corporal é fundamental para quase todo o ensino cristão. Não se pode entender a nossa esperança, a nossa felicidade e a nossa liberdade, se não se tiver alguma percepção do que significa ser corporal. É o que aprofundaremos no capítulo 5. No capítulo 6, examinaremos se ser cristão significa que compreendemos a verdade de maneira diferente. Mais uma vez, não é que os cristãos sejam mais verdadeiros do que os outros, e possam reclamar uma superioridade moral. Isso não é demonstrável. Mas temos uma compreensão bem pouco habitual do que significa ser verdadeiro.

S. Agostinho descreveu a humanidade como "a comunidade da verdade", o que nos leva à questão seguinte, que é a da unidade da humanidade. Estar orientado para Deus não é apenas acreditar que Deus é a meta da minha peregrinação pessoal através da vida e morte. Acreditamos que é em Deus que toda a humanidade encontrará o seu sentido e a sua unidade final. Estou incompleto e inacabado sem o todo da humanidade. Assim, os capítulos 7 e 8 aprofundam o que significa, para nós, acreditar na unidade final da humanidade e como isso pode influenciar a maneira como os cristãos vivem. Mas a desunião entre cristãos, e dentro das nossas Igrejas, fere gravemente o testemunho que damos acerca da unidade do gênero humano. Por isso, nos capítulos 9 e 10, vamos considerar como curar a desunião e polarização dentro da Igreja. Por fim, acabaremos refletindo acerca do que significa para nós descansar, guardar o *sabbath* [ou seja, o domingo] e, assim, orientar para esse descanso final que a humanidade é chamada a partilhar em Deus. Deste modo, o livro levar-nos-á da esperança ao seu sinal mais eloquente para nós: ser, agora, *homo ludens*, estar à vontade, brincando. Nós mostramos a nossa esperança de que a vida nos há de finalmente levar a algum lado, ao Reino, precisamente não incessantemente nos esforçando por chegar a qualquer lado.

Agradeço aos meus irmãos da comunidade de Blackfriars, em Oxford, cuja amizade e pregação me ensinaram a maior parte do que está neste livro. Agradeço especialmente a Vivian Boland OP por ter lido o texto, encorajando-me e ajudando-me. Tenho consciência de que, quando considero o sentido de ser cristão, o faço como membro de uma tradição específica, como dominicano e católico romano, mas espero que as minhas reflexões façam sentido para os cristãos de outras tradições, para quem também estou em dívida.

CAPÍTULO 1

"Quero acordar a aurora"

Qual é o sentido de ser cristão? Em resposta a esta questão, devemos começar por nos interrogarmos sobre se há algum sentido em alguma coisa. Estará a nossa vida modelada por uma meta final que lhe dá significado ou não? O cristianismo é uma tentativa de resposta a esta pergunta fundamental, ou não é nada. Quando viajava pelo mundo afora, em visita aos irmãos e irmãs, nalguns países gostavam de terminar os serões com canções e eu receava sempre o pedido: "Timothy, cante-nos uma canção". Por isso, aprendi uma curiosa canção do tempo da Peste Negra, no século XIV, que tinha a grande vantagem de ser curta e repetitiva, e podia lembrar-me da letra por mais cansado que estivesse das viagens. Fala-nos de um jovem rapaz que morre e é confrontado por um cavaleiro que representa o diabo:

> "Hei, para onde vais?", disse o cavaleiro na estrada.
> "Vou encontrar o meu Deus", disse o rapaz e ficou firme.
> E ficou firme e enfrentou, e ficou firme muito bem
> "Vou encontrar o meu Deus", disse o rapaz na estrada.

No tempo da peste, o diabo tenta o rapaz a acreditar que a sua vida não vai para lugar nenhum, além da cova. Mas o rapaz continua a viagem, "com um grande cajado na [minha] mão". Resiste à tentação do desespero e prossegue a sua peregrinação para o Reino. Esta é a pergunta que hoje inquieta muitas pessoas: Vamos para algum lado? Estamos direcionados para algum fim último? Mas, se não estamos, alguma coisa terá algum sentido, mesmo o simples sair da cama de manhã? É uma pergunta que talvez, muitas vezes, não seja feita, porque temos medo de que a resposta seja negativa. É a questão de saber se ousamos ter esperança ou não.

Dois dos livros com mais sucesso publicados recentemente na Europa foram *Monsieur Ibrahim et les fleurs du Coran*[1] e *Oscar et la dame rose*[2] de Éric-Emmanuel Schmitt – *Oscar* vendeu mais de 400 mil exemplares no primeiro ano. Estão na lista dos livros mais vendidos na França, Bélgica, Alemanha, Espanha e Itália. Estes dois livros são parte de uma trilogia em que os heróis são: budista, judeu, muçulmano e cristão. Falam de crianças que estão à procura de Deus. Oscar, que tem dez anos, faz a sua caminhada, na cama, durante a última semana da sua vida. Com a ajuda de uma velha lutadora cristã, Mamie Rose, ele bombardeia Deus com perguntas. Momo, que é judeu, peregrina para a casa do seu mestre sufi. Recorrem a qualquer tradição religiosa para os ajudar no seu caminho.

A expressão natural desta fome religiosa é partir em peregrinação. Quando estava fazendo o *check-in* para um voo, no Aeroporto de Stansted, notei, por cima do balcão, o anúncio de um livro sobre ciência e medicina: "Combustível para a sua viagem espiritual". Os céus estão cheios de pessoas viajando e as nossas

---

1 Paris, 2003.
2 Paris, 2002.

viagens são, muitas vezes, sintoma de uma busca, de uma tentativa esperançada, embora algumas vezes seja difícil descobrir a diferença entre turismo e peregrinação. Cinco milhões de pessoas vão a Lourdes todos os anos, e dois milhões a Fátima. No verão, todas as semanas, há seis mil jovens que vão a Taizé. A Europa está entrecruzada por caminhos de peregrinação, em direção a Iona, Walsingham, Chartres, Roma, Medjugorje e Czestochowa. Esta expressão de fé é partilhada pelos muçulmanos, viajando para Meca; pelos hindus, para Varanasi; pelos xintoístas, para o Monte Fuji, e pelos crentes de todas as fés abraâmicas, para Jerusalém. Ir em peregrinação está enraizado na natureza humana. As peregrinações podem exprimir uma fé profunda, mas também dão espaço aos inseguros, àqueles que viajam esperando encontrar alguma coisa no caminho ou na meta. Estou constantemente encontrando pessoas que partem para Santiago de Compostela. Frequentemente, têm as suas hesitações quanto ao que acreditam e suspeitas quanto à doutrina, mas acreditam que é uma viagem a fazer. Podem, estatisticamente, não pertencer a nenhuma Igreja e aparecer num ofício religioso semana após semana; nada os atrai, mas sentem-se bem quando, chegados ao santuário, vão abraçar a estátua de São Tiago, que, tal como eles, está vestido de peregrino.

Os nossos antepassados tinham de fazer uma difícil experiência, quando partiam em peregrinação. Mas, embora modernamente se possam facilitar as coisas, há milhões que preferem ir a pé ou de bicicleta. Sem esforço nada se consegue, como dizem. Segundo Dante, São Tiago é o Apóstolo da Esperança, e Tomás de Aquino diz que a esperança é de um "*bonum futurum arduum possibile*"[3] – de um bem futuro difícil, mas possível. Nada temos

3 ST II, II, q. 17, 1.

a dizer aos jovens acerca da nossa fé, se não estivermos preparados para caminharmos com eles, por vezes, em sentido literal, mas também mentalmente. Sem dúvida, o cardeal Basil Hume era tão estimado porque era, evidentemente, um peregrino, alguém que caminhava conosco na nossa busca de Deus. De fato, o seu livro mais conhecido foi *Ser um peregrino*.

Devemos estimar e estimular a ânsia de peregrino que há em todo o ser humano. É a expressão de, pelo menos, uma esperança implícita. O teólogo franco do século IX Pascásio Radberto disse: "O desespero não tem pés para andar o caminho que é Cristo".[4] Somos como pássaros ansiando por migrar quando chega a primavera ou como salmões movidos pela profunda necessidade de nadar contra a corrente, rio acima, e voltar à origem. É certamente por isso que histórias como *O senhor dos anéis* fascinam tanta gente. Tocam em certa fome profunda de partir para a aventura, como Bilbo, irrequieto e incapaz de assentar. Temos de caminhar com as pessoas, como Jesus fez com os discípulos até Emaús, mesmo se, por vezes, como esses discípulos, nos parecem partir na direção errada.

Evidentemente, a questão é: essas caminhadas levam a algum lado? Achamos aquilo que procuramos? Ou andamos apenas às voltas em círculos, como os israelitas no deserto? O livro do escritor peruano Mario Vargas Llosa, *El Paraíso en la otra esquina*,[5] fala-nos de duas pessoas que procuram o paraíso: Paul Gauguin e a sua excêntrica avó, Flora Tristán. Gauguin procurava-o num paraíso tropical, ainda incólume da sociedade industrial do

---

4 *De fide, spe et caritate, liber II, caput IV, 1*; citado por J. PIEPER, *On Hope*, San Francisco, 1977, p. 50.

5 Madrid, 2000.

Ocidente. A avó procurava-o na transformação dessa sociedade, um mundo justo no futuro, em que todos os seres humanos fossem iguais, especialmente homens e mulheres. Ele procurava o paraíso numa sobrevivência do passado e ela, numa antecipação do futuro. Ambos ficaram decepcionados.

A mais famosa das pinturas de Gauguin intitula-se *D'où venons-nous? Qui sommes-nous? Où allons-nous?* (*Donde vimos? Quem somos? Para onde vamos?*). Foi pintada em 1897 e foi o último testamento de Gauguin, antes de tentar suicidar-se no ano seguinte. Tinha fugido do Ocidente em busca de um paraíso no Taiti, mas achou-o já em ruínas. Mudou-se, em 1891, para as Marquesas, mais longínquas, mas a administração colonial e os missionários já lá tinham chegado antes. Já não havia paraíso e ficou desesperado.

Quem somos? Esta pergunta situa-se entre outras sobre o passado e o futuro. Só poderemos saber quem somos, se tivermos uma história mais longa que olhe para trás e para a frente. Os nossos antepassados cristãos viveram dentro da história que olha para trás, para a Criação, e para a frente, para o Reino. Vimos de Deus e voltamos outra vez para Deus. A caminhada das peregrinações exprimia essa esperança. A nossa sociedade perdeu, em larga medida, essa história comum. A confiança nas esperanças seculares também está mais fraca. O sonho de Flora Tristán, de um paraíso político, em grande parte caiu por terra e há muito poucos lugares para onde se possa fugir dos ruinosos efeitos do industrialismo moderno. E, assim, o Paraíso está grandemente ausente da nossa imaginação coletiva. Já não caminhamos juntos para um destino comum. Talvez seja por isso que uma percentagem sempre crescente de jovens europeus acredita numa vida pessoal depois da morte. Se já não possa contar uma história acerca do destino da humanidade, posso ao menos agarrar-me a alguma promessa quanto ao meu futuro.

Quando era jovem frade, no final da década de 1960, havia uma enorme consciência da promessa do futuro. Tudo parecia possível. Nos meus tempos de estudante, a frase "*L'imagination au pouvoir*" (A imaginação ao poder) estava escrita por todo lado nas paredes de Paris. Mesmo na Inglaterra dos Beatles, as coisas pareciam promissoras. Podiam encontrar-se coxas de rã e caracóis nos restaurantes e minha mãe começou a pôr alho na comida, se o meu pai não estivesse vendo. Por isso, o Reino devia estar próximo. Foi o último eco da confiança dos nossos antepassados vitorianos. Como Dickens, o perfeito vitoriano, escreveu: "O tempo flui para um fim, e o mundo está – naquilo que é mais essencial – melhor, mais agradável, mais tolerante e mais esperançado, no seu fluir".[6]

Mas essa confiança, em grande parte, desapareceu. Paradoxalmente, um momento fulcral desta perda foi a queda do Muro de Berlim, em 1989. Na famosa frase de Fukuyama, a história tinha acabado. Os sonhos de uma transformação radical da humanidade enfraqueceram. Oliver Bennett, da Universidade de Warwick, defende[7] que, apesar da explosão de riqueza em muitos países ocidentais, sofremos de depressão coletiva. Há violência crescente nas nossas cidades, o aumento das guerras de *gangs,* a escalada nas drogas e, no mundo em geral, cresce a desigualdade entre ricos e pobres, propaga-se a Aids, existe a ameaça de um

---

6 Citado em A. N. Wilson, *The Victorians,* London, 2002, p. 85.

7 O. Bennet, *Cultural Pessimism: Narratives of Decline in the Postmodern World,* Edinburg, 2001.

desastre ecológico e, acima de tudo, surge o choque entre religiões e a expansão do terrorismo.

Sem a promessa de um futuro, que podemos nós – a "Geração do Agora" [*Now Generation*] – fazer senão viver no presente? Hugh Rayment-Pickard escreveu:

> À nossa volta vemos as religiões da *New Age* oferecendo piedade individualista e satisfação imediata; uma sociedade dominada pelo consumismo; uma busca do imediato nas comunicações; uma desconfiança das "ideologias"; governo político a curto prazo; apatia dos votantes; e as Igrejas cristãs cada vez mais absorvidas em questões de organização interna, de conversão pessoal e de comportamento moral individual. A crença moderna de que podemos realmente tornar melhor o mundo está enfraquecendo. O presente é o nosso novo horizonte temporal, o nosso porto de abrigo seguro no oceano do tempo.[8]

Não deixa de ser irônico que as nossas crianças cresçam com um sentido do tempo mais alargado do que qualquer outra geração. Toda criança sabe que vivemos entre o *Big Bang* e a frieza absoluta.* No Ocidente, muitas crianças sabem mais de dinossauros do que de vacas e ovelhas. Distinguem com mais facilidade um triceratope de um tiranossauro do que uma vaca holandesa de uma charolesa. Mas, nesta história, do nosso Universo e até do nosso Planeta, nós, os seres humanos, não temos um lugar especial. Provavelmente, não teríamos começado a existir quando o último dinossauro morreu e, quando nos extinguirmos, haverá

---

8 H. Rayment-Pickard, *The Myths of Time: From St. Augustine to American Beauty*, London, 2004, p. 99.

* O Autor faz alusão ao título do filme *Big Chill* (*O reencontro*, 1983). (N.E.)

ainda provavelmente inúmeras espécies de besouros. A única diferença que a humanidade pode fazer é negativa: criando um desastre ecológico pela nossa cupidez ou pelas nossas bombas. Não é uma história que nos prometa alguma coisa. Darwin, esse outro vitoriano típico, ajudou-nos a descobrir uma história, mas uma história que nos tira toda a importância. A sua narrativa é um sinal da enorme confiança dos vitorianos, mas não nos oferece nenhuma base para a nossa própria confiança no futuro. Desde 11 de setembro de 2001, temos evidentemente outra narrativa acerca do futuro, a guerra contra o terrorismo ou a *jihad* contra o Ocidente. O que nada promete a não ser contínua violência. Que poderá constituir uma vitória? Sir Martin Rees, presidente da Royal Society, publicou recentemente um livro em que se interroga se o século XXI será ou não o nosso último século.[9]

Contudo, potencialmente, este é um momento maravilhoso para o cristianismo. Se formos capazes de encontrar maneiras de viver e partilhar a nossa esperança cristã, ofereceremos aquilo de que o mundo está sedento. A esperança dos nossos antepassados cristãos era suportada pelo otimismo da sociedade. Era uma espécie de batismo da nossa imperial confiança. A sociedade acreditava que estava a caminho de um glorioso futuro material. E nós, cristãos, acreditávamos que a estrada levava um pouco mais longe, até o Reino de Deus. Agora, temos algo de raro e extraordinário a oferecer, que é a esperança despojada das suas muletas seculares, nova, fresca e desejável. Como vamos oferecer isto? Frequentemente, as nossas Igrejas sofrem elas próprias de certa crise de falta de esperança. Assistimos à diminuição

---

9 M. Rees, *Our Final Century? Will the Human Race Survive the Twenty-first Century?*, London, 2004.

da prática religiosa, à perda de audácia, às divisões internas. As principais Igrejas estão elas próprias desencorajadas. Portanto, que esperança temos nós para partilhar?

Será que oferecemos uma história alternativa do futuro? Acreditamos no triunfo final do bem sobre o mal. Acreditamos na vinda do Reino e no fim de todo o sofrimento e morte. Mas não temos uma história para contar como isso pode acontecer. Não podemos consultar o livro do Apocalipse e dizer: "Ouçam todos, está tudo bem. Cinco pragas já passaram, só faltam duas". Não temos informações privilegiadas sobre o que vai acontecer à humanidade nos próximos cem ou mil anos.

E é bom que não as tenhamos. O século XX foi crucificado por aqueles que sabiam bem demais para onde a humanidade se dirigia e como esta deveria lá chegar. Rayment-Pickard considera que as raízes deste futuro imposto estão na crença do Iluminismo de que o futuro deve não só ser esperado mas construído. O que tem necessariamente resultados brutais:

> Uma vez que há um plano, deve ser cumprido, e os seus recursos, controlados e administrados. Aqueles que não concordam com o plano ou não colaboram com ele também têm de ser "geridos". Qualquer projeto para fazer aparecer um futuro planejado requer a imposição do que Adorno e Horkheimer chamam "a razão instrumental": uma racionalidade controladora, que força tudo e todos ao serviço dos objetivos escolhidos.[10]

O objetivo do plano pode, frequentemente, ter sido a liberdade humana mas, no último século, vimos que muitas vezes apenas a destrói.

---

[10] H. RAYMENT-PICKARD, op. cit., p. 119.

Em julho de 2004, visitei Auschwitz pela primeira vez. Há um grande mapa que mostra as linhas férreas de toda a Europa, conduzindo ao campo de extermínio. As linhas terminam nas câmaras de gás. Literalmente, elas são o fim da linha. Todo aquele plano e elaboração de mapas terminou em desespero e em milhões de mortos. O rabino Hugo Gryn conta como, quando chegou a Auschwitz, a entrada do campo estava coberta com *tefillin* jogados fora. Os *tefillin* eram usados na oração diária dos judeus. Era o sinal de que no campo não tinha sentido continuar a rezar. Auschwitz tornou-se uma espécie de lugar de peregrinação. Jovens vestidos de preto entoam, em alta voz, os nomes dos que morreram, com ritmo e alternadamente, como se cantassem salmos. É uma peregrinação que coloca o maior dos desafios à nossa esperança.

Muitos temem que a "guerra contra o terrorismo" se possa tornar um outro desses itinerários, trazendo mais violência. Um dos colaboradores do presidente Bush acusou os democratas de pertencerem à "comunidade fundada na realidade", aqueles que "acreditam que as soluções virão do criterioso estudo da realidade perceptível". E o colaborador insistiu: "Já não é assim que o mundo realmente funciona. Agora somos um Império e, ao agirmos, criamos a nossa própria realidade. Somos protagonistas da história, e vós, todos vós, ficareis apenas para estudar o que nós fizermos".[11] Depois do Iraque e do Afeganistão, quem vai ser o próximo no itinerário? A Síria? A Coreia do Norte? Isto não quer dizer que tenhamos de aguardar passivamente o futuro. Mas temos de estar atentos àqueles que têm um plano global e forçam tudo a conformar-se com ele.

---

[11] Michael Northcote, referindo-se a um artigo no *The New York Magazine*, em "The Triumph of Imperial Politics", in *The Tablet*, 6 de novembro de 2004, p. 4.

O cristianismo não oferece um itinerário, mas tem uma história. O âmago da nossa história está naqueles três dias que nos levam da Última Ceia ao Túmulo Vazio. Mas a Última Ceia foi também o momento em que os discípulos perderam a história que tinham para contar no futuro. No caminho para Jerusalém, tinham estado animados por uma "certa" história do que iria acontecer. Não sabemos com exatidão o que seria, mas com certeza que falaria de romanos expulsos de Jerusalém, da restauração de Israel e da entronização de Jesus como rei guerreiro. Como os discípulos no caminho de Emaús confessaram a Jesus: "Nós esperávamos que fosse Ele o que viria redimir Israel" (Lc 24,21). Qualquer que fosse a história contada por eles, desmoronou-se nessa noite. Judas tinha vendido Jesus; Pedro iria negá-lo. Os outros discípulos fugiriam com medo. Perante a sua Paixão e Morte, eles deixaram de ter uma história para contar. No momento em que esta frágil comunidade está se desfazendo, Jesus tomou o pão, abençoou-o e o deu-lhe dizendo: "Isto é o meu corpo, entregue por vós".

Este é o paradoxo fundamental do cristianismo. Como cristãos, reunimo-nos para relembrar a história daquela Última Ceia. É a nossa história fundacional, aquela na qual encontramos o significado das nossas vidas. E, no entanto, é uma história que nos narra o momento em que não havia história para contar, em que o futuro tinha desaparecido. Reunimo-nos como uma comunidade em volta do altar e relembramos a noite em que a comunidade se desfez: a nossa história fundacional é a do desmoronar de toda e qualquer história e a nossa comunidade recorda o momento em que se desfez em pedaços.

Mas o paradoxo é ainda mais profundo do que isso. Os documentos que descrevem este acontecimento, os Evangelhos, parecem ter sido postos por escrito na tentativa de dar sentido a um segundo tempo de crise, quando mais uma vez a história do futuro desmoronou. Depois da Ressurreição, os discípulos parecem ter rapidamente fixado as suas esperanças numa outra narrativa do futuro. Levaram o Evangelho às maiores cidades do Império, sofrendo perseguições, altercando entre eles, mas, em breve, tudo estaria bem: Jesus viria de novo. O Fim estava próximo. Estas esperanças parecem ter sido especialmente intensas quando a Igreja de Roma foi perseguida por Nero, no final da década de 60. Pedro e Paulo tinham sido martirizados, mas muitos cristãos tinham-se atraiçoado uns aos outros. Parecia que a Igreja estava à beira da derrocada. Seguramente, Jesus estava mesmo para vir. Mas não veio. Mais uma vez, estes primeiros cristãos suportaram a crise de perder o desenlace da sua história.[12] É provável que os Evangelhos, especialmente o de Marcos, fossem o resultado dessa luta contra a crise. Assim, Jesus não veio em glória, mas a Palavra fez-se carne nas palavras novas do Evangelho.

Deste modo, cada vez que nos reunimos como comunidade para celebrar a Eucaristia, lembramos o momento em que Jesus fez face à morte e ao abandono, quando os discípulos ficaram de repente sem poder dizer para onde iam. E fazemo-lo com palavras dos Evangelhos, que foram escritos à luz da segunda grande perda de uma história do futuro, quando afinal Jesus não voltou em glória. Portanto, deveríamos saber por experiência que esperar o Reino não nos dá um itinerário. Pelo contrário, fá-lo desaparecer. Em ambos os casos, a intimidade com o Senhor cresceu, quando

---

12 Para aprofundar esta teoria ver T. Radcliffe OP, "The Coming of the Son of Man: Mark's gospel and the subversion of the apocalyptic imagination", in B. Davies (ed.), *Language, Meaning and God: Essays in Honour of Herbert McCabe OP*, London, 1987, pp. 176-89.

aqueles cristãos das origens perderam as suas certezas a respeito do que vinha depois. No primeiro momento, fez-lhes o dom do seu corpo e, no segundo, dos Evangelhos. Não devemos por isso ter receio de crises. A Igreja nasceu numa crise de esperança. As crises são a nossa *spécialité de la maison*. Rejuvenescem-nos. Aquela por que estamos passando presentemente é bem pequena.

Neste momento, vejamos o que Jesus fez, porque Ele ordenou-nos que o fizéssemos também em sua memória. É esta memória que nos faz ser um povo com esperança. Vivemos dentro do espaço de esperança que este gesto abriu. Voltarei repetidamente a ele neste livro. Como foi isto sinal de esperança?

A Última Ceia foi o choque de duas espécies de poder. Havia o poder das autoridades religiosas e políticas. Era um poder brutal e cego. Era o poder de apanhar Jesus pela força, de o prender, de o humilhar e de o matar. Era o poder de Pilatos que disse a Jesus: "Não sabes que tenho poder de te libertar e poder de te crucificar?" (Jo 19,10). Mas a história de Jesus, especialmente no Evangelho de João, é acerca de um outro tipo de poder, que é o poder do sinal e da palavra. Jesus realiza sinais, muda a água em vinho, abre os olhos do cego, faz os mudos falar e ressuscita Lázaro. Não é um poder mágico, como se Ele fosse um Gandalf do século I e Pedro um outro Frodo.* É o poder do significado e da verdade. E, por isso, Jesus diz a Pilatos: ""Para isto nasci, para isto vim ao mundo: para dar testemunho da verdade. Todo aquele que é da verdade, escuta a minha voz". Pilatos respondeu: "O que é a verdade?" (Jo 18,37-38). E manifestamente não esperou por uma resposta. Não precisava dela, pois tinha os soldados.

---

* Alusão a personagens de *O senhor dos anéis*, de J. R. R. Tolkien. (N.E.)

A Última Ceia é assim o choque entre o poder da força bruta e o poder do sinal. Há o poder de Pilatos e o poder do homem fraco e vulnerável, que toma o pão e o parte e partilha em face da morte. Toda Eucaristia é a celebração da nossa confiança de que, em Cristo, o sentido triunfará de maneiras que não podemos adivinhar ou prever. Vaclav Havel, dramaturgo e antigo presidente da República Checa, define-o assim: "A esperança não é a convicção de que alguma coisa acabará bem, mas a certeza de que alguma coisa tem sentido, independentemente do modo como acabar".[13] É a convicção de que acabaremos por descobrir que tudo aquilo para que vivemos, felicidade e desgosto, vitória e derrota, tem algum sentido. Apesar da loucura do último século, com as suas guerras mundiais, bombas nucleares, genocídio e Holocausto, a existência não está condenada ao absurdo.

A nossa esperança do Paraíso não tem que ver com o triunfo de alguma força bruta: de exércitos, de economias capitalistas ou comunistas, ou de qualquer raça ou classe. É a derradeira e inimaginável vitória do significado. A nossa história começa com Deus dizendo uma palavra, e a Criação vindo à existência. "[Ele] disse: 'Faça-se a luz'. E a luz foi feita" (Gn 1,3). Ele cria com o que S. Máximo o Confessor chamou "a incomensurável força da sabedoria".[14] Existir não é um fato bruto. É ser mantido no ser pela Palavra de Deus. Por isso, compreender as coisas não é impor-lhes um significado arbitrário: é entrar em contato com o Criador que lhes dá existência. E sempre, desde que Adão deu nome aos animais, temos tido a vocação de partilhar pela fala essa palavra, até que ela nos traga o pleno cumprimento da

---

[13] Citado por S. Heaney, *Redress of Poetry*, London e New York, 1995, p. 4.

[14] *Discursos Dirigidos a Thalassius Quaestio 63*, tradução do Breviário.

Criação: o Reino. Sempre que falamos uns aos outros ou uns dos outros, ou estamos sendo colaboradores de Deus na Criação ou tentando subvertê-la.

Esta espécie de poder pode parecer bastante ineficaz, comparada com os poderes deste mundo: os poderes da força e do dinheiro. Isto pode parecer evidente especialmente àqueles que cresceram no mundo da Revolução Industrial. Era um mundo que foi fundado no aproveitamento da força bruta, a força do vapor e do carvão, o poder da eletricidade e, por fim, o poder do átomo. E estava em ligação com o triunfo dos poderes militares imperiais em competição para dominar o mundo inteiro. Era a força bruta ao serviço de uma história particular, que era a do triunfo do Ocidente. Os ingleses, particularmente, eram conduzidos por um mito: serem o povo eleito de Deus, e que toda a força bruta se justificava ao serviço dessa história. No presente, os americanos são os herdeiros deste mesmo mito. Nesta espécie de mundo, pode parecer bastante ineficaz argumentar que sinais e palavras são muito poderosos. Significado é aquilo que acontece na nossa cabeça. E nesta espécie de mundo, a religião teve de se esforçar muito para ser levada a sério. Basta lembrar a famosa pergunta de Stálin: Quantas divisões de tanques tem o Papa?

Mas o nosso mundo está num processo de profunda mudança. No Ocidente, todos podemos ver os sinais do fim da Revolução Industrial. As suas antigas indústrias pesadas estão grandemente moribundas. Vive-se num novo mundo, que Zygmunt Bauman, das Universidades de Leeds e Varsóvia, chama *Modernidade líquida*.[15] Neste novo mundo, o que circula não são

---

[15] Z. BAUMAN, *Liquid Modernity*, Cambridge, 2000.

tanto os bens pesados – aço, carvão e coisas do gênero –, mas imagens, símbolos e sinais. Vivemos na chamada "sociedade saturada de símbolos".[16] Neste novo mundo, a estranha insistência cristã no poder dos sinais pode acabar por não parecer assim tão tola. Se pudermos encontrar sinais de esperança, o mundo prestará atenção e transmiti-los-á num instante a todo o globo pela internet. Pensem naquela pequena figura vulnerável, diante de um tanque, na Praça de Tiananmen. Em poucas horas, a sua imagem era visível em toda a parte do globo, e o governo de um quarto da humanidade foi abalado.

São Francisco foi um homem que falou através de gestos simbólicos a um mundo que estava, como o nosso, em profunda transformação. G. K. Chesterton escreveu:

> As coisas que disse foram mais memoráveis do que as coisas que escreveu. As coisas que fez foram mais imaginativas do que as coisas que disse [...]. Desde o momento em que rasgou as suas vestes e as atirou aos pés de seu pai até ao momento em que, para morrer, se estendeu na terra nua em forma da cruz, a sua vida foi feita destas atitudes inconscientes, destes gestos sem hesitação.[17]

Por isso, Giotto foi o artista perfeito para Francisco. Os seus frescos tornam permanentemente visível o significado do que Francisco fez. Ecoam e prolongam estes gestos criativos. Nós, os dominicanos, tivemos Fra Angélico. A internet oferece-nos um veículo semelhante. Como poderemos usar a rede, tal como os franciscanos e os dominicanos usaram os melhores artistas do seu tempo?

---

16 S. LASH e J. URRY, *Economics of Signs and Space*, London, 1994, p. 222.

17 G. K. CHESTERTON, *St. Francis of Assisi*, London, 1939, p. 106.

Obviamente, os terroristas que planejaram o 11 de setembro compreenderam muito bem a importância de atos simbólicos. A destruição da vida e os danos materiais foram terríveis e inexprimíveis, mas tudo foi planejado como um evento simbólico, com os símbolos da comunicação moderna, os aviões a jato, esmagando-se contra os símbolos do poder militar e comercial americano, o Pentágono e as Torres Gêmeas. Foi um acontecimento simbólico violento que exprimiu a não comunicação. E é por isso que as únicas respostas verdadeiramente efetivas só podem ser outros gestos que exprimam criatividade e não destruição, perdão e não violência. E, para muitos de nós, a primeira coisa que registramos depois da crise foi a chegada dos bombeiros, prontos para dar a vida. Lembramos também o seu capelão franciscano, Mychael Judge, que morreu com eles.

Alguns dominicanos americanos decidiram comemorar o primeiro aniversário do 11 de setembro com um mês de jejum, consumindo apenas água. Entre eles, havia irmãos, irmãs e uma dominicana leiga, Sheila Provender, que em seguida passou a guerra do Iraque em Bagdá. Alguns outros juntaram-se-lhes apenas por um curto período, como é o meu caso. É uma ótima maneira de perder peso! Como a ameaça da guerra cresceu, isso tornou-se um outro ponto central. Tínhamos todos camisetas que proclamavam "Tem que haver outra maneira". Acampávamos na Union Square, imediatamente ao norte do Marco Zero, e todos os dias falávamos com centenas de pessoas que vinham interrogar-nos e ler os nossos panfletos. Muitos judeus e muçulmanos juntaram-se a nós em oração, três vezes ao dia. O que me admirou foi que o significado simbólico do jejum foi imediatamente compreendido, mesmo pelos jovens – com exceção daquele rapaz que, todos os dias, vinha comer o seu hambúrguer com batatas fritas junto de nós, e o hambúrguer tinha cada dia um cheiro mais delicioso. Este ato simbólico falou. Diariamente, havia câmaras de televisão e jornalistas para transmiti-lo.

Admitamos que parece não ter tido muitas consequências. Não há registros de que o presidente Bush tenha telefonado ao primeiro-ministro britânico para combinar o cancelamento da guerra porque os dominicanos estavam a fazer jejum em Nova York. Mas é por sinais que dizem a nossa esperança que abrimos janelas para a graça transformante de Deus no mundo. É por atenção ao significado e não à força bruta que tomamos parte no ato de Deus dizendo uma palavra que atrai o Reino, que diz: "Que os seres cresçam", e é o que fazemos. Em *O mercador de Veneza*, Pórcia diz: "Que longe aquela pequena candeia lança os seus raios / assim brilha uma boa ação num mundo maldoso".[18]

Jesus não abriu os olhos a todos os cegos em Israel. Podemos mesmo interrogar-nos sobre se curar um cego teria feito alguma diferença. Não resolveu os problemas de todas as bodas em que o vinho veio a faltar. Mas estes pequenos sinais eram parte de uma palavra de Deus que cria e recria. É a própria fragilidade e pequenez destes gestos que os faz falar mais poderosamente. O Senhor não deixou Gedeão derrotar os madianitas enquanto o seu exército não foi reduzido de 32 mil homens para 300. Na Bíblia, o pequeno é belo. Jesus diz que tudo o que se fizer ao último, ao mais pequeno dos seus, a Ele o fazemos. Pequenos atos são tanto as orações para que o Reino venha como o dizer aquela palavra de Deus que o torna mais perto.

---

[18] W. SHAKESPEARE, *O mercador de Veneza*, Ato V, cena 1.

Jesus não fez apenas um sinal *qualquer*. No momento em que estava para ser entregue nas mãos dos seus inimigos, o que Ele fez foi um ato criador e transformante. Seria entregue por um dos seus discípulos ao poder brutal do Império. Não se limitou a aceitá-lo passivamente: transformou-o num momento de graça. Fez da traição um momento de dom. Disse: "Entregais-me e fugis. Eu tomo esta infidelidade e faço dela um dom pessoal por vós".

Ter esperança não é apenas apostar que a bondade é mais forte do que o mal. Não é apenas a confiança de que Deus terá a última palavra, como um herói num filme que chega a galope no último momento para nos salvar. Por este gesto, Jesus assume este ato supremamente sombrio, o assassinato do Filho único de Deus, e torna-o frutuoso. Por isso, nada há na história humana que não possa, de certa forma, de maneira que não podemos antever, ser assumido e dar fruto. Karl Barth dizia que a música de Mozart era tão poderosa porque continha um grande "Não" engolido num "Sim" triunfante. Como Rowan Williams escreveu: "A luz está no coração da escuridão; a aurora chega quando se entra plenamente na noite".[19]

Eu fui pela primeira vez ao Burundi durante o recomeço dos conflitos étnicos entre hutus e tutsis, que têm crucificado aquele belo país. Desejava visitar a comunidade de monjas dominicanas no norte do país. Era realmente muito perigoso ir por estrada e, por isso, planejamos voar com um pequeno avião das Nações Unidas, que ia lá de vez em quando. Mas, por causa da violência crescente, as Nações Unidas retiraram-se do país e, assim, tivemos de confiar que tudo correria bem e fomos de carro. Foi uma

[19] R. WILLIAMS, *Open to Judgment*, London, 1994, p. 100.

viagem penosa. Fomos parados pelo exército, que tentou evitar que avançássemos, porque havia combates na estrada. Encontramos um carro cheio de gente morta. Houve tiros, penso que dirigidos contra nós. Todo o país estava carbonizado e moribundo. As colheitas tinham sido queimadas. E, depois, à distância, vimos uma colina verde: era o mosteiro.

Seis das monjas eram tutsi e seis hutu. Era um dos poucos lugares em que os dois grupos étnicos viviam juntos em paz e amor. Todas tinham perdido quase toda a sua família na matança. Apenas uma, uma jovem noviça, tinha passado até aí sem luto familiar e, quando estávamos lá, chegou a notícia da destruição da sua família. Eu perguntei-lhes como conseguiam viver em paz umas com as outras. Responderam que, além da sua oração comum, ouviam as notícias juntas para poderem partilhar tudo o que acontecia. Nenhuma deveria ser deixada só na sua dor. Pouco a pouco, pessoas de todos os grupos étnicos souberam que os terrenos do mosteiro eram um lugar seguro e juntaram-se na sua igreja para rezar, e fizeram as suas plantações na vizinhança. Era um espaço verde numa terra queimada – e um sinal de esperança.

Quando o Papa João Paulo II foi a Jerusalém, muitos israelitas, segundo o rabino Jonathan Sachs, estavam céticos. Que diferença poderia fazer aquela visita? Mais palavras. Mas ele transformou a situação quando foi ao Muro das Lamentações e, em silêncio, tomou o seu lugar com outros judeus que lamentavam a destruição do Templo. Partilhou a sua desolação. Ficaram comovidos "pela visão daquele indivíduo frágil e solitário, de pé, junto ao muro do que fora outrora o Templo, carregando em si o peso de séculos de alheamento, decidido a arrepender-se do passado e a traçar um novo caminho para a frente".[20] Sinais que falam, são eficazes.

No Ocidente, a Igreja foi colocada perante a sua própria traição, que deve assumir: trata-se dos abusos sexuais cometidos por uma pequena percentagem do clero. Muitos responsáveis eclesiásticos parecem ter tido a esperança de acordar uma manhã e descobrir que esse pesadelo tinha desaparecido, e que poderiam continuar como dantes. Ousamos acreditar que este sofrimento também pode ser encarado com clareza e esperança. Tal como Jesus assumiu a traição de Judas, podemos ousar encarar a traição que isto representa, confiando que possa dar fruto. Enda McDonagh pergunta se ousamos partilhar o desespero daqueles que foram abusados: "Estamos condenados ao desespero, o desespero que perseguiu as vítimas [de abuso sexual], durante décadas, enquanto procuravam uma mão caridosa, pastoral que os acompanhasse através da sua escuridão? É aí que todos deveríamos estar, como irmãos e irmãs em Cristo, tentando partilhar a dor, a escuridão e o desespero".[21] Com eles, podemos descobrir uma esperança nova e dinâmica. Se fugimos, o momento será estéril, como se Jesus tivesse escapado pela porta dos fundos em vez de encarar aquela sombria noite de traição.

O nosso Sacramento da Esperança [a Eucaristia] é celebrado num tempo em que parecia não haver esperança. Não era apenas um apontar para o futuro. Num certo sentido, o futuro faz-se nele presente. O que [Jesus e os discípulos] desejavam foi antecipado nesse momento. Diante da morte, comeram e beberam e fizeram festa. A eternidade irrompe então. Os soldados podem

---

[20] *The Times*, 9 de abril de 2005.

[21] E. McDONAGH, "Shared Despair", in *The Furrow*, maio de 2002, p. 261.

estar se aproximando, mas é agora o momento de Jesus partir o pão. Agora é o único momento que existe.

Como cristãos, pomos a esperança na eternidade. Mas a eternidade não é o que acontece no fim dos tempos, quando tivermos morrido. Começa agora, sempre que tomamos parte na vida de Deus. Aparece sempre que superamos o ódio com o amor. Efetivamente, a "Geração do Agora" não vive no momento presente, mas para aquilo que está quase a acontecer, para a gratificação que está quase a ser dada, para a aquisição iminente, o consumo antecipado. Ansiamos pelo telecomando. A esperança significa a ousadia de deixar a eternidade de Deus romper através das nuvens do agora. Ter esperança é viver neste preciso momento presente em que alguma coisa pode acontecer. Como escreveu Mestre Eckhart, o dominicano do século XIV: "O que é hoje? Hoje é a eternidade". Assim, a celebração da Eucaristia é o sacramento da nossa esperança do Reino. Mas o Reino é vislumbrado agora. Podemos saborear agora a sua futura alegria. Precisamos de sinais que falem do futuro.

Em 1966, o Papa Paulo VI e o arcebispo Michael Ramsey celebraram juntos uma liturgia ecumênica na Basílica de São Paulo Extramuros, em Roma. Assinaram uma declaração comum, afirmando o seu desejo de unidade. E, depois, Paulo VI tomou o Arcebispo à parte para lhe mostrar uns afrescos. De repente, pediu a Ramsey que tirasse o anel. Este ficou profundamente intrigado, mas fê-lo. O Papa pôs-lhe no dedo o seu próprio anel, que tinha usado como Arcebispo de Milão. Ramsey desatou a chorar e usou o anel até o fim da sua vida. É o anel que o arcebispo Rowan Williams usou quando foi visitar João Paulo II. Tem sido frequentemente observado que há alguma incoerência entre este gesto de reconhecimento e a recusa católica oficial de reconhecer a validade das ordenações anglicanas. Mas um gesto destes não é tanto uma expressão do que é a situação atual, mas mais uma extensão para o futuro. Ao exprimir uma esperança, torna-a mais próxima. As nossas Igrejas podem ainda estar separadas, podemos não estar ainda em comunhão, mas este é um gesto que alcança o que está para vir. A reunificação das Igrejas pode não ser o Paraíso, mas pelo menos seria o fim de um escandaloso contratestemunho.

Em abril de 2002, em visita ao Cairo, fui levado pelo Prior [da comunidade] a uma parte da cidade que nunca é visitada pelos turistas: Mukatam. É o local onde vivem os que recolhem o lixo. Há uns 300 mil, muitos dos quais são cristãos. É o lugar mais sujo e malcheiroso que já visitei. Mesmo as crianças parecem velhas e jogam apaticamente futebol nas ruas. Todos os dias, levam as suas carroças puxadas por burros à cidade para trazer o lixo que examinam para ver se alguma coisa pode ser preservada e reciclada. Mas, no regresso, podem ver as grandes falésias por detrás da cidade. Nelas, um artista polonês pintou imagens de Cristo em glória: a Ressurreição de Cristo, a sua Ascensão ao Céu e a sua Parusia. Ao voltar a casa, eles veem estes sinais e lembram-se de que não são apenas os cidadãos de Mukatam, mas também do Reino. Estes sinais falam do que vai acontecer.

Quando uma vez contei esta experiência, foi-me objetado que isto podia ser uma maneira de oferecer o ópio da religião, de os "reconciliar" com a sua sorte. A crença na glória futura pode encorajá-los a resignarem-se com o sofrimento presente e a não lutarem por justiça. E pode ser assim. Mas o objetivo daqueles gestos e imagens é precisamente dar-nos esperança para que possamos vencer a apatia e o sentimento de impotência, e atuemos. Quando estava no Cairo, fui também levado a ver um projeto num bairro degradado, no qual colaboram cristãos e muçulmanos para instalar água potável e esgotos. Os sinais prometem o futuro e, por isso, libertam-nos da apatia, de modo a que possamos organizar-nos e fazer alguma coisa.

John Cleese disse no filme *Clockwise* [*O homem que perdeu a hora*]: “Não é o desespero que me preocupa; é a esperança que não posso suportar”. A esperança desafia o nosso fatalismo e, por isso, é tão perturbante. Eric Hoffer escreveu que “os que quisessem transformar uma nação ou o mundo não o poderiam fazer criando e canalizando o descontentamento ou demonstrando a razão e a conveniência das mudanças desejadas ou obrigando as pessoas a outro tipo de vida. Têm de saber como acender e atiçar uma esperança extravagante”.[22] Cerca de um sexto da população mundial vive em extrema pobreza.[23] Ela mata cerca de 20 mil pessoas por dia. Morrem pela única razão de serem pobres. Não é de forma alguma irrealista defender que podemos eliminar a extrema pobreza no primeiro quarto do século XXI. Há cem anos, cerca da mesma proporção da população da Grã-Bretanha vivia em extrema pobreza e algumas pessoas diziam que não podia ser de outro modo: mas estavam enganadas. Como cristãos deveríamos recusar o fatalismo e lutar para erradicar a pobreza extrema. Como cristãos, não temos nenhuma intuição política ou econômica especial sobre como isso pode ser feito, mas realizamos sinais que exprimem a nossa esperança. Isto exige de nós

---

[22] E. HOFFER, *The True Believer: Thoughts on the Nature of Mass Movements*, New York, 1951, p. 98.

[23] J. SACHS, *The End of Poverty: How We can Make it Happen in Our Lifetime*, London, 2005.

imaginação e audácia. Se as pessoas vissem que os cristãos são capazes de gestos um pouco loucos, em vez de recuarem sempre timidamente, porque parece que não são capazes ou porque os outros não apreciam o que eles fazem, poderiam captar uma lufada da nossa extravagante esperança.

"Todos os desgostos podem ser suportados, se os enquadrarmos numa história ou contarmos uma história acerca deles."[24] É geralmente aceito que é contando histórias que nós, os humanos, damos sentido às nossas vidas, com as suas tristezas e as suas alegrias. Individual e comunitariamente, vivemos graças a histórias que dão forma e sentido às nossas experiências. Nós, cristãos, encontramos esperança em viver no seio de uma história. É ela que dá forma ao ano cristão, do Advento à Festa de Cristo Rei. E reúne-nos em volta do altar todos os domingos. A história que partilhamos contém uma promessa. Mas poderá essa história não ser verdadeira? Um amigo meu, que é um prelado do Vaticano, citou, de forma bastante imprevisível, a canção *A life of surprises* [Uma vida de surpresas] do grupo *Prefab Sprout* numa importante conferência internacional: "O mundo precisa dos seus sonhadores / Ainda que eles nunca acordem". Houve certo alarme na sala porque o tradutor para francês pensou que ele tinha dito "o mundo precisa dos seus extremistas". Serão os cristãos apenas uns sonhadores que ainda não acordaram para o frio absurdo da realidade? Será que a vida é apenas "uma história contada por um idiota, cheia de som e fúria, nada significando"?[25]

---

24 I. DINESEN, citado por R. GAITA, *A Common Humanity: Thinking About Love and Truth and Justice*, London, 1998, p. 98.

25 W. SHAKESPEARE, *Macbeth*, V. 5.

D. H. Lawrence escreveu:

> O otimista constrói para si segurança dentro de uma cela
> E pinta as paredes interiores do azul do firmamento
> E tranca a porta
> E diz que está no céu.[26]

Talvez a Igreja passe por momentos de crise para que Deus possa demolir as celas otimistas nas quais nos refugiamos. Deita abaixo as paredes azuis, para que a luz do sol entre brilhando e possamos sair. Numa profissão solene, o então Provincial da Província inglesa Ian Hislop fez a pregação. Era um escocês abrupto e agreste, convertido do presbiterianismo. Ele disse:

> Eu estou chegando ao fim da minha vida religiosa e vocês estão agora começando a de vocês. Ao olhar para trás, para a minha vida religiosa que foi bem longa, penso em tudo o que me esforcei por construir e apoiar. Esforcei-me, muitas vezes, seriamente, por construir alguma coisa, por deixar algum monumento que me sobrevivesse; mas, inevitavelmente, um idiota qualquer apareceu depois de mim e deitou abaixo tudo o que eu tinha construído, e chamou isso de progresso. Por isso, desejo dar-vos este conselho, sejam quais forem os esquemas que possam maquinar, os planos que possam formular, estejam seguros de uma coisa: Deus vai frustrar tudo isso![27]

Parece pessimismo calvinista, mas não é. Os nossos sonhos são demasiado pequenos e, se Deus os desfaz, é para que nos

---

26 D. H. LAWRENCE, "The otimist", cit. por RAYMENT-PICKARD, op. cit., p. xi.
27 Sermão de A. WHITE OP, *The Acts of the Provincial Chapter of the English Province of the Order of Preachers*, Oxford, 2000, p. 66.

possamos aventurar no espaço mais vasto da sua Vida. Deus liberta-nos de pequenas ambições para que possamos aprender a ter uma esperança mais extravagante.

Nem o ano litúrgico nem a Eucaristia nos proporcionam algum esclarecimento sobre o que nos espera. "A narrativa do tempo avança na fé sobre um abismo de desconhecimento. As nossas narrativas não são mais do que uma súplica para que o tempo tenha sentido."[28] Tem de ser assim, porque ainda não podemos saber o significado das nossas vidas, porque esse significado é Deus e, como Tomás de Aquino nos diz, o que Deus é não o podemos saber. Estamos destinados "[a]o que o olhar não viu, o ouvido não escutou, nem o coração humano concebeu, ao que Deus preparou para aqueles que o amam" (1Cor 2,9). A chegada significa que temos de passar pela morte. É então que tudo será efetivamente desfeito para que possamos sair para a plena luz do sol de Deus.

Começamos este capítulo com o Momo e o Oscar, os nossos jovens peregrinos. São jovens, e os jovens são sempre um sinal de esperança, porque estão no começo. Santo Agostinho diz que "Deus é mais jovem do que tudo o mais".[29] Nós envelhecemos, mas Deus permanece sempre mais novo que nós. A esperança exprime a eterna juventude de Deus. No famoso poema de Péguy sobre a esperança, ele a vê simbolizada na sua filha de nove anos. "Agora, esta menininha esperança é quem sempre começa."[30]

Todos os anos festejamos o nosso aniversário. Lembramo-nos de que estamos um ano mais velhos, com mais uma vela

---

28 H. RAYMENT-PICKARD, op. cit., p. 16.
29 *De Genesi* 8, 26, 48.
30 *O pórtico do mistério da segunda virtude.*

no bolo. Mas, no Natal, não festejamos a grande idade de Jesus com um imenso bolo. Ele é sempre o Emanuel, Deus conosco, recém-nascido, novo e a começar apenas. O Natal é a festa da eterna novidade de Deus. Eu visitei Ruanda depois do genocídio e encontrei um dos meus irmãos, um dominicano canadense, desolado. Quase todos os seus amigos tinham morrido. Tudo o que tinha conseguido estava destruído. Parecia não haver futuro algum. Mas depois, no Natal seguinte, enviou-me uma foto dele com dois rechonchudos bebês ruandeses e escreveu abaixo: "A África tem um futuro". Todos os Natais, quando lembramos o nascimento de Cristo criança, podemos dizer: "A humanidade tem um futuro".

Mas Oscar e Momo são crianças que enfrentam a morte. Oscar enfrenta a sua própria morte com a ajuda de Mamie Rose, a extraordinária lutadora, e Momo tem de testemunhar a morte do seu mestre sufi. Esta confrontação dos jovens com a morte simboliza, hoje, a fragilidade da nossa esperança. O *Estudo dos Valores Europeus* mostra que um número crescente de jovens europeus está preocupado com a morte. Talvez o colapso das grandes narrativas que, no último século, prometiam um futuro para a humanidade nos tenha feito concentrar no nosso destino pessoal. Por alguma razão, muitos jovens católicos acreditam no Céu, enquanto os jovens protestantes apenas acreditam na "vida depois da morte". Há menos pessoas hoje a ser batizadas ou a casar na igreja, mas muita gente ainda olha para a Igreja para que cuide delas quando morrem. A França é um dos países mais secularizados da Europa, mas 70% dos franceses ainda deseja que a Igreja os enterre. Mesmo o Presidente Mitterand, como bem se sabe um agnóstico, deixou antes da morte uma enigmática instrução: "*Une messe est possible*".[31] E teve duas simultâneas.

O sinal de Jesus, na Última Ceia, foi muito belo. Se é para falar de esperança em face da morte, tem de ser reconstituído com beleza. O ensino da Igreja é, frequentemente, recebido com suspeita. Dogma é uma palavra feia na nossa sociedade. Mas a beleza tem a sua autoridade própria. Dá voz à esperança, escassamente estruturada, de que exista afinal um sentido para as nossas vidas. A beleza exprime a esperança de que a peregrinação da existência se dirige, de fato, a algum lado, mesmo se não sabemos dizer aonde e como. A beleza não é a cobertura do bolo litúrgico. Faz parte da sua essência. C. S. Lewis escreveu que a beleza surge do desejo "da nossa pátria remota",[32] do lar que sempre desejamos e nunca vimos. Quando Ellen MacArthur estava chegando ao fim da sua viagem em volta do mundo, a sós, no seu barco, soube que estava perto de casa quando sentiu o cheiro da terra muito antes de a poder ver. A beleza traz-nos o odor do Reino.

George Steiner, em *Real Presences*, defende que a criação artística é o que de mais perto nos aproxima do sentido da criatividade de Deus: "Bem no fundo, dentro de qualquer 'ato de arte', está o sonho de um salto para fora do nada, da invenção de uma forma anunciadora, tão nova, tão única para o seu criador, que ultrapassaria literalmente o mundo".[33] Uma bela obra de arte evoca o primeiro *fiat*, quando Deus disse "Faça-se luz". Perante

31 G. DAVIE, op. cit., pp. 61s.

32 Citado por R. HARRIES, *Art and the Beauty of God: A Christian Understanding*, London, 1993, p. 4.

33 G. STEINER, *Real Presences: Is There Anything in What We Say?*, London, 1989, p. 202 (ed. portuguesa: *Presenças reais*, Presença).

a morte, é a beleza que exprime a nossa esperança de recriação e eternidade. Yeats disse que ninguém "pode criar como fizeram Shakespeare, Homero, Sófocles sem acreditar, com todo o seu sangue e nervo, que a alma do homem é imortal".[34]

George Patrick O'Dwyer, o terrível e irascível Arcebispo de Birmingham, estava presidindo uma Eucaristia paroquial, no final da década de 1960. A equipe litúrgica da paróquia tinha trabalhado muito para preparar uma festa rica com os cânticos mais modernos. Havia imensas guitarras. No meio de uma das canções, o arcebispo fechou com estrondo o livro e gritou: "Basta destas cançõezinhas banais. Vamos cantar qualquer coisa decente. Abram na página 82", ou qualquer do gênero. No fim da missa, o pároco agradeceu a cada um a sua contribuição e, depois, pediu publicamente desculpas pela horrível incorreção do arcebispo. Houve um terrível silêncio e o arcebispo disse: "Tenho uma coisa a dizer. Há pelo menos um padre corajoso nesta diocese".

Apesar da sua tremenda incorreção, muitos de nós podemos simpatizar com o arcebispo. Muitas vezes, o que nos é oferecido na Eucaristia não tem a beleza que pode exprimir a esperança transcendente. O último salmo do Saltério diz: "Louvai-o ao som da trombeta, louvai-o com a harpa e a cítara! Louvai-o com tambores e danças, louvai-o com instrumentos de corda e flautas!". Oxalá o fizéssemos realmente, em vez de contradizermos redondamente o sentido das palavras debitando-as monotonamente! Se a Igreja quer oferecer esperança aos jovens, temos de proceder a um amplo reflorescimento de beleza nas nossas igrejas. Muitos momentos de renovação do cristianismo foram realizados com

---

[34] Citado por G. STEINER, op. cit., p. 228.

uma nova estética, seja o cantochão na Idade Média, a música barroca a seguir ao Concílio de Trento ou os hinos metodistas de Wesley, nos finais do século XVIII.

John Donne acreditava que a palavra com a qual Deus criou o mundo era uma canção. Este é um tema que percorre toda a nossa tradição, desde os salmistas que cantaram o modo como toda a Criação louva o Senhor até as teorias medievais sobre "a música das estrelas" ou as modernas teorias sobre a matéria e as suas harmonias.[35] Michio Kaku disse: "A Física não é mais do que as leis da harmonia. O universo seria uma sinfonia destas cordas vibrantes e, assim, a mente de Deus, de que Einstein escreveu, a mente de Deus seria música cósmica, música cósmica a ressoar através do hiperespaço de dez dimensões".[36] Por isso, é também com música que exprimimos a nossa esperança daquele lugar no qual, segundo Donne, haverá não "ruído ou silêncio mas sim uma música uniforme, não temores ou esperanças mas sim uma constante possessão, não inimigos ou amigos mas sim uma duradoura comunhão e identidade, não fins ou princípios mas sim uma permanente eternidade".[37]

Assim, um dos sinais de que precisamos, em face da morte, é música, colcheias e semínimas numa página. À noite, quando o salmista se sente tentado pelo desespero, canta: "Despertai, lira e cítara: quero acordar a aurora". É, acima de tudo, a música que vence as trevas e exprime uma esperança daquilo que não podemos imaginar. Quando o meu pai estava para morrer, pediu-nos

---

35 Por exemplo B. GREEN, *The Elegant Universe*, New York, 1999.

36 BBC 4, *Frontiers*, 11 de maio de 2005, apresentação de Peter Evans.

37 G. POTTER e E. SIMPSON (ed.), *The Sermons of John Donne*, vol. 8, Berkeley, 1953-62, p. 191.

que comprássemos um *walkman* para poder ouvir música. É a mais corpórea e a mais abstrata das artes, significado encarnado que nenhuma força bruta pode suprimir.

> "Esperança" é a coisa com penas
> Que se empoleira na alma
> E canta a melodia sem palavras
> E nunca para – absolutamente.[38]

[38] E. DICKINSON, *The Complete Poems*, ed. T. H. Johnson, London e Boston, 1975, 254, p. 116.

CAPÍTULO 2

Aprender a espontaneidade

O sentido do cristianismo, antes de qualquer outra coisa, é mostrar-nos que há um sentido para as nossas vidas. As nossas vidas estão orientadas para um fim último. Apesar de todo o absurdo e sofrimento que se possa suportar, o sentido tem a última palavra. Pode não se ser capaz de contar a história das nossas vidas ou a da humanidade, mas a nossa esperança é que um dia se descubra que tudo o que vivemos e fomos tem sentido. Poderemos mostrar, agora, algo desse sentido final? Acabamos o primeiro capítulo falando da música, como de um dos modos fundamentais pelos quais tentamos exprimir essa esperança naquilo que está para além do alcance das nossas palavras. Mas haverá outras maneiras que nos permitam tornar visível o fim da viagem? Neste e no próximo capítulo, vou sugerir duas maneiras de mostrar agora o último objetivo das nossas vidas. Deveríamos ter uma liberdade e uma felicidade que não fariam sentido se Deus não existisse. O cristianismo convida-nos a uma liberdade e a uma felicidade específicas, que são uma partilha da vitalidade própria de Deus. O fim da viagem torna-se assim manifesto. A nossa esperança é sustentada por este sabor da meta da viagem. E podemos ter a esperança de encontrar esta mesma liberdade e alegria específicas entre pessoas de outras fés, e de nenhuma. Não podemos pretender ter agora o exclusivo na partilha da vida de Deus. Mas deveremos ter consciência de que o Evangelho nos convida a uma liberdade e a uma felicidade que nos fazem nadar contra a corrente das expectativas da nossa cultura e podem parecer verdadeiramente excêntricas.

Há alguns anos, quando estava em visita aos dominicanos na República Tcheca, passei uma noite numa pequena cidade chamada Snojmo, perto da fronteira austríaca. Houve o habitual encontro com a Família Dominicana. Havia um bom número de jovens famílias com as suas crianças barulhentas, e banqueteamo-nos com excelentes salsichas e bebemos *slivovitz*. Depois, tivemos uma discussão aberta, e a primeira pergunta foi de uma jovem senhora que perguntou como poderia transmitir o ensino moral da Igreja aos seus filhos, que pareciam ser tão renitentes quanto os outros jovens da Europa ocidental. Eu não sabia como responder à pergunta e, por isso, passei-a ao meu companheiro de viagem, um teólogo moralista chamado Wojciech Giertych, professor no Angelicum, a nossa universidade em Roma.

Ele foi ao quadro e desenhou um pequeno quadrado num canto. “Neste quadrado estão os mandamentos. É disso que a moral se ocupa?” E todo mundo exclamou: “Com certeza”. “Não, disse ele, Deus não está muito interessado em mandamentos”. Depois, desenhou um quadrado que cobria todo o resto do quadro e disse: “Isto é a liberdade. É isto que interessa a Deus. A tarefa de vocês é de ensinar seus filhos a serem livres. Este é o ensino dos Evangelhos e também o de São Tomás de Aquino”. Fiquei tão entusiasmado com aquilo que decidi, nesse instante, que, se alguma vez tivesse um ano sabático, haveria de estudar a teologia moral de São Tomás, que de certo modo me tinha escapado na desarrumação dos meus estudos teológicos no caótico final da década de 1960.

"Foi para a liberdade que Cristo nos libertou; permanecei, pois, firmes e não torneis a sujeitar-vos ao jugo da escravidão" (Gl 5,1). Uma das coisas que deveria ser incontestavelmente diferente nos cristãos deveria ser a nossa liberdade. As pessoas deveriam olhar para nós e ficar intrigadas com a nossa espantosa liberdade. Infelizmente, é pouco provável que isso aconteça. A Igreja é, habitualmente, vista como uma instituição repressiva, que está sempre dizendo às pessoas que não devem fazer o que querem e que devem fazer o que não querem. Como William Blake escreveu:

> Padres nas suas batinas pretas faziam as suas rondas
> E apertavam com espinhos as minhas alegrias e desejos.[1]

A sociedade ocidental é extremamente ambígua a respeito da liberdade. Por um lado, pertencemos ao chamado "mundo livre". Temos excelentes liberdades: liberdade de palavra, liberdade de movimentos, liberdade de votar em quem queremos etc. O *Inquérito Europeu de Valores* mostra que a liberdade, entendida como autonomia pessoal, é o valor mais importante para os atuais europeus. E, no entanto, a nossa sociedade está obcecada com uma estranha falta de liberdade.

Quando eu era novo, respirava-se liberdade. Este clima foi resumido naquele maravilhoso discurso de Martin Luther

---

[1] W. BLAKE, "The Garden of Love", in *Complete Works*, ed. G. Keynes, Oxford, 1969, p. 215.

King, em 28 de agosto de 1963: "Eu tenho um sonho". O sonho era de liberdade, "quando todos os filhos de Deus, negros e brancos, judeus e gentios, protestantes e católicos, puderem dar as mãos e cantar aquela antiga canção espiritual negra: 'Finalmente livres! Finalmente livres! Graças ao Deus Todo-Poderoso, estamos finalmente livres!'". Quarenta anos depois, o Muro de Berlim caiu, o Mercado Livre triunfou e, no entanto, se há um sentimento que perdura, é o de que somos menos livres que antes. Prendemos mais gente do que em qualquer outra época da história. De fato, a América tem, nas suas cadeias, a maior percentagem da sua população do que qualquer outra sociedade no mundo, com exceção da China. Vemos o crescimento do que na Grã-Bretanha se chama o "Estado-babá" e da cultura do controle, e vivemos no receio de mais regulamentos complicados vindos de Bruxelas.

Mais do que isso, muita gente vive encarcerada: encarcerada pela droga e pelo álcool, pelo seu passado ou pela sua infância, pela pobreza ou pela solidão, pelos seus genes. É estranho que, nesta sociedade livre, tanta gente se sinta constrangida. Mesmo gente rica e com sucesso se sente encurralada. Tornamo-nos livres apenas para descobrir que, muitas vezes, é apenas uma liberdade vazia. Como Zygmunt Bauman escreveu: "Há uma nojenta mosca de impotência no saboroso unguento da liberdade, cozinhado no caldeirão do individualismo; essa impotência é tanto mais odiosa, desconfortante e desagradável quanto o que se esperava que a liberdade haveria de trazer seria acesso ao poder".[2] No final do *Inquérito Europeu de Valores*, Bart McGettrick escreveu que os Europeus necessitavam de "uma pedagogia

---

[2] M. BAUMAN, *Liquid Modernity*, Cambridge, 2000, p. 35.

da liberdade". A liberdade é o valor central dos europeus de hoje, mas não sabemos como gozá-lo.

Por conseguinte, a nossa sociedade está madura para a mensagem da liberdade evangélica: esta deveria estar no âmago da nossa evangelização. Mas isso só acontecerá se se encarar e ultrapassar a tímida falta de liberdade que tantas vezes paralisa a vida da Igreja, caso contrário, as nossas palavras não terão nenhuma autoridade. Um dia, uma mãe foi com a sua filha ver Mahatma Gandhi. Estava preocupada porque a criança estava viciada em doces e pediu ao sábio que a convencesse a usar de moderação. Mas Gandhi pediu à mãe que levasse a pequena e voltasse três semanas depois, o que ela fez. Então, Gandhi falou com a criança e convenceu-a a cortar os doces. No fim, a mãe perguntou-lhe: "Mas, Gandhiji, por que não disse isso à pequena, há três semanas?". Ele respondeu: "Porque há três semanas, também eu estava demasiado viciado em doces". Nós, cristãos, se queremos falar de liberdade com convicção, também precisamos ser libertados do que nos mantém cativos.

Kant afirmava que a liberdade não pode ser explicada, mas apenas defendida.[3] Não podemos explicar a liberdade cristã, mas podemos vê-la em ato na Última Ceia. Este sinal de esperança é o mais livre de todos os atos. A Última Ceia era uma refeição pascal. Era a festa da libertação de Israel da escravidão no Egito. Jesus está recostado à mesa com os discípulos, e com aquele que amava apoiado no seu peito. Isto era um sinal da sua liberdade. A tradição judaica afirmava que, "enquanto os escravos comem de pé, aqui [na Páscoa] as pessoas devem recostar-se

---

[3] Citado por K. A. Appiah, *The Ethics of Identity*, Princeton, 2005, p. 60.

quando comem, para significar que saíram da escravidão para a liberdade".[4] Naquela noite, Jesus começou uma nova Páscoa, uma passagem para a inimaginável liberdade de Deus.

Aquela última refeição oferece-nos sucessivos passos para uma liberdade cada vez mais profunda. Em primeiro lugar, veremos a traição de Jesus, a sua perda de liberdade. Depois, refletiremos brevemente sobre o modo como Jesus transcende o estatuto de vítima. Em seguida, há a sua liberdade de opção, que é a liberdade fundamental e habitual dos seres humanos. Mas a Última Ceia convida-nos ainda a liberdades mais profundas: a liberdade da espontaneidade e, por fim, a liberdade de oferecer a sua vida.

Traição

Comecemos com a traição. Por que é que Judas entregou Jesus à morte? Não sabemos a resposta. Quando Jesus o encontrou no jardim, perguntou-lhe: "Amigo, por que estás aqui?" (Mt 26,50). Judas não respondeu. É a pergunta que se repete nos impropérios da Sexta-Feira Santa: "Meu povo, que mal te fiz eu? Em que te contristei? Responde-me". Não podemos. O mal é absurdo e disparatado. Perante a morte de Jesus, só podemos dirigir-lhe a mesma pergunta: "Amigo, por que *Tu* estás aqui?". O mistério do mal não tem explicação, mas é absorvido no mistério mais profundo do bem.

No entanto, podemos imaginar o que terá levado Judas a ser tentado pela ideia de trair Jesus. O seu nome oferece-nos uma

---

4 J. Pes. 10.37b.56, citado por J. JEREMIAS, *Eucharistic Words of Jesus*, ed. rev., London, 1964, p. 26.

pequena entrada na mente de Judas e nas razões do seu terrível ato: Judas Iscariotes. Judas era um nome popular entre os nacionalistas. Vários "libertadores" judeus conhecidos chamavam-se Judas. E o seu cognome, Iscariotes, significa "homem do punhal" ou "assassino". Provavelmente desejava uma revolução que expulsasse os romanos. Suspeito que tenha subido a Jerusalém cheio de entusiasmo, pensando que aquele era o momento de expulsar os opressores. Jesus revelar-se-ia, então, como o grande Messias guerreiro. E quando Jesus chegou a Jerusalém, no Domingo de Ramos, a multidão estava pronta a segui-lo para qualquer lado. Mas nada aconteceu. Tudo o que Jesus precisava fazer era aproveitar o momento. A vitória estava ao seu alcance e deixou-a escapar. A Última Ceia, argumentava eu no capítulo I, é o momento em que deixou de haver uma história com futuro para contar. Judas pode ter percebido isto, antes de qualquer outro dos discípulos, e foi incapaz de suportar a desilusão. Desta forma, Judas parece ser um homem decepcionado; um sonhador que se sente abandonado. Jesus traiu as suas esperanças e, por isso, ele trai Jesus. A ironia está em que Jesus, na Última Ceia, inaugura uma liberdade mais radical do que alguma vez algum Judas sonhou.

Seria errado pensar que o engano de Judas era ele ansiar por uma libertação política e Jesus ter oferecido uma liberdade espiritual. Jesus oferece-nos uma liberdade de tudo o que oprime a humanidade, seja mental ou político, individual ou social. A nossa esperança remete para um mundo em que seja eliminado tudo o que aprisiona a humanidade. Por vezes, a Igreja esqueceu, de algum modo, esta verdade, vendo a nossa religião apenas em termos pessoais. Em Cartagena, no que é hoje a Colômbia, dois heroicos jesuítas, Alonso de Sandoval e Pedro Claver, passaram anos cuidando dos escravos que tinham sido traficados da África. Diarmaid MacCulloch escreveu: "Naquele contexto, o seu trabalho pastoral foi corajosamente contra a cultura e despertou verdadeira desaprovação entre a população dos colonos, mas os seus esforços para incutir primeiro nos seus deploráveis penitentes um sentido de pecado (especialmente o pecado sexual) e, depois, o arrependimento, parece agora estranhamente situado no seio de um dos maiores atos de pecado coletivo cometido pela cultura cristã ocidental".[5] A teologia da libertação ajudou-nos a redescobrir a intuição de que a liberdade cristã não pode ser espiritualizada, como um estado interior da pessoa, nem reduzida a um programa político.

Eu presumo que Judas não conseguiu ver a radicalidade da liberdade que Jesus estava inaugurando. De fato, como poderia ele consegui-lo? Provavelmente, nenhum dos outros discípulos o fez também. Jesus estava propondo "uma revolução radical que alcança as profundezas da nossa vida corporal e que, por isso, implica morte e ressurreição".[6] Judas tinha meramente depositado as suas esperanças em remodelar um pouco os quadros políticos. Um governante seria substituído por outro. O que seria sem dúvida bom, mas Jesus estava oferecendo-nos uma participação na inimaginável liberdade de Deus, o que exige a transformação do que representa para nós estarmos vivos. O nosso empenho político na luta contra a injustiça é bom, mas é uma expressão necessária de algo mais, a liberdade que é a própria

---

[5] D. MacCulloch, *Reformation: Europe's House Divided 1490-1770*, London, 2003, p. 437.

[6] H. McCabe OP, *Law, Love and Language*, London, 2003, p. 159.

vida de Deus. Como H. McCabe escreveu, a ação política é apenas "a visibilidade social da fé".[7]

Apesar da sua decepção, como pôde Judas entregar Aquele que o chamou "amigo"? Não sabemos. Os textos dos Evangelhos não estão interessados em psicologia, do mesmo modo que não são registros históricos (na perspectiva moderna). Mas talvez se possam detectar indícios de um deslize gradual para este pecado, passo a passo, tão lentamente que Judas pode não ter captado inteiramente o que estava fazendo, até que o fez. Vai ter com os chefes dos sacerdotes e diz-lhes: "Quanto me dareis, se eu vo-lo entregar?". Não menciona o nome. Jesus é apenas "ele". É um dos primeiros pequenos passos que tomamos quando nos distanciamos de alguém: deixar de usar o seu nome. Um marido pode dizer "telefonei para sua mãe", "a vizinha do lado", "aquele homem baixo". Primo Levi descreve como, quando chegou a Auschwitz, lhe tiraram o nome e lhe deram um número: "Já nada nos pertence; tiraram-nos a roupa, os sapatos, até o cabelo [...]. Até nos tiraram o nome: se o queremos guardar, temos de nós mesmos encontrar a força de o fazer, de fazermos de maneira que, por detrás do nome, alguma coisa de nós mesmos, de nós como éramos, permaneça".[8]

Depois, à mesa, quando Jesus diz que um deles vai traí-lo, pergunta: "Sou eu, Mestre?". Pode pensar-se que ele sabia que o era, e que estava apenas fingindo espanto para se esconder no meio dos outros discípulos intrigados. Mas talvez ainda não tivesse alcançado o que estava fazendo. Tinha aceitado o dinheiro mas, possivelmente, ainda não tinha prometido explicitamente

---

7 Ibid., p. 170.
8 P. Levi, *If This is a Man*, London, 1979, p. 33.

nada. E ainda nada tinha sido feito. Ainda há tempo para mudar de ideias. *A Última Ceia* de Leonardo da Vinci capta a ambiguidade daquele momento na perfeição. Judas "retrai-se perante as palavras de Cristo, embora a sua mão avance irrevogavelmente para o bocado de pão que vai ensopar no prato".[9] Certamente, todos nós conhecemos esse momento em que resvalamos para um pecado, sem, no entanto, o admitir. Preparamo-nos para pecar, enganando-nos a nós próprios de que vamos fazer outra coisa e odiando-nos pelas intenções ocultas que não assumimos, nem perante nós mesmos. Não consigo imaginar Judas praticando friamente a sua ação. Quando os pelagianos insistiram que todo o pecado é uma rejeição de Deus plenamente consciente, Agostinho respondeu que "muitos pecados são cometidos por gente que chora e geme".[10]

E quando Judas traz os soldados ao Getsêmani, já percebe o que está fazendo? Na versão de Marcos, pede-lhes que levem Jesus "em segurança". Estará ainda a enganar-se a si mesmo? "O sumo sacerdote está tão zangado com Ele que precisa de uma boa proteção romana". E, depois, beijou Jesus calorosamente! É o que a palavra *kataphilein* significa. Esta pode ser a tragédia de um homem que esconde, até de si mesmo, o que está fazendo, até o último momento, quando já é demasiado tarde.

Este homem que aspirava à liberdade seria, neste caso, alguém que vive a mais profunda falta de liberdade. Como Paulo, poderia ter dito: "Não entendo as minhas próprias ações. Porque faço não o que quero, mas aquilo mesmo que odeio" (Rm 7,15).

---

9 C. NICOLL, *Leonardo da Vinci: The Flights of the Mind*, London, 2004, p. 297.

10 AGOSTINHO, *De Natura et Gratia xxix 33*, citado por Rowan WILLIAMS, *Silence and Honey Cakes: The Wisdom of the Desert*, Oxford, 2003, p. 44.

No relato de João, Jesus quase tem de o empurrar para que faça o papel que lhe está destinado: "O que tens a fazer, fá-lo depressa" (Jo 13,27). Este desvio para o mal foi, certamente, o fruto da sua solidão. Dirigiu-se só ao sumo sacerdote para lançar a ideia da traição. Assiste à Última Ceia na mais profunda solidão. Precisamos dos nossos amigos para nos lembrarem o que andamos fazendo, para nos porem diante de um espelho de verdade. É desagradável, mas mantém-nos livres. Mas seria a sua solidão final e completa? Na última vez que Jesus o encontra, segundo Mateus, ainda o saúda como seu amigo.

Opções

Jesus é a vítima inocente. É a vítima do ódio e do medo. A sua vida não está nas suas mãos. Foi traído e, em breve, será entregue. Está ao nosso lado em todas as nossas experiências de falta de liberdade, de sentir-se vítima. Mas ainda faz opções. As suas possibilidades são extremamente limitadas, mas escolhe reunir os discípulos para uma última refeição, em vez de fugir de Jerusalém. Escolhe passar o Vale do Cedron e ir para o Getsêmani, para confrontar os seus inimigos. Não é apenas uma vítima. Na versão de João, quando proclama quem é, no jardim, os soldados caem por terra diante dele.

Os mecanismos da vitimização na nossa sociedade e nos Evangelhos foram brilhantemente analisados por autores como René Girard e James Alison.[11] Nada tenho a acrescentar, mas acentuaria que a irreprimível liberdade de Jesus nos convoca a

[11] R. GIRARD, *La violence et le sacré*, Paris, 1972; J. ALISON, *Knowing Jesus*, London, 1993 etc.

todos a não nos considerarmos apenas como vítimas. A Igreja deve estar ao lado das pessoas que sofrem qualquer espécie de vitimização. Mais ainda, a Igreja deve reconhecer as pessoas que ela própria faz vítimas. Como São Paulo, na estrada para Damasco, devemos abrir os nossos ouvidos ao Senhor que nos diz também a nós: "Saulo, Saulo, por que me persegues?".

Devemos ter a ousadia de nos contarmos entre os transgressores, apesar de não ser nada bom para a nossa reputação. Penso num dominicano francês que é capelão de ciganos. Tem uma caravana, aprendeu a sua linguagem e partilha a sua vida. Pouco a pouco, foi aceito por eles e acabou por ser eleito juiz do povo, alguém que tem poder para ser árbitro nos seus litígios. Penso que nunca um não cigano foi tão honrado. Mas isto significa que partilha também a sua ignomínia; significa que é, com frequência, desprezado pelas pessoas respeitáveis, hostilizado pela polícia e arbitrariamente posto na cadeia.

A sociedade ocidental está amargurada por um sentimento difuso de vitimização. É o ponto fraco da mentalidade do Mundo Livre, o ressentimento de que a liberdade nem sempre trouxe a felicidade que nos tinham prometido. As pessoas consideram-se vítimas de preconceitos ou da história ou dos seus genes ou da sua educação. Uma característica especial da modernidade, da Irlanda do Norte ao Oriente Médio, é o sentimento de mútua vitimização, em que todo mundo reclama o estatuto de vítima. Chega-se a falar da "competição da vitimização": "Eu sou mais vítima do que você". Não se nega que há pessoas profundamente vitimizadas, como as crianças vendidas para a exploração sexual e as mulheres, em muitas partes do mundo. Mas a Igreja nunca poderá aceitar que alguém seja *apenas* uma vítima. A liberdade começa por as pessoas se darem conta das escolhas que podem fazer, mesmo se forem extremamente limitadas, mesmo se for só levantar-se de manhã. Se alguém aceita passivamente o estado de vítima, morre.

Primo Levi explicou que em Auschwitz a sobrevivência dependia de coisas tão pequenas como lavar-se. Durante algum tempo, pôs isso de lado. Que sentido tinha? A água estava suja e, por isso, era uma perda de tempo. A sua vida foi salva por Steinlauf, um camarada prisioneiro, que explicou que se o não fizesse estaria acabado:

> Nós somos escravos, privados de qualquer direito, expostos a todo tipo de insultos, condenados a uma morte certa. Mas ainda temos um poder e devemos defendê-lo com toda a nossa força, porque é o último: o poder de recusar o nosso consentimento. Por isso, devemos seguramente lavar o rosto sem sabão, com água suja e enxugá-lo nos casacos. Devemos engraxar os sapatos, não porque o regulamento o manda, mas por dignidade e limpeza. Devemos andar direitos, sem arrastar os pés, não em homenagem à disciplina prussiana, mas para permanecer com vida e não começar a morrer.[12]

As nossas imagens da África são, frequentemente, as de um continente de vítimas, de milhões de crianças de barrigas inchadas e com tigelas para esmolas. E é verdade que a África é crucificada pelas políticas econômicas do Ocidente, por embargos comerciais e subsídios, por dívidas e até por planos de desenvolvimento. Mas rebaixamos o continente, se encerrarmos a sua gente na imagem da vitimização. Num encontro da Família Dominicana em Manila, em 2001, um jovem leigo dominicano

---

[12] P. LEVI, *If This is a Man*, London, 1979, p. 47.

da República Democrática do Congo repreendeu-nos a nós, os Ocidentais, por saquearmos a sua pátria, pelos diamantes em paga da venda de armas. O Ocidente está enriquecendo com o seu sofrimento. Nada poderia ser feito se não acabássemos com a nossa opressão. Ele tinha razão em acusar-nos, mas o meu coração exultou quando um jovem frade angolano lhe lembrou que os africanos não devem se considerar apenas vítimas. Que pode ser feito em Angola e no Congo para começar a andar no caminho para a liberdade? Esse mesmo jovem frade, Zeca, dirige uma organização que está colaborando na reconstrução da sociedade angolana, depois dos traumas da guerra.

Jesus escolhe. Este é o tipo de liberdade em que primeiro pensamos na nossa sociedade. É a liberdade do mercado, a da escolha entre alternativas: Pepsi-Cola ou Coca-Cola? Para algumas pessoas, as escolhas são muito reduzidas. Por exemplo, em muitos países as mulheres não podem escolher não ter relações sexuais com homens que são soropositivos. Mas a Igreja só será um berço de liberdade evangélica se formos vistos ao lado das pessoas, suportando-as quando fazem as suas decisões morais dentro do que lhes é possível, em vez de tomarmos as decisões por elas.

As pessoas não serão atraídas à Igreja se o ensino moral for visto apenas como mostrar-lhes o que deve ser feito. Com razão ou sem ela, isso seria visto como uma violação da sua autonomia. O *Inquérito Europeu de Valores* identifica o "individualismo" como, talvez, a característica-chave do europeu moderno.[13] Isto põe em realce o valor supremo do direito individual de decidir no que diz respeito à própria vida. Prezamos a liberdade de escolher

13 IEV, p. 5.

os nossos valores morais. Isto implica a rejeição da excessiva interferência de qualquer instituição, seja a Igreja ou o Estado. Segundo o *Inquérito*, os jovens olham para a Igreja em busca de orientação *espiritual*, mas negam esmagadoramente a todas as Igrejas qualquer direito de interferência pessoal na vida privada das pessoas. Uma religião em conflito com a autonomia pessoal será rejeitada pela maioria dos europeus e, pelo menos implicitamente, por muitos católicos. Em última análise, a nossa mais profunda liberdade é fazer a vontade do Pai, mas isso talvez seja alcançado apenas no fim da caminhada, e não no princípio.

Em segundo lugar, a Igreja tem de admitir que as opções que as pessoas são obrigadas a fazer na sociedade atual são mesmo muito complexas. Uma vez, tive o privilégio de passar um fim de semana com os dirigentes de uma grande companhia de petróleo. Desejavam que algumas pessoas de outras áreas os ouvissem nas suas discussões em torno das decisões morais que enfrentavam. Antes disso, eu não fazia a menor ideia da complexidade dos problemas. Como equilibrar as obrigações para com os acionistas e as que tinham para com os empregados? Como harmonizar a obtenção de lucro e o respeito do ambiente? Os cristãos, na sua vida moral, são confrontados com difíceis opções para as quais o ensino da Igreja pode não ter respostas claras e fáceis. Se uma pessoa está divorciada e encontra alguém por quem se apaixona, deve ou não voltar a casar? Um homossexual terá de viver sempre só? Dado que é assustador ter de pensar o seu caminho através destes problemas, rezar a respeito deles, estudá-los à luz do ensino dos Evangelhos e da Igreja, a tentação passa por fazer o que nos agrada ou, para a Igreja, despachar a questão com uma resposta rápida. O Vaticano está sempre sendo solicitado para resolver dilemas morais e, depois, censurado se o tenta fazer. Optar é uma parte difícil, mas necessária, de tornar-se livre.

Mesmo quando o ensino cristão parece claro e inequívoco, devemos estar preparados para entrar na complexidade da vida das pessoas, no seu esforço para descobrir o que é reto. Pensemos no aborto. Toda a tradição cristã dá testemunho da rejeição do aborto. Segundo a *Carta a Diogneto*, já no século II se reconhecia como uma das realidades nas quais os cristãos eram radicalmente diferentes dos seus concidadãos: "Casam, como fazem todos; geram filhos; mas não destroem a sua prole". É praticamente inconcebível que a Igreja algum dia considere o aborto como permissível. Mas isso não significa que nós, os cristãos, possamos fechar simplesmente os ouvidos ao que os que são a favor do aborto desejam dizer-nos. Precisamente porque podemos estar confiantes na verdade fundamental da nossa tradição, não precisamos ter receio de usar todos os recursos da mente e da imaginação para compreender a sua posição e ver o que se pode aprender com ela. Como disse o grande bispo Butler no Concílio: "*Ne timeamus quod veritas veritati noceat*" – "Não receemos que a verdade prejudique a verdade". Se prestarmos atenção à verdade do que nos dizem, isso só nos pode ajudar a ver mais claramente a verdade do que acreditamos. Romances como *As regras da casa de Sidra* de John Irving (adaptado para o cinema como *Regras da vida*) e filmes como *O segredo de Vera Drake* ajudam-nos a entrar na complexidade das vidas daqueles que fazem opções acerca do aborto. A verdade é simples, mas, se essa simplicidade não passou pela complexidade da experiência humana, é uma simplicidade infantil, uma simplicidade estridente e desumana, não a simplicidade que vislumbramos indistintamente em Deus. Aqueles que pensam que a verdade do nosso ensino deve ser protegida com difamação e ataques violentos aos outros podem muito bem estar inseguros das suas convicções, com medo de ouvir a outra posição e começar a duvidar. Precisamente quando estamos mais confiantes no ensino da Igreja devemos estar mais livres para ouvir e aprender, para abrir as nossas mentes e corações aos que chegaram a conclusões com as quais não concordamos.

São Tomás gostava muito do texto do Evangelho que diz que não se deve chamar a ninguém "mestre", porque temos apenas um, nos Céus. Reparei, quando era Mestre da Ordem, que os irmãos também pareciam apreciar este texto, porque surgia inesperadamente nos escritos com uma frequência suspeita! São Tomás entendia que é Deus quem ensina, por graça, nas profundezas da mente e do coração humanos. Tudo o que um professor humano pode fazer é acompanhar as pessoas na sua investigação, partilhando em amizade o que sabe. Josef Pieper exprime o ponto de vista de São Tomás da seguinte forma: "Um amigo, que seja prudente, pode compartilhar a decisão do seu amigo. Fá-lo em virtude daquele amor que faz seu o problema do seu amigo, como também faz seu o eu do seu amigo (e assim já não é inteiramente 'do exterior')".[14] Temos de nos tornar a outra pessoa, entrar na sua imaginação e partilhar os seus dilemas, antes de comunicar o nosso ensino.

O Papa João Paulo II escreveu na Encíclica *Fides et Ratio*: "É bom não esquecer que a razão, na sua busca, também tem necessidade de ser apoiada por um diálogo confiante e uma amizade sincera. O clima de suspeita e desconfiança, que por vezes

---

[14] J. PIEPER, *The Four Cardinal Virtues*, Notre Dame, 1966, p. 29.

envolve a pesquisa especulativa, ignora o ensinamento dos filósofos antigos que punham a amizade como um dos contextos mais adequados para o reto filosofar".[15] A amizade significa que se vê pelos olhos do outro, se está atento à sua experiência, se levam a sério as suas intuições e as suas dúvidas. Quando a Igreja parece estar ensinando do alto, longe das dificuldades das pessoas comuns, não está ensinando nada. Denys Turner, professor de teologia em Cambridge, escreveu:

> Não posso imaginar que mais poderá fazer um professor, ou quanto a isso um pregador, do que *lembrar* às pessoas a sua capacidade de infinito [...]. Jesus disse-nos que não *nos* devemos intitular professores, e ai de nós teólogos se no nosso ensino e pregação acrescentássemos alguma coisa de nós próprios que não contribua para essa manifestação da memória, esse trazer para fora a nostalgia, esse desejo do Espírito. Todos os professores conhecem esta humildade, este acanhamento na prática, porque sabem que quando ensinaram bem os alunos, espontaneamente dirão: "Evidentemente" – *reconhecerão,* como se recordassem, uma verdade que deixa de ser do professor, porque agora possuída e partilhada em comum.[16]

Quando Deus dá mandamentos, eles são dados num contexto de amizade. Moisés, indo ao encontro de Deus na montanha para receber os Dez Mandamentos, não foi encontrar-se com o Legislador cósmico, mas com "o Senhor [que] costumava falar a Moisés face a face, como um homem fala com um amigo" (Ex 33,11). Ao comunicar aos discípulos o seu mandamento novo, Jesus fá-lo porque são seus amigos: "Vós sois meus amigos se fizerdes o que

15 FR, n. 33.
16 D. TURNER, *Faith Seeking*, London, 2000, p. xi.

eu vos ordeno" (Jo 15,14). Os amigos têm obrigações uns para com os outros que, mais do que constrangê-los, servem para ligá-los entre si. É a obrigação do amor mais do que da lei.

Por isso, só na amizade e na proximidade é que a Igreja pode estar conosco quando encaramos dilemas morais e fazemos opções. Só assim podem as pessoas ter segurança para fazer opções que sejam criativas e libertadoras, que vão além das alternativas óbvias, e descobrir o que é novo. Naquela última noite, Jesus tinha para si poucas opções em aberto e nenhuma delas parecia boa. Podia ficar à espera e morrer ou fugir e ser humilhado. Em qualquer dos casos, a sua vida seria vista como um fracasso. Parecia não haver boas escolhas a fazer. Mas Ele atuou de forma criativa. Assumiu a traição de que foi objeto e fez dela um dom. Transformou a desintegração da comunidade no dom da nova aliança.

Muitos de nós consideram que têm poucas opções. Mas escolher é mais do que vacilar entre alternativas. Com a graça de Deus dinamizando a imaginação, podemos escolher de forma criativa, abrindo possibilidades com que nunca tínhamos sonhado. Podemos assumir a nossa sorte e torná-la uma bênção. Conheci uma mulher nas Filipinas que sofre de lepra. Passou a maior parte da sua vida num dos leprosários que os irmãos dominicanos de São Martinho dirigem. De fato, muitos dos irmãos são também eles leprosos. Mesmo depois de ter sido curada, não ousou sair e ver nos olhos das pessoas o seu medo e a sua repulsa. Estava prisioneira das suas cicatrizes. Foi então que descobriu que a sua doença podia tornar-se a sua missão. Começou a viajar e a visitar leprosários na Ásia, encorajando as pessoas a saírem das suas prisões e a serem livres.

Conta-se a seguinte história do místico dominicano alemão da Idade Média chamado Henrique de Suso. Uma mulher, que tinha tido um filho ilegítimo, deixou-o à sua porta e espalhou o rumor de que era ele o pai. Henrique suportou tudo isto sem uma palavra. Disse à criança: "Meu lindo menino, eu vou tomar conta de ti, porque tu és filho de Deus e meu filho também".[17] Não sei o que os irmãos teriam pensado! Escusado seria dizer, a mulher ficou tão comovida por isto que, antes de morrer, revelou a sua inocência. O que é tão belo nesta história é que a mulher faz dele uma vítima. Em vez de o negar, ele abraça a acusação e reclama a criança como sua e de Deus. Está livre.

Espontaneidade

"Isto é o meu corpo, entregue por vós." Isto não foi apenas uma ação isolada que Jesus podia ou não ter feito. Os Evangelhos sinóticos mostram que tudo quanto Jesus tinha feito antes conduzia a isso. O chamado dos discípulos, aquelas refeições com prostitutas e publicanos, a multiplicação dos pães, todos esses acontecimentos vêm culminar neste ato criativo, a fundação da comunidade do Corpo de Cristo. Sem ele, toda a história da sua vida anterior deixaria de ter sentido. Toda a liberdade que Jesus mostrou ao perdoar os pecados, ao tocar nos leprosos, ao transcender a Lei, tudo culmina neste ato de extrema liberdade. Quando se lê toda a narrativa evangélica, parece haver certa inevitabilidade em torno disto, que ninguém poderia ter adivinhado de antemão. É, simultaneamente, o que Ele *deve* fazer e o que faz com *total liberdade*.

---

[17] D. NICHOLL, *Holiness*, London, 1981, p. 35.

Se se pensar, como a nossa sociedade se inclina a pensar, que a liberdade é apenas uma questão de escolha entre alternativas, a vida resumir-se-ia apenas a escolhas sucessivas. Assim, ao fazer uma má escolha, podemos ir à confissão e apagar tudo. Três assassinatos e dois pensamentos impuros, esta semana, mas não há problema! É preciso recomeçar. Evidentemente, todos nós vacilamos, temos vertigens com este sacramento, pedindo que os nossos pecados sejam esquecidos e que possamos voltar com o sentimento de que fomos curados: e assim deve ser. Mas se ficamos presos a esse nível, a pensar a vida moral apenas como uma sucessão de atos bons e maus, permaneceremos moralmente infantis. A nossa história pessoal não é, como Henry Ford disse da história em geral, "apenas uma maldita coisa depois de outra". Como vimos no último capítulo, damos sentido às nossas vidas ao encontrarmos uma história para as contar. A história que contamos mostra quem somos. Agarramos a nossa identidade de quando reescrevemos a nossa autobiografia pessoal à medida que envelhecemos. Assim, quando tomamos decisões, estamos a decidir a direção da nossa vida e a história que, enfim, poderá ser contada acerca dela. Estamos tomando decisões sobre quem somos e não apenas sobre o que fazemos.

Se alguém pensa que a moral tem a ver com a submissão às regras, poderá avaliar a qualidade de uma vida moral pelo número de vezes em que se obedeceu ou não a essas regras. Mas a tradição mais antiga, que encontramos em teólogos como Tomás de Aquino, pensa em termos de movimento de toda uma vida. A história que somos convidados a contar, a respeito de nós próprios, é a da caminhada para Deus, de quem provimos. A moralidade tem a ver com tornarmo-nos fortes para a viagem de regresso a casa. A vida virtuosa é a que nos ajuda a manter o movimento na direção certa. "*Virtus*" significa literalmente "força", a força para a caminhada. As virtudes cardeais – coragem, temperança, prudência e justiça – ajudam-nos no caminho. As virtudes teológicas – fé, amor e esperança – dão-nos um antegosto da chegada.

Atualmente, a maneira típica de ser religioso é, como já sugeri, tornar-se peregrino como Momo e Oscar. As pessoas de hoje estão em busca, em viagem, e não muito seguras do que existe no fim dessa viagem; porém, pelo menos de forma intermitente, estão a caminho. Devemos estar com elas, ajudando-as a descobrir a liberdade do percurso e a antever a meta de toda a caminhada. A Igreja deve oferecer uma pedagogia de liberdade, o que é mais do que fazer as escolhas certas. É tornar-se um agente moral cuja vida se descobre com forma e significado. Só o poderemos fazer se estivermos com as pessoas onde elas estão, e não a dizer-lhes onde deveriam estar. Não podemos ser como aquela pessoa a quem perguntaram o caminho para Dublin e que respondeu: "Se eu quisesse ir para Dublin, não partiria daqui". Onde quer que estejamos, quaisquer que sejam as confusões ou desordens em que nos encontramos, esse é o ponto de partida de volta para casa. Não adianta dizer às pessoas que não deveriam estar divorciadas ou recasadas ou a viver com alguém ou ser homossexuais. Temos de começar pela situação em que elas se encontram. Quando o bom dominicano Santo Antonino, arcebispo de Florença, pediu a Cosimo de Médici que proibisse o jogo a todos os padres, este respondeu muito sabiamente: "Comecemos pelo princípio. Não deveríamos começar por proibi-los de usarem dados viciados?".[18] Samuel Beckett escreveu: "Encontrar

[18] P. Strathern, *The Medici: Godfathers of the Renaissance*, London, 2003, p. 124.

a forma que arruma a desordem é a tarefa do artista".[19] É também a tarefa do pastor. Qualquer que seja a desordem em que se esteja vivendo, pode contar-se uma história que lhe dê algum sentido, uma história que conduza ao Reino.

Quando São Tomás abordou a vida moral, começou por defender que fomos feitos à imagem de Deus e, por isso, somos inteligentes e livres, e a fonte das nossas próprias ações.[20] Tornar-se virtuoso não consiste, portanto, em submeter-se a coações exteriores. Consiste em atuar a partir do âmago do nosso próprio ser. É ser *auto*móvel, mover-se a si mesmo. Podemos começar a vida sentindo que fisicamente somos carros de corrida e acabá-la sentindo-nos como velhos caminhões, mas na vida moral esperemos que seja ao contrário. Quando pensamos na liberdade de opção, significa que é algo que temos. Temos de identificar uma liberdade mais profunda, que é ser quem somos. O rabino Hugo Gryn escreveu que, em Auschwitz, deu-se uma transformação radical de alguns dos seus valores fundamentais, incluindo o de liberdade. "A liberdade é qualquer coisa que tu e eu consideramos que *temos*, e que se estamos na prisão nos é tirada. Mas nos campos [de concentração], a liberdade passa a ser o que *somos* e isto deu forma às atitudes que adotamos diante da situação e do destino."[21]

As virtudes são vias para a liberdade, e a nossa mais profunda liberdade é fazer espontaneamente o que é bom, porque é o que desejamos mais profundamente. Frequentemente, tem-se a impressão de que uma ação é especialmente virtuosa quando é bastante difícil. Que a pessoa que consegue, com um imenso

---

19 Citado no *Times Literary Suplement*, 15 de março de 2002.

20 *ST*, Prólogo, 1a, 2ae.

21 H. Gryn e N. Gryn, *Chasing Situations*, London, 2000, p. 233.

esforço de vontade, resistir a mais uma garrafa de vinho é mais virtuosa do que a pessoa que, felizmente, reconhece que já bebeu o suficiente. Mas isso não é o que São Tomás pensava. As virtudes ajudam-nos a alcançar a liberdade de fazer o que é bom, com facilidade e sem esforço, tal como um bom jogador de futebol pode conseguir um gol espontaneamente, sem ter de calcular todos os ângulos e trajetórias. Todo o seu corpo sabe o que fazer. Os melhores jogadores lançam a bola em curva sem sequer pensar nisso.

Precisamos evidentemente de regras e preceitos, tal como um pianista precisa de escalas. Mas só existem para nos ensinar a liberdade e lembrar-nos o que mais desejamos. Herbert McCabe escreveu que "a moral está inteiramente relacionada com fazer o que se quer, o que quer dizer, ser livre. A maioria das dificuldades vêm da dificuldade de reconhecer o que queremos".[22] Se me sentir arrebatado por um súbito desejo de matar o superior, o "Não matarás" lembra-me que sou seu irmão e que, na realidade, não desejo assim tanto matá-lo. Se o fizesse, só sentiria remorso. Pesar é ter pena do que fizemos no passado. Remorso é descobrir que nunca se desejou realmente fazê-lo. A espontaneidade é o fruto de um coração simples.

Assim, espontaneidade não é fazer a primeira coisa que nos passa pela cabeça. É agir a partir do âmago do próprio ser, onde Deus está sustentando-nos na existência. Pense-se na extrema espontaneidade de Jesus. Ele vê os discípulos na praia e chama--os. Não tinha programado arranjar alguns discípulos e, depois, considerado se estes homens poderiam ou não ser candidatos idôneos. Vê o jovem rico e gosta dele sem hesitação. Vê Zaqueu empoleirado na árvore e imediatamente diz-lhe: "Zaqueu, desce

---

22 H. McCabe, *Law, Love and Language*, p. 61.

depressa porque hoje tenho de ficar em tua casa" (Lc 19,5). Jesus age frequentemente com celeridade. Como o Capitão Jack Aubrey nos romances de Patrick O'Brian, "não há tempo a perder". No filme *O Evangelho Segundo São Mateus* de Pasolini, Jesus anda numa contínua azáfama. Não é que esteja com pressa, mas as suas ações são seguras e sem hesitação. Pense-se no contraste com Judas, que imagino titubeando em confusão, resvalando para o mal, e Jesus, que está inteiramente em cada ação, encarnado no ato. Está plenamente no que faz. "O homem justo pratica a justiça; conserva a graça: isso guarda todas as suas graças de partida."[23]

Para nós, uma tal espontaneidade é fruto de um trabalho profundo, um nascer de novo. Pense-se no franciscano de Auschwitz, Maximiliano Kolbe. Um dia, no verão de 1941, três prisioneiros fugiram do campo de concentração e, por isso, a Gestapo decidiu matar dez prisioneiros em represália. Quando estes estavam alinhados, o padre Kolbe, de repente, avançou, apontou a um deles, um homem casado e com filhos, e tomou o seu lugar. Kolbe foi executado. Foi o ato espontâneo de uma pessoa profundamente livre. Foram precisos anos praticando pequenos atos bons para aprender a fazer isto, enganando-se e recomeçando, praticando as escalas da espontaneidade.

Donald Nicholl, que foi diretor do Instituto Ecumênico de Tantur, conta que, um dia, quando corria perto de Jerusalém, ao dobrar uma esquina, encontrou um grupo de jovens trabalhadores muçulmanos. Passou por eles em poucos segundos, mas um deles teve a reação espontânea de lhe pôr nas mãos um cacho de uvas, gritando: "Você tem sede". Nicholl aponta isto como

---

[23] G. M. Hopkins, "As kingfishers catch fire", in *Complete Poems*, Oxford, 1948, p. 95.

exemplo "daquela espontaneidade profunda das pessoas santas, que fazem mais do que apenas reagir, superficialmente, respondem imediatamente das profundezas do seu ser, do coração".[24] Quando li isto, dei-me conta de que nessa mesma manhã tinha feito o contrário. Quando estava na igreja, para o meu tempo de meditação antes da missa, um velho muito sujo veio ter comigo e tirou da algibeira um velho e sujo biscoito que tentou dar-me. Eu estava tão irritado por terem perturbado as minhas orações que disse imediatamente: "Não, obrigado". Ele, então, deu-o a uma irmã dominicana ao meu lado, que o aceitou graciosamente. Fiquei profundamente envergonhado. Ele tinha vindo com a sua pequena oferta e eu tinha-a recusado. Depois disso, costumava ficar à espera que viesse de novo e me desse uma outra oportunidade, mas isso nunca aconteceu.

É habitualmente aceito, no nosso mundo consumista, que, quanto mais opções se têm, mais livre se é. Se se pode escolher entre dez espécies de cerveja, é-se mais livre do que se só se tiver duas marcas. Mas, quando uma pessoa cresceu para a liberdade mais profunda que é a espontaneidade, dá-se precisamente o contrário. Há apenas umas poucas opções profundas e fundamentais a fazer e estas têm a ver com o vir a ser livre e feliz em Deus. Há um único objetivo a longo prazo que modela a vida e lhe dá coerência. Deste modo, tem de se optar por certas escolhas, porque fazem simplesmente parte de ser quem se é. Pense-se de novo em Jesus. Rowan Williams argumenta, brilhantemente, que a sua mais profunda liberdade era fazer apenas a vontade do Pai.

---

[24] D. NICHOLL, op. cit., p. 149, n. 14.

Pode haver perturbação no nível dos sentimentos, uma consciência aguda do custo, um retraimento perante o que se espera, mas não há uma derradeira incerteza. Isto não significa que a Jesus tenha sido poupado o horror da decisão humana perante um risco e uma agonia terríveis, como se quem Ele é decidisse a questão uma vez por todas. De fato, é impensável que pudesse recusar a sua vocação – é apenas abstratamente possível, na medida em que todo o ser humano pode, em abstrato, dizer sim ou não a qualquer coisa. Mas isto não diminui a sua liberdade; pelo contrário, instaura aquela que é a mais importante das liberdades.[25]

Marcos diz-nos repetidamente que o Filho do Homem tem de ir a Jerusalém, onde deve sofrer e morrer. Ao abraçar esta necessidade, Jesus é supremamente livre, porque o que deve fazer exprime aquilo que é no mais profundo de si mesmo.

Entrar nessa liberdade, que é o dom próprio de Cristo, requer que se seja libertado de uma falsa ideia de Deus. Temos de destruir o ídolo de Deus – imaginado como uma pessoa grande e poderosa e, habitualmente, pensado no masculino – que nos dá ordens e diz o que devemos fazer, para que Ele goste de nós. Temos de nos desembaraçar do Deus que se opõe à nossa liberdade e nos mantém encurralados numa submissão infantil. Tantas vidas têm sido crucificadas pelo culto deste ídolo estranho. Temos de descobrir o Deus que é a fonte da liberdade, transbordando mesmo no âmago do nosso ser e concedendo-nos a existência em cada momento.

Paul Murray OP escreveu um poema intitulado "O espaço entre":

---

25 R. WILLIAMS, *Silence and Honey Cakes*, Oxford, 2003, p. 55.

O que aconteceu foi para mim
Uma espécie de milagre

Como ser de repente capaz
De respirar debaixo da água

O espanto de encontrar
A possibilidade de novamente acreditar

E de encontrar o espaço
Para respirar e respirar fundo

Entre a palavra "liberdade"
E a palavra "Deus".[26]

Assim, os nossos atos podem ser completamente nossos, inteiramente, sem constrangimento exterior, esses atos que mais profundamente desejamos e nos agrada fazer, e também total e completamente atos de Deus, porque tudo o que faço brota do ser enraizado em Deus. Não há conflito.

A liberdade de dar a sua vida

Na Última Ceia, Jesus realiza o ato mais livre da história humana. Entregou a sua vida. "Isto é o meu corpo, entregue por vós". Parece quase um ato irrefletido, pôr-se nas mãos dos discípulos, aqueles mesmos que o vão trair e negar, que vão fugir dele. Parece até a perda de toda a liberdade. Os vários níveis de liberdade que descrevi traçam uma trajetória semelhante à de um bumerangue, fazendo uma curva em volta da liberdade de opção e regressando a ela. Porque a liberdade de opção é o tipo de liberdade mais óbvio, o modelo geral que compreendemos

---

[26] P. MURRAY OP, *These Black Stars*, Dublin, 2003, p. 52.

imediatamente. A espontaneidade parece uma perda de opção; é ser livre para fazer o que *tem de* ser feito. “E começou a ensinar--lhes que o Filho do Homem *tem de* sofrer muitas coisas, ser rejeitado pelos anciãos, pelos sumos sacerdotes e pelos escribas, ser morto e, depois de três dias, ressuscitar” (Mc 8,31). Mas a sua profunda liberdade eucarística, entregando-nos o seu corpo, leva-nos de novo a Judas e à sua traição, que é apreendida com firmeza e generosidade.

Como é possível arriscar dispor da sua vida? Não poderia vir a ser apenas gasta em qualquer causa tola, ou calcada aos pés como não tendo valor? Será que a Igreja respeitará sempre o dom que lhe fazemos de nós próprios? O teste para saber se este dom de si é livre é ver se faz os outros livres. Constrói a comunhão dos que foram libertados? Jesus entrega a sua vida para que possamos ser libertados. “Foi para a liberdade que Cristo nos libertou” (Gl 5,1). A liberdade nunca é só individual, nunca é a hesitação consumista entre produtos alternativos. É o espaço em que podemos florescer juntos. A liberdade da espontaneidade está fundada na comunhão entre Deus e a humanidade, que é o fundamento da nossa existência. A liberdade de entrega da própria vida aspira à comunhão de toda a humanidade no Reino.

James Mawdsley é um jovem extraordinário, que foi para a Birmânia para protestar contra a tirania do governo daquele país. Prendeu-se com correntes a um edifício em Rangum, distribuiu panfletos e fez ouvir gravações denunciando o regime. Foi posto na cadeia por um curto período, até que o embaixador britânico negociou a sua libertação e o pôs num avião de regresso, dizendo-lhe para ter juízo. Mas ele voltou mais vezes e, cada vez, passou mais tempo em prisão solitária. Escreveu que "a humanidade é um corpo único. Não podemos avançar senão juntos. Não podemos deixar partes do nosso corpo para trás. Nenhum de nós é livre até que sejamos todos livres".[27]

Ninguém pode ser realmente livre enquanto houver um prisioneiro. Nelson Mandela é um homem que entregou a sua vida. Deixou uma vida matrimonial normal escapar-lhe das mãos por causa de todo o povo. Se ele próprio viesse a ser livre, teria de trabalhar pela libertação de todos os sul-africanos, negros e brancos. Escreveu em *Longo caminho para a liberdade*:

> Dessa forma, o meu empenho para com o meu povo, para com os milhões de sul-africanos que nunca iria conhecer ou encontrar, era à custa das pessoas que melhor conhecia e mais amava. Era tão simples e incompreensível como o momento em que uma criança pequena pergunta ao pai: "Por que é que não podes estar conosco?". E o pai tem de proferir as terríveis palavras: "Há outras crianças como tu, muitas outras..." e a voz perde-se... Achei que nem sequer podia gozar da pobre e limitada liberdade que me era concedida, quando sabia que o meu povo não era livre. A liberdade é indivisível; os grilhões em qualquer indivíduo do meu povo estavam em todos eles, os grilhões de todo o meu povo estavam em mim.[28]

Esta espécie de liberdade custa. Dietrich Bonhoeffer, o grande teólogo luterano que foi enforcado pelos nazistas, escreveu na Introdução à sua *Ética*: "Não é no voo das ideias, mas unicamente na ação que está a liberdade. Decida-se e saia para a tempestade de viver. Liberdade, buscamos-te por muito tempo

---

27 J. MAWDSLEY, *The Heart Must Break Burma – Democracy and Truth*, London, 2001, p. 116.

28 N. MANDELA, *The Long Walk to Freedom*, London, 1994, p. 750 (trad. port., Porto, Campo de Letras, 1995).

em disciplina, ações e sofrimento. Agora, que morremos, vemos--te e conhecemos-te finalmente, face a face".[29] Pôr-se a si mesmo nas mãos de outros inclui a ousadia de "sair para a tempestade de viver". Envolve lançar-se para os problemas e as interrogações que preocupam o povo e estar com ele nas suas lutas, para agir bem. É recusar a segurança de ficar para trás. Significa assumir o risco de entrar pelo oceano adentro e ficar sem dar pé. Isto é perigoso. Custou a vida a Bonhoeffer e, por vezes, custar-nos-á, pelo menos, o sono. Mas, se formos livres, com esta liberdade, as pessoas interrogar-se-ão em que consistiria a sua raiz secreta.

[29] D. BONHOEFFER, *Ethics*, ed. E. Bethge, London, 1955.

CAPÍTULO 3

O "mar de paz"

A liberdade mostra-nos o sentido da fé cristã porque revela a meta última da vida, que é partilhar a indescritível liberdade de Deus. Uma outra maneira de mostrarmos para onde nos dirigimos é pela felicidade.

François de Bondy tinha 21 anos e era bastante devasso quando recebeu a visita de seu primo Charles de Foucauld, que vivia no Saara e que regressara a Paris para uma curta visita. Ele descreve como isso mudou a sua vida:

> Entrou no quarto e, com ele, a paz. O brilho dos seus olhos e, especialmente, aquele sorriso muito humilde tinham tomado conta de toda a sua pessoa [...]. Havia uma alegria inacreditável que emanava dele [...]. Tendo saboreado os "prazeres da vida" e inclinado a abrigar a esperança de não ter de sair da mesa por enquanto, depois de ver que a minha soma completa de satisfações não pesava mais que uma pequena fração, comparada com a completa felicidade do asceta, eu dei-me conta de que crescia dentro de mim um estranho sentimento não de inveja mas de respeito.[1]

---

[1] F. Fleming, *The Sword and the Cross*, London, 2003, pp. 235s.

É bastante comum as pessoas ficarem impressionadas pela alegria de gente santa. Em parte, devo a minha vocação para a vida religiosa à alegria de um tio-avô beneditino. Tinha sido seriamente estropiado na I Guerra Mundial, durante a qual fora capelão militar, mas transpirava uma profunda felicidade, desde que a minha mãe se lembrasse de lhe arranjar um bom copo de whisky ao deitar!

Isto nada tem a ver com a enfadonha resolução de ser feliz de alguns cristãos, que acham que têm o dever moral de estar sempre a sorrir porque Jesus nos ama. Seamus Heaney chama-lhe "o sorriso fixo de um lugar pré-reservado no Paraíso",[2] e nada há mais deprimente. É tão pouco convincente como as repetidas instruções antes de o avião levantar voo, "recoste-se, descontraia e aprecia a viagem". A alegria dos santos brota das profundezas do seu ser. É, de fato, o seu ser.

Toda a cultura tem o seu próprio ideal de felicidade. Há um dito chinês segundo o qual, se um homem aspira a ser feliz por uma semana, deve arranjar esposa; se projeta ser feliz por um mês, deve matar um porco; mas se deseja ser feliz para sempre, deveria plantar um jardim. Um francês do século XVI, que visitou a Grã-Bretanha, ficou admirado com a excelente cozinha inglesa e especialmente com os seus pudins. Os tempos de festa e de especial felicidade eram chamados "Tempos de Pudim"! Terá o cristianismo uma promessa de felicidade original?

Há uma forte corrente no cristianismo moderno que recusaria tal afirmação. Anders Nygren escreveu uma obra intitulada *Ágape e eros*,[3] que teve uma enorme influência. Ele defende que

---

2 S. HEANEY, *The Redress of Poetry*, New York, 1995, p. 153.
3 *Agape and Eros*, London, 1982.

no coração da fé cristã está o ágape, um amor desinteressado que não procura recompensa. O que Jesus nos pede é que amemos os outros em vista do seu bem, sem nada ganhar com isso. O eros, pelo contrário, é um amor egoísta, possessivo e em que se ama os outros para nosso próprio benefício. Nygren argumenta que seria uma traição à religião considerar como seu objetivo fazer-nos felizes. A nossa religião seria meramente utilitarista e egoísta. Hilary Armstrong, líder da bancada parlamentar dos trabalhistas e uma cristã convicta, afirma que "não viemos a este mundo para nos divertir". De fato, há algumas tradições cristãs que parecem considerar uma virtude ser desgraçado. H. L. Mencken, diretor de um jornal norte-americano, definia o puritanismo como "o medo obsessivo de que alguém, algures, possa ser feliz".[4]

Um dos Padres do Deserto ficou irritado ao ver passar um grupo de jovens, rindo alegremente, e exclamou: "Temos de enfrentar o juízo final, e vocês riem!". Mas nos primeiros 1.500 anos da sua existência, o cristianismo dominante partilhava a convicção de que a principal razão para se ser cristão ou, melhor ainda, para fazer fosse o que fosse, era ser feliz. Santo Agostinho acreditava que a *delectatio*, o prazer, era a mola-real de toda a ação humana. "Porque devemos realizar as nossas ações de acordo com o que nos dá maior alegria"; "Quem pode conscientemente aderir ao que não o delicia?" O ímpeto da nossa vida é para a "pura alegria".[5] Toda a vida moral é uma caminhada para a liberdade e a felicidade.

A felicidade, para São Tomás, não é uma emoção que se deva cultivar. É uma atividade, a realização do nosso ser, "ser-se ao

---

[4] D. MacCulloch, *The Reformation: Europe's House Divided, 1490-1700*, London, 2003, p. 600.

[5] Citações a partir de V. Bourke, *Joy in Augustine's Ethics*, Villanova, 1979, p. 145.

máximo".[6] Isto não é ser mais egoísta do que ansiar por viver em plenitude ou, para os pássaros, dar-se bem com o ar ou, para os peixes, nadar. D. H. Lawrence delicia-se vendo um lagarto ser completamente ele mesmo: "O arremesso certo de um queixo e a agitação de uma cauda! Se os homens, ao menos, fossem tanto homens como os lagartos são lagartos, valeria a pena olhar para eles".[7] Ao ser felizes, somos completamente nós mesmos. Mas, ao contrário dos lagartos, a nossa felicidade não está em ser autossuficientes. Está em dilatarmo-nos e abrirmo-nos para amar os outros. Realizamo-nos quando nos voltamos para fora. Em última análise, a felicidade, para nós, está no que só pode ser recebido como dom, a própria vida de Deus. Somos feitos para o que supera o natural. Os seres humanos estão feitos para apenas se realizar acolhendo uma felicidade que está para lá da nossa natureza. Por isso, procurar a felicidade não é egoísmo mas, pelo contrário, transforma o nosso ser. São Tomás tem razão em dizer que não nos é possível desejar ser infelizes,[8] mas que podemos afastar-nos da felicidade imensa a que somos convocados, visto que vai exigir a nossa morte e ressurreição, o que é assustador.

O cristianismo é a boa notícia de que Deus nos criou para a felicidade e, em última análise, para a felicidade que é Deus ser Deus. Mas não podemos ser testemunhas convincentes disto, se somos vistos como infelizes e inibidos. Nietzsche afirmou que "os discípulos de Cristo deveriam parecer mais redimidos".[9] De

---

6 H. McCabe OP, *The Good Life*, London, 2005, p. 50.
7 S. Heaney e T. Hughes (ed.), *The Rattle Bag*, London, 1982, p. 248.
8 *ST*, I, II, 13, 6.
9 Citado por P. Murray OP, "Dominicans and Happiness", in *Dominican Ashram*, setembro de 2000, pp. 120-142.

outra forma, não seremos mais convincentes do que um viciado em televisão exaltando as virtudes da boa forma física.

Em *The Glass Palace* [O palácio de espelho], Amitav Ghosh descreve alguém que vai ouvir Aung San Suu Kyi – a dirigente da oposição ao governo birmanês, que passou vários anos em prisão domiciliar – falar às massas:

> Aung San Suu Kyi acenou à multidão e começou a falar. Estava falando em birmanês e Jaya não conseguia compreendê-la. Mas a dicção era completamente diferente de tudo o que alguma vez tivesse ouvido. Ria-se constantemente e havia uma claridade elétrica na sua atitude. O riso é o seu carisma, pensou Jaya. Podia ouvir ecos do riso de Aung San Suu Kyi por todo lado, à sua volta, na multidão. Apesar do grande número de agentes policiais, a atmosfera não era pesada nem dominada pelo medo. Havia um bom humor que parecia estar em desacordo com a cidade amortecida em redor. Jaya compreendeu por que motivo tantas pessoas tinham depositado as suas esperanças em Aung San Suu Kyi; sabia que ela própria estaria disposta a fazer tudo o que lhe pedissem naquele momento: era impossível contemplar aquela mulher e não ficar meio apaixonada.[10]

Isto dá-nos um pequeno vislumbre da autoridade de Jesus. Dizia palavras que tinham autoridade, mas não como os escribas e os fariseus, e esta autoridade era seguramente a sua alegria indescritível. Esta é a imprescindível alegria do pregador. Não pode haver pregação de boas-novas se não brotar da alegria. Todas as testemunhas concordam que São Domingos e os primeiros frades eram imensamente felizes. Conta-se a história de que,

---

10 A. GHOSH, *The Glass Palace*, London, 2001, p. 542.

um dia, um grupo de noviços começou a rir durante as Completas. E um irmão mais velho censurou-os, por se rirem na igreja. Mas Jordão da Saxônia, o sucessor de Domingos, censurou-o e disse aos noviços: "Riam à vontade e não deixem de o fazer por causa deste homem. Têm a minha completa autorização e só faz sentido que riam depois de se terem separado da sujeição do demônio [...]. Continuem, portanto, a rir e sejam tão alegres quanto vos agradar".[11]

Como pode a Igreja tornar-se o berço de uma tal alegria? A celebração da Páscoa era cheia da alegria pela libertação da escravidão do Egito. Nessa noite, Jesus juntou os discípulos para celebrar a alegria ainda maior da libertação de tudo o que oprime a humanidade. Seguiu, com certeza, a tradição e terminou a refeição com o canto do *Hallel* – os salmos 113 a 118 –, exultando com a nossa liberdade: "Louvai o Senhor, porque Ele é bom; porque o seu amor [fiel] é eterno" (Sl 118,29; cf. Sl 117). No entanto, a alegria não pode ter sido completa. Tinha anunciado que "um de vós há de entregar-me". Todos sabiam que o momento da crise estava se aproximando. Talvez seja, precisamente, um momento de alegria suprema, porque é então que Jesus abraça e assume todo o sofrimento, toda a desolação e toda a miséria. A Quinta-Feira Santa é o dia mais doce e mais amargo de todo o calendário cristão.

A Última Ceia é o momento decisivo da narrativa, quando Jesus começa a sua viagem de regresso para o Pai. Como João diz, no começo do relato desta noite final, "sabendo Jesus que chegara a hora de passar deste mundo para o Pai, Ele, que amara os seus que estavam no mundo, amou-os até o fim" (Jo 13,1).

---

[11] *Vitae Fratrum III 42*, citado por S. TUGWELL, *The Way of the Preacher*, London, 1979, p. 62.

Entrar na alegria significa encontrarmo-nos dentro de toda esta história, que vai do nascimento à morte e à ressurreição. Fazemos parte desta história porque é a nossa e nos conduz, através da confusão, do sofrimento e da morte, até a ressurreição.

Em *Old School* [Velha escola], Tobias Wolff[12] conta a história de um rapaz que ganha um prêmio por um conto que não tinha escrito: tirara-o de uma revista. Acaba por ser descoberto e desacreditado, mas tem-se a impressão de que não fez deliberadamente nada de desonroso. O conto é exatamente a *sua* história, uma história que dá sentido à sua vida, a tudo o que é e a tudo o que deseja ser, que evidentemente pode reclamá-lo como seu. De maneira semelhante, como cristãos, encontramo-nos na história contada a respeito de outra pessoa. Esta é a nossa narrativa, porque morremos e ressuscitamos com Cristo.

Todos os anos vivemos de novo esta história, caminhando do Advento ao Pentecostes. Parte da nossa alegria consiste em deixar que essa história nos conduza, sabendo que nos transporta para a derradeira bem-aventurança, quando veremos Deus face a face. Agora, podemos estar desgostosos e carentes, mas já nos podemos alegrar com os vislumbres da chegada. Como diz Santo Agostinho:

> Cantemos Aleluia aqui embaixo, enquanto ainda estamos na angústia, para podermos cantá-lo um dia lá em cima, quando estivermos livres de toda preocupação [...]. Cantemos Aleluia, não no contentamento do repouso celeste, mas para adoçar a nossa lida. Cantai como os caminhantes cantam pela estrada fora: mas continuai a andar [...]; cantai alto – mas continuai a andar.[13]

---

12 T. WOLFF, *Old School*, New York, 2003.

13 *Sermão 256*, tradução da Liturgia das Horas.

É como quando se faz uma caminhada na Região dos Lagos: com frio, cansado e encharcado até aos ossos, pode-se já sentir alegria, ao antecipar o gim tônico e o banho quente que nos esperam. De fato, é muito mais do que isso, visto que já agora estamos tocados pela vida eterna. Cristo diz ao bom ladrão, três dias antes de ressuscitar: "Hoje mesmo estarás comigo no Paraíso".

J. R. R. Tolkien justifica o que chama "a consolação de um final feliz". Não é fechar os olhos ao desgosto e sofrimento do tempo presente. "Nega (perante um grande número de provas, sem dúvida,) uma derrota final e universal e, nessa medida, é *evangelium*, propondo um vislumbre fugaz de alegria, de Alegria para lá das paredes do mundo, pungente como desgosto [...]. A qualidade própria da 'alegria' na Fantasia de sucesso pode ser explicada como um vislumbre repentino da realidade ou verdade oculta".[14] É uma verdade fundamental da nossa fé, que a alegria triunfa sobre o desgosto e que é esse o nosso destino. Os Evangelhos oferecem narrativas que nos fazem avançar, assumindo pelo caminho o desgosto, mas impelindo-nos para além dele. Viver ao seu ritmo é descobrir-nos a nós mesmos como pessoas feitas para a felicidade.

De modo a compreendermos como viver dentro da história de Jesus pode formar-nos para a felicidade, consideremos alguns momentos-chave do Evangelho de São Marcos. A maioria dos estudiosos concorda que foi o primeiro Evangelho, escrito no princípio da década de 70 da nossa era. Nasceu da crise de esperança que os cristãos de Roma sofreram com o martírio de Pedro e Paulo e com a denúncia de cristãos pelos seus próprios irmãos

---

14 J. R. R. Tolkien, "On Fairy Tales", in *Tolkien Reader*, New York, 1966, p. 70.

e irmãs. Conta uma história que assume o desgosto daqueles primeiros cristãos, mas levando-os a ultrapassá-lo. Nasceu no cadinho dessa segunda perda de uma história de futuro, quando Jesus, contrariamente ao que eles esperavam, não realizou a sua vinda em glória. Por isso, se conseguirmos penetrar na dinâmica da sua narrativa, qualquer sofrimento ou mágoa que nos aflija pode ser reconhecido e ultrapassado.

Batismo

> Por aqueles dias, Jesus veio de Nazaré da Galileia e foi batizado por João no Jordão. Ao subir da água, viu os Céus rasgarem-se e o Espírito, como uma pomba, descer sobre Ele; e dos Céus veio uma voz: "Tu és o meu Filho muito amado; em ti pus todo o meu agrado" (Mc 1,9-11).

A história começa com o agrado do Pai no Filho. No coração da vida de Deus, está este encanto recíproco, do Pai no Filho e do Filho no Pai. Este encanto é o Espírito Santo. Mestre Eckhart, dominicano alemão do século XIV, disse que "o Pai ri para o Filho e o Filho ri para o Pai, e o riso gera prazer, e o prazer gera alegria, e a alegria gera amor".[15] Ele descreve a alegria de Deus como a exuberância de um cavalo a galopar, em volta de um campo, e a espinotear. O Evangelho é a história de como viajamos para casa, nessa alegria.

Uma das imagens de Deus de Santa Catarina era a de "uma cama em que podemos descansar".[16] Em 1375, foi a Pisa e, daí,

---

15 *Sermão 18* (ed. F. Pfeiffer, Aalen, 1962), citado por P. MURRAY, op. cit., p. 132.

16 M. O'DRISCOLL, *Saint Catherine of Siena: Passion for the Truth, Compassion for Humanity*, New York, 1993, p. 33.

de barco à ilha de Gorgona.[17] Era a primeira vez que via o mar. Escreveu a um amigo dominicano, Fra Bartolomeo, que finalmente tinha vislumbrado o que significava dizer que Deus é amor. O amor de Deus é o vasto mar em que nós flutuamos. A sua imagem preferida de Deus passou a ser "o mar de paz", uma espécie de *jacuzzi* divino. A história do Evangelho leva-nos para a frente, rumo a esse mar de paz.

Esta alegria não é uma emoção de Deus, um sentimento divino radioso. É o ser de Deus. É o "Eu Sou" da sarça-ardente que Moisés encontrou no deserto. São Tomás de Aquino defende que felicidade é um dos nomes de Deus.[18] Porque este encanto é o próprio ser de Deus, não se pode defini-lo ou compreendê-lo porque, diz o Doutor Angélico, não se pode compreender o que é para Deus ser Deus. Por isso, ser tocado pela alegria de Deus é ser habitado por algo que está para lá de qualquer definição. G. K. Chesterton chamou-lhe o prodigioso segredo do cristianismo: "Havia alguma coisa que Jesus escondia de todo mundo, quando subia ao monte para orar. Havia uma só coisa que Ele encobria constantemente por silêncio repentino ou por isolamento impetuoso. Havia uma única coisa que era demasiado grande para Deus mostrar, quando andou pela nossa terra; e tenho, por vezes, imaginado que era o seu contentamento".[19]

Jesus não podia descrever esta alegria, só podia dar-lhe corpo. Ele era essa alegria feita carne. No Museu de Israel, em Jerusalém, há um pequeno pedaço de couro que tem uns 2.500 anos.[20]

---

17 G. CAVALLINI OP, *Catherine of Siena*, London, 1998, p. 29.

18 *ST*, I, 26.

19 São estas as últimas palavras de *Ortodoxia*.

20 J. SACKS, *Celebrating Life: Finding Happiness in Unexpected Places*, London, 2000, p. 148.

Contém o mais antigo trecho bíblico existente, escrito numa caligrafia hebraica que já era obsoleta no tempo de Jesus. São as palavras que Aarão usava para abençoar o povo de Israel: "O Senhor te abençoe e te guarde. O Senhor faça brilhar sobre ti a sua face e te seja favorável. O Senhor volte a sua face para ti e te dê a paz" (Nm 6,24-26). Adão e Eva fugiram desse sorriso com vergonha. A viagem de volta para casa começa quando "Noé encontrou graça aos olhos do Senhor" (Gn 6,8). Esse sorriso tornou-se carne e sangue no rosto de Jesus. Do mesmo modo, também nós não podemos falar adequadamente da alegria que é Deus, mas que pode ser corporizada nas nossas vidas e encarnada nos nossos rostos.

> Qual é a mulher que, possuindo dez dracmas e tendo perdido uma, não acende uma lâmpada, varre a casa e a procura cuidadosamente, até a encontrar? Ao encontrá-la, convoca as amigas e vizinhas e diz: "Alegrai-vos comigo, porque achei a dracma que perdera" (Lc 15,8ss).

A Igreja existe para poder congregar as pessoas de maneira que possam alegrar-se em conjunto. Herbert McCabe escreveu que

> exprimimos a alegria com sinais corporais, dançando, cantando, ou rindo. Gritamos de alegria ou abraçamo-nos ou dançamos em roda. A maneira como exprimimos a alegria dependerá, evidentemente, do país em que vivemos e dos costumes e tradições locais. Em algumas partes da África, exprimir-se-ia numa dança formal e altamente sofisticada. Em alguns subúrbios britânicos, creio que o fazem com uma ligeira contração do lábio superior.[21]

[21] H. McCabe, *God, Christ and Us*, London, 2004, p. 109.

Talvez uma das razões que leva tantos jovens a acreditar, sem desejar afiliação alguma, seja porque não encontram uma alegria partilhada no coração das nossas celebrações. Ou se a encontram, é muito frequentemente forçada, vazia, bastante constrangedora. Esta alegria não pode ser só uma sensação mental ou interior. Deve sair cá para fora, mesmo para ingleses. Raimundo Lúlio, um místico catalão do século XIII, escreveu: "Senhor, já que puseste tanta alegria no meu coração, alarga-a; peço-te, por todo o meu corpo, para que o meu rosto e o meu coração e a minha boca e as minhas mãos, todos os meus membros sintam a tua alegria. O mar não está tão cheio de água como eu de alegria".[22]

Uma noite, caminhando pela cidade velha de Jerusalém, passei por uma porta aberta. Dentro, vi alguns judeus ortodoxos hassídicos dançando com alegria extática. Podia ver-se a fé feita carne e sangue na sua felicidade. Já vi a mesma felicidade em igrejas na África, onde ninguém olha para o relógio para saber quanto tempo ainda tem de lá ficar. Tenho argumentado que precisamos encontrar uma nova música que exprima a nossa esperança. Recentemente, estive nas Filipinas num encontro de irmãs e irmãos dominicanos encarregados da formação dos novos membros, na Ásia. Numa das noites, os dominicanos da Índia e do Paquistão organizaram uma festa durante a qual se podia partilhar a sua comida e os seus cânticos e danças. Foi exuberante. Mas o ponto mais alto foi um vídeo de um cantor sufi, com os seus discípulos. Ele era bastante pouco atraente, uma gorda figura andrógina, mas quando começou a cantar ficamos arrebatados. Estávamos perante alguém que se esforçava por exprimir

[22] Não consegui encontrar a referência deste texto.

uma alegria para lá das palavras, uma alegria para lá da felicidade e do sofrimento.

Lembrei-me da canção de júbilo de Santo Agostinho:

> Perguntas o que é cantar em júbilo? Significa perceber que as palavras não são aptas para exprimir o que cantamos nos nossos corações. Na colheita, na vinha, sempre que os homens têm de trabalhar esforçadamente, começam com canções que exprimem a sua alegria. Mas quando a alegria transborda e as palavras já não são aptas, abandonam até esta coerência e entregam-se ao puro som do canto. O que é este júbilo, esta canção exultante? É a melodia que significa que os nossos corações estão explodindo com sentimentos que as palavras não podem exprimir. E a quem antes de mais nada pertence este júbilo? Certamente a Deus, que é indizível.[23]

Desta forma, o Evangelho de Marcos começa com o fim da caminhada, o encanto do Pai no Filho. O Evangelho é a história de como podemos encontrar o nosso lugar no seio desse prazer mútuo. Depois do batismo, Jesus vai diretamente para o deserto lutar com Satanás, aquele que tenta prender-nos na infelicidade. E, então, começam as celebrações.

Celebração

> Encontravam-se à mesa em casa dele [Levi] muitos cobradores de impostos e pecadores também se puseram à mesma mesa com Jesus e os seus discípulos, pois eram muitos os que seguiam. Mas os doutores da Lei do partido dos fariseus, vendo-o comer

[23] *Sermão 1,8 sobre o Salmo 32*, tirado da Liturgia das Horas.

> com pecadores e cobradores de impostos, disseram aos discípulos: "Por que é que Ele come com cobradores de impostos e pecadores?". Jesus ouviu isto e respondeu: "Não são os que têm saúde que precisam de médico, mas sim os enfermos. Eu não vim chamar os justos, mas os pecadores".
>
> Os discípulos de João e os fariseus, que jejuavam, vieram dizer-lhe: "Por que é que os discípulos de João e os dos fariseus guardam jejum, e os teus discípulos não jejuam?". Jesus respondeu: "Poderão os convidados para as bodas jejuar enquanto o esposo está com eles?" (Mc 2,15-19).

Em todos os Evangelhos, a entrada na alegria constitutiva de Deus começa festejando, comendo e bebendo. No Evangelho de Mateus, Jesus é até acusado de ser "um glutão e um beberrão" (Mt 11,19). Ele escandaliza as pessoas por ser tão festivo. O primeiro sinal de Jesus, no Evangelho de João, é mudar a água em vinho em Caná. Como Fiodor Dostoievsky escreveu: "Não foi a dor mas a alegria da gente que Cristo visitou. Fez o seu primeiro milagre para aumentar o regozijo humano".[24] Não era uma obrigação, como os políticos quando beijam os bebês. Tinha prazer na companhia dos pecadores. Não os "amava" apenas porque estava obrigado a fazê-lo; encontrava prazer em estar com eles.

Paul Murray salientou que os primeiros dominicanos eram muito dados a festejos. Não é por acaso que a Ordem dos Pregadores tem as suas origens numa estalagem, onde Domingos passou toda a noite em discussão com o estalajadeiro. Beber vinho surge, com uma frequência surpreendente, tanto como fazendo

---

[24] F. DOSTOIEVSKY, *Os irmãos Karamazov*, citado a partir de trad. A. H. MacAndrew, New York, 1972, p. 436.

parte das suas vidas como também a mais natural das metáforas do Evangelho.[25] Contudo, a imagem de Domingos como fanático ascético é fruto da mitologia anticatólica, tão afastada da verdade como a descrição de Jesus por Swinburne, como "o pálido Galileu". Domingos chegou uma vez tarde a um mosteiro de monjas e foram todas convocadas a toque de sino a encontrar-se com ele.

> Quando acabou de falar, disse-lhes: "Seria bom, minhas filhas, ter alguma coisa para beber". Chamou frei Rogério, o despenseiro, para trazer algum vinho e uma taça [...]. Abençoou-a e bebeu ele próprio [...]. Depois de os irmãos terem todos bebido, São Domingos disse: "Quero que todas as minhas filhas também bebam" [...]. Então, todas as irmãs beberam [...]; e beberam tanto quanto quiseram, encorajadas por São Domingos, que ia dizendo: "Bebei, minhas filhas!". Nesse tempo havia lá 104 irmãs, e todas beberam tanto vinho quanto quiseram.[26]

Alguns dos irmãos seguiram o exemplo do seu fundador com um entusiasmo um pouco excessivo e, em 1251, a Província Romana decretou que os irmãos deveriam voltar a dizer Completas depois das suas sessões noturnas bebendo vinho![27]

Beber vinho e ficar embriagado eram as metáforas mais evidentes para a alegria do Evangelho. Os dominicanos eram atraídos a elas, escreve Murray,

> porque correspondia tão bem ao seu sentido do Evangelho. A sua espiritualidade não era qualquer coisa de tenso ou introvertido,

---

25 P. MURRAY, *The New Wine of Dominican Spirituality: A Drink Called Happiness*, London, 2005. Devo muitas destas citações a este livro.

26 S. TUGWELL, *Early Dominicans*, New York, 1982, p. 391

27 Id., *The Way of the Preacher*, London, 1979, p. 57.

de preocupado consigo mesmo, mas antes alegre e expansivo. E, por isso, a imagem de um grupo de amigos ou companheiros bebendo juntos, naturalmente agradava-lhes. O vinho ou a bebida é uma imagem da bondade e doçura da vida. No tempo de São Domingos, muitos dos ascetas do seu tempo – estou aqui pensando especialmente nos albigenses – consideravam a bebida como algo de mau, tal como a comida e o sexo. Mas São Domingos, com a sua compreensão profunda da bondade da Criação, aceitava-o claramente como saudável e bom.[28]

Com efeito, Jordão, o sucessor de Domingos, é especialmente atraído pela imagem de beber vinho. Escreve que, nas núpcias do Cordeiro,

> Ele dará vinho doce àqueles cuja alma sofre de amargura por sede de amor; limpará a água desta vida triste e sem sabor e substituí-la-á pelo vinho santo e fecundo, aquele nobre vinho, o vinho que alegra o coração humano, o vinho com cuja doçura os amados de Deus são inebriados, quero dizer o vinho da alegria para sempre: o vinho raro, o vinho novo que o Filho de Deus, bendito seja para sempre, serve ao seu eleito à mesa da corte dos Céus.[29]

E não foram só os frades que falaram assim. Santa Catarina de Sena usa, frequentemente, a embriaguez como uma metáfora para o ser arrebatado na alegria de Deus. Escreveu a Fra Bartolomeo: "Comporta-te como alguém que bebe muito e fica embriagado, e se perde e já não se consegue ver a si mesmo".[30] E acres-

---

[28] P. MURRAY, *The New Wine of Dominican Spirituality.*

[29] *Carta 35*, citado a partir de trad. K. Pound, *Love Among the Saints*, London, 1958, p. 17.

[30] *Carta 208*, in *Lettere di santa Caterina da Siena*, vol. III, ed. P. Misciattelli, Florença, 1940, p. 212.

centou: "Comportemo-nos como o ébrio que não pensa em si mas apenas no vinho que bebeu e no vinho que ainda falta beber".[31]

As celebrações de Jesus não eram apenas ocasiões festivas: exprimem o seu encanto nas pessoas. Se a alegria é o próprio ser de Deus, encarna no encanto que Jesus encontra naqueles a quem Deus dá a existência. Lúlio diz que a sua alegria está na existência de Deus e na sua. A Igreja nada tem a dizer sobre moral, enquanto os seus ouvintes não tiverem vislumbrado o encanto de Deus na sua existência. As pessoas vêm frequentemente até nós, carregando pesados fardos, com vidas em desacordo com o ensino da Igreja, fruto de histórias complexas. Absolutamente nada temos a dizer até que as pessoas saibam que Deus se alegra com a existência delas, e que é por isso que elas existem. Jesus é a encarnação do prazer de Deus em nós, em tudo o que somos, corpo, mente e alma. Em *Carruagens de fogo* (*Chariots of Fire*, 1981), um filme sobre dois corredores que treinam para os Jogos Olímpicos de Paris, Eric Liddell, um presbiteriano escocês, diz: "Deus fez-me rápido e, quando corro, sinto o seu prazer na minha velocidade". Não me parece que Deus ainda sinta o mesmo com a minha corrida!

Em *Gilead*, Marilynne Robinson descreve um velho pastor protestante, à beira da morte, que põe por escrito para o seu filho de sete anos todas as coisas que nunca poderá partilhar com ele, quando for mais velho. Escreve que nos é ordenado que honremos os nossos pais, mas que a nenhum pai é preciso ordenar que honrem os seus filhos. Este é o mais profundo impulso da paternidade. É o encanto na nossa existência, tal como o de

31 *Carta 29*, in op. cit., p. 108.

Deus. O velho pregador tira prazer na singularidade do seu jovem filho.

> Há um reflexo no cabelo de uma criança ao sol. Há nele cores do arco-íris, raios suaves, exatamente das mesmas cores que às vezes se podem ver no orvalho. Estão na pétala de flores e estão na pele de uma criança. O teu cabelo é liso e escuro, e a pele muito clara. Imagino que não serás muito mais bonito do que a maioria das crianças. És só um rapaz de aspecto agradável, um pouco franzino, bem cuidado e de boas maneiras. Tudo isso é bom, mas é sobretudo pela tua existência que te amo.

E acerca da mãe escreve:

> Ela observou todos os momentos da tua vida, ou quase, e ama-te como Deus o faz até a medula dos teus ossos. Assim é honrar o filho. Vês como é divino amar o *ser* de alguém. A tua *existência* é um encanto para nós [...]. Nunca pude agradecer suficientemente a Deus o esplendor que escondeu do mundo – com exceção da tua mãe, evidentemente – e me revelou na tua face docemente normal.[32]

Antes da eleição do atual Mestre da Ordem Dominicana, houve um serviço de reconciliação para todos os irmãos que iam votar. Havia irmãos posicionados à volta da capela para ouvir confissões em diferentes línguas. Um deles era um jovem argentino, famoso pela amplidão do seu sorriso. Observei os irmãos dirigindo-se a ele para se confessarem, várias vezes parecendo pesarosos, inquietos, hesitantes. E cada um deles voltou a sorrir. O seu sorriso transformou as suas faces.

---

32 M. Robinson, *Gilead*, New York, 2004, pp. 52, 136, 237.

Encanto não é o mesmo que aprovação. O Pai não aprova o Filho nem o Filho o Pai. A Trindade não é uma sociedade de admiração recíproca. Aprovação implica paternalismo e, para a obter, pode-se ter a tentação de usar máscara e pretender ser a espécie de pessoa que alguém possa aprovar. No *Rei Lear*, Goneril e Regan procuram a aprovação de seu pai para poderem alcançar o poder. Cordélia recusa obstinadamente dizer o que o pai quer, só o que ela pensa. Ele acaba finalmente por se encantar com ela.

Em todas as instituições humanas operam alguns mecanismos de aprovação. São dados sinais sutis sobre quem está "dentro" e quem está "fora". As pessoas aprendem a mostrar uma face aceitável, uma face que alcança favores. O mesmo acontece na Igreja, o que não é surpreendente, visto que é, evidentemente, uma instituição humana. Donald Cozzens, que foi durante muitos anos reitor de um Seminário em Cleveland, defende em *The Changing Face of the Priesthood* [O rosto em mudança do presbiterado],[33] que existe o que ele chama o "complexo de Édipo presbiteral", que significa que muitos padres desenvolvem uma profunda dependência de sinais de aprovação, sobretudo dos seus bispos. Quando Yves Congar estava sendo investigado pelo Santo Ofício, sentiu esta pressão para dizer o que seria bem visto. Numa carta a sua mãe, em 1956, observa que "as razões (para as suas ações contra mim) nunca foram explicitadas, mas eu penso que sei quais são [...]. Não é que eu tenha dito qualquer coisa falsa a seus olhos, que os faz ver-me negativamente, é que eu disse coisas que [eles] não gostaram que fossem ditas".[34] Eu próprio posso ter usado de tais pressões quando estava em

---

33 D. COZZENS, *The Changing face of Priesthood: Reflections on the Priest's Crisis of Soul*, Collegeville, 2000 (v. Cap. 4: "Facing the unconscious").

34 Y. CONGAR, *Journal d'un Théologien 1946-1956*, Paris, 2000, p. 425.

funções. Um dos meus predecessores era famoso pela sua capacidade de exaltar ou esmagar um irmão com um simples olhar. Quando alguém desejava ver o Mestre, pedia ao secretário-geral um boletim meteorológico: "São de esperar tempestades pela manhã, mas há esperança de períodos de sol para a tarde, depois da sesta".

Os mecanismos de aprovação exercitam-nos no dolo. O encanto convida-nos a ser francos e a aparecer tal como somos. No final da peça, Lear e Cordélia vivem juntos, em paz, e podem rir destas coisas:

> Assim havemos de viver
> E de rezar, e cantar e contar velhas histórias e rir
> Das borboletas douradas, e ouvir os pobres malandros
> Falar das novidades da corte; e também falaremos com eles
> Quem ganha, quem perde; quem está dentro e quem está fora;
> E encarregarmo-nos do mistério das coisas,
> Como se fôssemos os espiões de Deus, e esgotaremos
> Numa prisão murada, bandos e seitas dos grandes,
> Que tecem e correm com a Lua.[35]

Da mesma forma, a história do Evangelho leva-nos para lá das tentações e seduções da aprovação, dada ou retida pelos fariseus, para aquele mútuo encanto trinitário que é a vida de Deus e o nosso lar. Somos transportados para lá da preocupação de quem está dentro ou de quem está fora, de quem é promovido, ou de quem é "a especiaria, o aroma" do mês. A Igreja será o lugar que nos forma para a vida na Trindade à medida que nela encontrarmos esse encanto mútuo libertador.

---

35 W. SHAKESPEARE, *Rei Lear*, Acto 5, 3.

O olhar de Jesus não é apenas uma vaga e morna benevolência cega. Ser olhado por Jesus é uma experiência de verdade. Pense-se na mulher samaritana junto ao poço: "Disse-me tudo o que eu fiz" (Jo 4,39). Santo Agostinho escreveu que a felicidade é "*gaudium de veritate*",[36] alegria na verdade. O encanto de Jesus em nós não é uma afirmação vazia: é a nossa penosa alegria de sermos despojados de pretensões, de entrarmos na luz. Na presença daquela face, descobrimos quem somos. O olhar de Jesus despe-nos das máscaras que usamos, desmonta as falsas caras que mostramos ao mundo.

Cipriano disse às mulheres de Cartago que deveriam deixar de usar maquiagem. De outra forma, Deus poderia não as reconhecer quando lhe pedissem para entrar no Céu. O olhar de Jesus tira-nos toda a maquiagem! John Donne escreveu aquele esplêndido poema em que cavalga para o oeste, tendo pelas costas o Sol nascente, que compara à face do Senhor Ressuscitado. Conversão é a coragem de voltar-se e encarar Jesus, ser olhado por Ele, abrir-se ao seu olhar:

> Restaura a tua imagem, a ponto de que, pela tua graça,
> Tu possas conhecer-me, e eu voltarei a minha face.[37]

Ser olhado por Jesus é uma libertação da vergonha. A Bíblia começa com uma fuga da face de Deus, com Adão e Eva a escapulirem-se para trás do mato, nus e envergonhados, quando sentem Deus chegando. A nudez do batismo na Igreja primitiva era o sinal de que o tempo da vergonha tinha acabado. Deus olha

---

36 AGOSTINHO, *Confissões*, X, 23.
37 J. DONNE, *Complete Poetry and Selected Verse*, ed. J. Hayward, London, 1949, p. 293.

para nós com alegria. Como Gregório de Nissa escreveu, "pondo de lado estas desbotadas folhas que nos cobrem, deveríamos apresentar-nos de novo aos olhos do nosso Criador".[38] Nas palavras de uma antiga oração oriental: "Tira o véu dos nossos olhos, dá-nos confiança, não nos deixes ser envergonhados e embaraçados, não nos deixes desprezarmo-nos a nós próprios".[39] A verdade de Deus é misericordiosa. Pode aplicar-se a Deus a descrição que Walt Whitman faz do poeta: "Não julga como o juiz julga, mas como o sol caindo sobre uma coisa desamparada".[40]

Este desvelar quem somos pode parecer difícil à nossa cultura contemporânea, porque há, frequentemente, a ideia de que temos o direito fundamental de decidir quem somos. A identidade não é para ser descoberta; pode ser escolhida. Escolhe-se a identidade que se vai ter hoje. Há um cabeleireiro, perto do nosso convento de Londres, que se chama "Identidade". A identidade é uma opção de estilo de vida e constitui uma infração dos meus direitos fundamentais que alguém não aceite essa identidade. Mas o sorriso de Jesus convoca-me a uma identidade que não é construída mas dada. Porque o meu ser mais profundo é, de fato, puro dom e, ao alcançá-lo, descubro a alegria. Há o esforço, o trabalho, de me tornar a pessoa que me foi dado ser. Adquirir a minha própria face é o fruto da minha história com as suas complexas opções. É a longa tarefa de vir a ser a pessoa que a graça de Deus está criando. É uma invenção e uma descoberta. E a próxima etapa, nesse processo, é a caminhada para Jerusalém, para a prisão e a morte.

---

38 GREGÓRIO DE NISSA, *De Virginitate*, XIII 1, 15ss, citado por S. TUGWELL, *The Way of the Preacher*, London, 1979, p. 92.

39 *Euchologion Serapionis*, 12, 4; ibid.

40 Citado por M. NUSSBAUM, *Upheavals of Thought: The Intelligence of Emotions*, Cambridge, 2001, p. 671.

O caminho para Jerusalém e a crucifixão

> Depois, começou a ensinar-lhes que o Filho do Homem tinha de sofrer muito, ser rejeitado pelos anciãos, pelos sumos sacerdotes e pelos escribas, ser morto e, depois de três dias, ressuscitar. E dizia-lhes claramente estas coisas (Mc 8,31ss).

Este é o momento em que a caminhada de Jesus ruma para o seu fim, Jerusalém. Volta-se também para enfrentar o caminho de retorno para o Pai. Poderia parecer que Jesus se despede dos momentos alegres, ao avançar para a morte. Mas esta segunda metade do Evangelho mostra-nos os passos seguintes, pelos quais entramos na alegria trinitária. Jesus vai a Jerusalém para compartilhar o nosso sofrimento e a nossa mortalidade. Só podemos entrar naquela alegria se seguirmos este caminho, se ousarmos ser tocados pela mágoa dos seres humanos nossos companheiros. Deus pede a Israel: "Não te escondas da tua própria carne" (Is 58,7). Podemos procurar preservar a frágil felicidade, protegendo-nos da dor que nos rodeia. Pode ameaçar esmagar-nos. Por vezes, descubro-me incapaz de olhar nos olhos das pessoas que pedem pelas ruas e são a minha carne.

Um ano, atravessei a Nigéria de carro. Algumas vezes, passamos por zonas onde havia milhares de pessoas doentes com lepra. Vivem em leprosários, mas não recebem comida ali. Portanto, constroem pequenas cabanas de folhas de palmeira e põem-se à beira das estradas. Usam uns estranhos chapéus de palha que os identificam como leprosos. Passa-se através de multidões deles, durante horas. Por causa dos buracos da estrada, não se pode guiar muito depressa e, por isso, as multidões apertam-se contra as janelas, pedindo alguma coisa e mostrando as suas feridas. O pior de tudo é ver os olhos das crianças cheios de esperança e sofrimento. Toda a sua vida se gastará à beira da estrada, pedindo. Não têm outro futuro. Ousaremos olhá-los nos olhos? Ousaremos deixar que a sua esperança e o seu sofrimento nos toquem? Dei-me conta de que resistia ao desejo de pedir ao motorista que guiasse mais depressa, por causa da intolerável dor dos seus olhos. Mas nenhuma felicidade construída sobre a insensibilidade, na fuga da compaixão, é, em última análise, sustentável, porque é uma recusa da felicidade daqueles que fazem parte do meu próprio ser. Seria uma tentativa voluntariosa para parecer bem-disposto, quando se está com uma forte dor de dentes.

O contrário da alegria não é o desgosto, mas o entorpecimento do coração que nos torna incapazes de qualquer sentimento. Sofrer pode dar-nos corações de pedra. Simone Weil descreve como o trabalho fabril mata a alma: "Depois de ocupares o teu lugar junto à máquina, tens de matar a tua alma, oito horas ao dia, matar os teus pensamentos, sentimentos, tudo [...]. Tens de suprimir, purgar-te de toda a tua irritação, tristeza ou repugnância: atrasariam o ritmo. Tens até de abolir a alegria".[41] Mas o sofrimento pode também trabalhar-nos por dentro e tornar-nos capazes de uma alegria mais profunda. Pode partir os nossos corações de pedra e dar-nos corações de carne. Quando se quer fazer a carne mais tenra, temos de martelá-la e desfazer os seus nós. É o que Deus parece fazer com os nossos corações.

Os santos mais alegres são também, por isso, os que mais sofrem. São Domingos ria durante o dia com os irmãos, mas

---

41 S. WEIL, *La Condition Ouvrière*, Paris, 1951, p. 28.

chorava à noite com Deus. São Francisco de Assis era um homem de uma alegria exuberante, mas também suportou os estigmas. Nos *Fioretti*, o nexo é claramente feito. Quando contemplou o serafim no Monte La Verna, "ficou cheio de doçura e pesar, misturados com espanto. Alegria tinha-a imensamente grande [...], mas sofria indizível pesar e compaixão".[42] Se queremos partilhar a alegria de Deus, temos de partilhar também o seu desgosto com o sofrimento do mundo. Se nos queremos isolar da dor do mundo, nunca seremos profundamente alegres. William Blake escreveu:

> O Homem foi feito para Alegrias e Desgraças
> E quando isto bem sabemos
> Pelo mundo vamos em segurança
> Alegria e Desgraça são tecidas numa excelente
> Roupagem para a divina Alma
> Por debaixo de todo o desgosto e aflição
> Corre uma alegria com cordão de seda.[43]

Com frequência descobri, na África, como o sofrimento arrasa um otimismo superficial e revela uma alegria profunda e exaltante. Temos de ter uma esperança forte ou desesperar. Estava em Kinshasa, na República Democrática do Congo, quando os rebeldes cercaram a cidade e parecia que seria tomada a qualquer momento. A entrevista com um dos irmãos foi interrompida quando houve uma explosão, mesmo por cima do convento, e acabamos os dois debaixo da mesa. Todo mundo estava tenso, esperando que a violência viesse. Depois, fomos para a

---

[42] Citado de *The Little Flowers*, New York, 1910, p. 114.
[43] W. BLAKE, "Auguries of Innocence", in *Blake Complete Works*, ed. G. Keynes, Oxford, 1969, p. 432.

igreja celebrar a Eucaristia, que foi preenchida com uma alegria que não consigo descrever. Até mesmo na sacristia, antes de a procissão começar, a dança era contagiante!

Morte

> E Jesus, soltando um grande brado, expirou. O véu do santuário rasgou-se em dois, de alto a baixo. E o centurião que ali estava, em frente a ele, ao vê-lo expirar daquela maneira, exclamou: "Este homem, na verdade, era Filho de Deus" (Mc 15,37-39).

A caminhada para Jerusalém leva ao despojamento e à nudez de Jesus. Vimos que a alegria começa quando se consente em ser olhado por Jesus. Temos de ousar ser expostos ao seu olhar, confiantes que isso o encantará. "Que a tua face brilhe sobre nós e seremos salvos". Mas o ponto culminante desta caminhada consiste em que nós olhemos para Jesus, desnudado para a nossa visão. Esta é a imagem central da nossa fé.

Em 1999, uma imagem do "*Ecce Homo*", o Cristo nu, foi colocada num pedestal em Trafalgar Square, em Londres. Era a de um jovem delgado, que parecia imensamente vulnerável. Ao contrário de todas as outras estátuas dos grandes e dos bons à sua volta, e mesmo dos leões, era apenas do nosso tamanho. Conta-se que um transeunte teria dito: "Se este é Jesus Cristo, não é um milagre! Não se pode ter fé em alguém como aquele, é frágil como um gatinho".[44] Os iconoclastas tinham razão em se preocupar. É escandaloso mostrar a face nua de Deus.

---

44 N. MacGregor e E. Langmuir, *Seeing Salvation: Images of Christ in Art*, London, 2000, p. 115.

O ponto mais alto é a visão do rosto moribundo de Jesus. É um rosto para o qual quem passava podia olhar, mas que não podia devolver o olhar. Isto é o oposto da prévia relação com Deus, porque Deus era quem nos via, embora nós não o pudéssemos ver. Ver a Deus significava morrer. Aqui na cruz é Deus que oferece o seu rosto para ser visto, mas que não nos vê, porque Deus está morto. Foram precisos 400 anos para que a Igreja ousasse representar Cristo na cruz na porta de Santa Sabina. E mais 500 para ousar mostrá-lo morto.[45]

Começamos com o grito do Pai sobre o Filho, no batismo: "Este é o meu Filho muito amado em quem pus o meu enlevo". É o prazer mútuo que está no coração da Trindade. É o encanto entre iguais que é o Espírito Santo: "Três em Um que é Alegria", para citar Harry Williams.[46] Não há amor cristão sem igualdade. Este Evangelho leva-nos até a cruz em que Jesus é despojado para o nosso olhar, como nós o estamos para o seu. Entramos assim num amor que é mútuo e recíproco. O que abre a porta ao escândalo da igualdade com Deus no Filho. Não há amor que não se esforce por crescer até a igualdade.

O que significa que, como cristãos, devemos ousar ser vistos como somos, confiando que as pessoas possam aprender a alegrar-se em nós. Nós que somos sacerdotes e religiosos devemos também ousar vir para a luz e ser vistos como os seres desajeitados e frágeis que somos, que perdemos a calma ou continuamos a achar que a oração é difícil, ou quaisquer que sejam as nossas dificuldades. Não estou sugerindo sessões para partilhar

---

[45] Ver D. F. Ford, *Self and Salvation: Being Transformed*, Cambridge, 1999, especialmente o capítulo 8: "The face on the cross and the worship of God".

[46] H. Williams, *The Joy of God*, London, 1979, p. 47.

"segredos de alcova" ou grandes revelações pessoais do púlpito. Não estou sugerindo que desnudemos a alma, mas apenas que não temos necessidade de máscaras. Não podemos convidar as pessoas a seguir Cristo, se não ousamos encarar a nudez de Sexta-Feira Santa.

Ressurreição

> Entrando no túmulo, [as mulheres] viram um jovem sentado à direita, trajado com uma veste branca e ficaram apavoradas. E ele disse-lhes: "Não tenhais medo. Buscais Jesus de Nazaré, o Crucificado? Ele ressuscitou, não está aqui. Vede o lugar onde o tinham depositado. Ide, pois, dizer aos seus discípulos e a Pedro: Ele precede-vos a caminho da Galileia. Lá o vereis como vo-lo disse". Elas saíram e fugiram do túmulo, pois estavam a tremer e fora de si. E não disseram nada a ninguém, porque tinham medo (Mc 16,5-8).

Tendo-nos levado até ao mais profundo desgosto pela morte de Cristo, poderia esperar-se que Marcos concluísse o Evangelho com uma explosão de alegria na Ressurreição. Mas isto não aconteceu, na versão original do Evangelho. A maioria dos estudiosos concorda que ele termina com o silêncio das mulheres que nada disseram, porque tinham medo. Desta forma, Marcos deixa-nos em suspenso. Alguém sugeriu que é como que ouvir cair um sapato no andar de acima e ficar à espera do outro, que nunca vem. Todo o Evangelho nos conduz para a alegria da Ressurreição, mas não a descreve.

É uma conclusão brilhante do Evangelho. Marcos queria que os seus leitores em Roma, no início da década de 70, ficassem intrigados com estas mulheres. Acabariam por perguntar: "Por que não se alegram? Mas elas não percebem que Jesus está ausente porque ressuscitou? Não podem perceber que o túmulo vazio é uma boa notícia?". Marcos queria, seguramente, que os seus leitores descobrissem que eles próprios são essas mulheres. Esta comunidade romana primitiva estava cheia de consternação e desconfiança. Durante a crise da perseguição, tinham esperado que o Senhor voltasse, mas, apesar disso, não houve sinais dele. Sentiram-se atraiçoados. Marcos queria que os seus leitores vivessem a ausência de Jesus com alegria. Podemos não o ver entre nós mas, como o anjo acabava de dizer às mulheres: "Ele vai à vossa frente para a Galileia; aí o vereis como vos disse". A sua ausência não é fracasso e morte. Não está ali, porque saiu antes e chegou à meta da caminhada, onde espera por nós.

Assim, a alegria cristã não é uma opção de jovialidade, uma decisão para ver tudo pela positiva. Não é insistir otimisticamente que o copo está meio cheio, ou meio vazio, ou qualquer outro daqueles "lugares-comuns" ocos com que tentamos proteger-nos contra o temor e a falta de sinceridade. É uma alegria de Páscoa, o que significa que apenas podemos entrar plenamente nela através do sofrimento, da morte e da ressurreição. Temos de nos confiar à narrativa dinâmica em que fomos batizados e que reatualizamos no movimento de cada ano litúrgico. Conduz-nos para a frente, para a alegria final. Mas, mesmo quando chegamos ao triunfo da Páscoa, podemos estar ainda, como as mulheres, fechados na infelicidade, se o medo nos torna cegos. O medo pode fazer-nos ver a ausência de Jesus como fracasso em vez de promessa.

Se a Igreja quer ser testemunha da alegria da Ressurreição, nós temos de permanecer libertos do medo. Há demasiado medo na Igreja – medo da modernidade, da complexidade da experiência humana, de dizer o que realmente acreditamos, medo uns dos outros, medo de nos enganarmos, de não alcançar aprovação. É este medo que pode, por vezes, apagar aquela alegria que deveria intrigar as pessoas e levá-las a interrogar-se sobre o segredo das nossas vidas. Por isso, temos de considerar agora essa virtude que é tão urgentemente necessária na Igreja para sermos testemunhas do Evangelho: a coragem. O Evangelho termina com o anjo convidando-nos a continuar a caminhada. O fim do Evangelho não é o fim da história. Temos de continuar a andar – e isso, como veremos no próximo capítulo, constitui o âmago da coragem.

CAPÍTULO 4

“Não tenhais medo”

Terá a fé cristã algo de diferente? Vimos que nos convida a um gênero de vida que deveria intrigar, levantar questões. Num mundo que perdeu as suas utopias, deveríamos ser um sinal de esperança. Somos convidados a abraçar a liberdade radical de Cristo e a gozar, desde já, de um antegosto da felicidade para que fomos criados. Se estas qualidades não se encontram entre nós, é porque temos medo. Receamos tomar parte na peregrinação para Deus. Em *O peregrino*, o Abatimento explica que foram “medos servis” que o impediram, e à sua filha Cheia-de-Medo, de fazer a caminhada. “Para ser franco, são fantasmas que albergamos quando começamos a ser peregrinos e nunca mais os conseguimos expulsar. Andam por aí e procuram o Acolhimento dos Peregrinos mas, pela vossa saúde, fechai-lhes as Portas na cara”.[1] É o medo que nos impede de gozar da plena liberdade de dar a vida, sabendo que seremos magoados. O anjo aparece às mulheres, no túmulo vazio, e diz: “Não tenhais medo”, mas foi o medo que as cegou para o significado do túmulo vazio e, por isso, nada disseram.

---

1 J. BUNYAN, *The Pilgrim's Progress*, Oxford, 1966, p. 258 (trad. port. *O peregrino ou a viagem do cristão à cidade celestial*).

Não podemos ser testemunhas convincentes do Evangelho se não estivermos possuídos por uma inexplicável coragem. Os primeiros séculos da era cristã foram um tempo de incerteza e ansiedade generalizadas. Diz-se frequentemente que o Império Romano foi convertido pela coragem dos mártires. O ensino da Igreja podia parecer estranho e grosseiro – crença num único Deus que era três pessoas e a estranha ideia de corpos ressuscitarem dos mortos –, mas a coragem dos mártires significava que o cristianismo era um mistério que não se podia ignorar. Exprimia a esperança cristã. Quando Santo Inácio de Antioquia era levado para Roma, para ser martirizado em 107 d.C., pediu aos cristãos de Roma que não tentassem salvá-lo para que, morrendo, se torne "uma inteligível expressão de Deus".[2]

A coragem é uma virtude universalmente sedutora, ao contrário de outras virtudes cristãs como a temperança, e por isso fala sem mais aos que não aceitam a nossa fé. Screwtape, o velho diabo cujos conselhos ao seu aprendiz são descritos por C. S. Lewis, queixa-se que a covardia é o único vício inteiramente despido de sedução – "horrível de prever, horrível de sentir, horrível de lembrar" – e a coragem é tão "evidentemente encantadora e importante, mesmo aos olhos dos humanos, que todo o nosso trabalho cai por terra, e que há ainda pelo menos um vício de que eles sentem autêntica vergonha".[3] Há uma história africana acerca de uma tartaruga que vai lutar contra um leopardo. Antes da luta, dirigiu-se ao campo de batalha e, por todos os lados, deixou sinais sugerindo uma violenta luta. Quando lhe perguntaram o que estava fazendo, respondeu: "É que, mesmo depois de morta,

---

2 *Carta aos Romanos*, 2.1, tradução da Liturgia das Horas.
3 C. S. Lewis, *Screwtape Letters*, London, 1942, p. 148.

gostaria que quem quer que passasse por aqui dissesse: 'Aqui lutaram dois valorosos combatentes'". E quem não aprecia o gesto desta tartaruga?

Também nós, no início do século XXI, vivemos um tempo de angústia. Em *Anil's Ghost*, uma cirurgiã cingalesa fica fascinada com as amígdalas, o pequeno feixe de nervos na base do cérebro que comanda o medo. "Ela lembra-se do cacho da amendoeira. Durante as autópsias, o seu habitual desvio é o de procurar as amígdalas, esse feixe nervoso que alberga o medo – e assim tudo comanda. Como nos comportamos e tomamos decisões, como procuramos casamentos seguros, como construímos casas com segurança [...]. 'Eu queria encontrar uma lei que abarcasse toda a vida. Encontrei o medo.'"[4]

Em muitos aspectos, temos maior segurança que os nossos antepassados. Pelo menos no Ocidente, estamos mais protegidos da doença, da violência e da pobreza. Mas estamos angustiados com os perigos que criamos: desastre ecológico, doença da "vaca louca", energia nuclear, organismos geneticamente modificados. Estive em países da África onde as pessoas suportaram diariamente perigos terríveis com calma e confiança, enquanto no Ocidente a mais pequena ameaça de risco provoca, com frequência, pânico. E este clima de angústia é manipulado por políticos que praticam "a política do medo". Estou escrevendo isto no dia das eleições gerais na Inglaterra (em 2005). Alguns políticos tentam forçar-nos ao voto, fazendo uso do medo da acumulação de imigrantes, da violência urbana, do colapso do Serviço Nacional de Saúde e de parasitas/micróbios nos hospitais. Se os ideais

---

[4] M. ONDAATJE, *Anil's Ghost*, London, 2001, p. 135 (trad. port. *O fantasma de Anil*, D. Quixote, 2002).

já não nos convencem a votar num partido, há ainda a esperança de que a ansiedade o faça. "Novo trabalhismo, novo perigo". Mas todos os partidos usam a mesma tática. Foi o medo que justificou a redução dos direitos humanos a seguir ao 11 de setembro e o escândalo da base de Guantánamo. Mas a experiência sugere que o medo não motiva as pessoas a votar, pelo contrário, mantém-nas fechadas em casa com medo de se aventurar aqui fora. O medo dissolve a sociedade e destrói a cidadania.

Portanto, a nossa sociedade precisa de uma boa dose de coragem cristã, mas a Igreja nem sempre a oferece. O Papa João Paulo II foi, sem dúvida, um homem de coragem, que não tinha medo de ninguém nem de nada. Na Carta apostólica *Novo Millennio Ineunte*, convidou-nos a todos a sermos corajosos. O seu lema foi: "Avançai para águas mais profundas". Na África, na América Latina e na Ásia vi cristãos extraordinariamente corajosos, que vivem em perigo diário, mas com uma resistência heroica, mantendo-se firmes quando todos os outros fugiram. Porém, não penso que se possa afirmar que a Igreja no Ocidente nos ensine a ser corajosos.

Na minha infância, a Crisma ainda implicava um tapa do Bispo na cara do crismando. Era apresentado como o sacramento da coragem, preparando-nos para sofrer pela fé. Cresci com as histórias de mártires ingleses e galeses e tinha fantasias infantis em que os russos vinham de paraquedas cercar a minha escola. Todos os rapazes eram postos em fila e obrigados a responder ao dilema: renunciar à sua fé ou morrer. Evidentemente, o jovem Radcliffe se imaginava caindo por terra, cheio de balas, amado, lamentado e admirado! Mas o sacramento da Confirmação deveria formar-nos para o heroísmo, ao introduzir-nos numa comunidade em que aprendemos a ser corajosos, em primeiro lugar, uns com os outros. Isso significa uma comunidade em que ousamos dizer a verdade uns aos outros, ouvir-nos uns aos outros, ser vulneráveis uns aos outros, não ter medo uns dos outros. Se não existir esta coragem na Igreja, não haverá martírio para o mundo, nem testemunho convincente, nem "inteligível expressão de Deus". Como se aprende isto? E que espécie de martírio necessitamos? Há cada vez mais gente reclamando o estatuto de mártir, gente que ativa explosivos escondidos no seu corpo para matar pessoas inocentes. Será isto martírio? Será, até mesmo, valentia? Como se poderia definir a coragem especificamente cristã?

Vulnerabilidade

A palavra "coragem" vem de "*cor*", que significa "coração" em latim. E a coragem é muitas vezes pensada como uma qualidade do coração. Uma pessoa *sente-se* assustada ou valente. Mas Aristóteles e Tomás de Aquino, que o segue no raciocínio, viram-na sobretudo como uma qualidade da mente. É a *fortitudo mentis*, a coragem de ver as coisas como são, de olhar para o perigo com firmeza e clareza.[5] A pessoa valente assume a sua vulnerabilidade. Comentando São Tomás, Josef Pieper escreveu que "a fortaleza pressupõe a vulnerabilidade; sem vulnerabilidade não há possibilidade de fortaleza. Um anjo não pode ser valente, porque não é vulnerável. Ser valente significa, de fato, a capacidade de ser ferido".[6] Por isso, era fácil para os anjos dizer "não tenhais medo". Não poderiam saber o que isso significa!

---

5 *ST*, II, II, 123, 1.

6 J. PIEPER, *The Four Cardinal Virtues*, Notre Dame, 1966, p. 117.

Não há coragem sem clarividência. Se alguém tem de correr para uma casa em chamas para salvar uma criança, ele sabe muito bem que pode queimar-se ou, até, morrer. Mas se eu me convencer a mim mesmo de que sou invulnerável, como se tivesse uma pele de amianto, isso não seria ser corajoso, mas tolo. É normal ter medo de ser queimado, mas os corajosos não são dominados pelo medo. O medo pode escravizar-nos, mas a coragem leva a nossa liberdade a fazer o que está certo, apesar do risco. Aristóteles achava que os guerreiros celtas não tinham medo, mas também não eram corajosos, porque não tinham a noção do perigo. Os valentes admitem os seus medos. Uma vez, Oscar Romero estava sentado numa praia com um amigo e perguntou-lhe se tinha medo de morrer. Como o amigo respondeu que não, Romero confessou: "Mas eu tenho. Tenho medo de morrer". No entanto, ele doou a sua vida.

A coragem pode exigir que se perca o que é autenticamente bom por causa do que é melhor. Posso ter de perder a minha reputação por falar a verdade ou a minha saúde, por causa da pregação do Evangelho. Posso até ter de perder o meu maior bem natural que é a vida, por causa daquilo que é o melhor de tudo: a vida eterna. Anthony Ross OP escreveu:

> O homem verdadeiramente corajoso não é, portanto, da espécie de quem "nunca conheceu o medo" ou do tipo do louco furioso que se excita até ficar frenético ou mesmo o do soldado altamente treinado e seguro da sua perícia, e talvez condicionado para lutar com pequena ou nenhuma ideia de perigo. É, antes, o homem que mede a dificuldade e o perigo de forma realista, compreendendo, tanto quanto lhe é possível, as implicações e controlando, à luz dessa compreensão, os sentimentos naturalmente despertos pela

situação, sejam eles sentimentos de medo ou de regozijo, de excesso de confiança ou de falta de confiança.[7]

Além disso, a coragem é a virtude mais difícil de julgar nos outros, dado que não nos é fácil partilhar a sua percepção dos riscos. O soldado corajoso tem de julgar quando deve lutar e quando deve recuar, embora outro soldado possa julgar covarde uma decisão corajosa. É, por exemplo, extremamente difícil para nós julgar se Pio XII estava sendo corajoso ou covarde quando não condenou mais abertamente a perseguição aos judeus, durante a Segunda Guerra Mundial. Podemos lamentar profundamente que o não tenha feito e ter vergonha do seu silêncio e, no entanto, é possível que, dada a sua percepção de todos os fatores, tenha sido para ele uma decisão corajosa. Screwtape tem razão em dizer que a coragem é a virtude mais inequivocamente atraente e que ninguém admira a covardia e, no entanto, nem sempre é fácil julgar o que é uma e o que é outra. A temperança é uma virtude que pode facilmente parecer pouco atraente, um medo tímido de celebrar a vida. Muitos daqueles dominicanos que bebem vinho – e não apenas "o vinho novo do Evangelho" – parecem ter pensado assim! No entanto, ficar completamente embriagado nunca poderá ser um exemplo de temperança, ao passo que recuar pode ser um exemplo de coragem. Assim, nem sempre é fácil reconhecer a verdadeira coragem, mas, quando acontece, a sua beleza é inegável. E é difícil saber o que é uma decisão corajosa, porque não se pode de antemão avaliar exatamente os riscos. Chesterton escreveu que "deveria haver uma

---

7 Na Introdução a S. TOMÁS DE AQUINO, *Summa Theologiae*, ed. T. Gilby OP, vol. 42 (2a 2ae, 123-140), London, 1966, p. xxiii.

placa comemorativa colocada no local em que, pela primeira vez, um homem corajoso comeu queijo Stilton e sobreviveu".[8]

A primeira etapa para tornar-se valente é a libertação de medos irreais, de ter medo de coisas que não são realmente perigosas. A maioria é perturbada por medos que são infundados ou neuróticos. Por exemplo, muitos membros da minha família são aracnofóbicos. Ponham umas tantas aranhas numa sala cheia de Radcliffes e o resultado não será nada edificante! Todos nós sabemos que isto nada tem a ver com qualquer dano real que as aranhas na Inglaterra alguma vez nos possam fazer: é uma fobia que projeta sobre as aranhas uma ameaça que elas não representam. Ao princípio, costumava recear viajar por terras da África ou da Ásia, onde habitualmente tinha de encontrar aranhas horrorosas: aranhas que comem pássaros, tarântulas, viúvas-negras, tudo isso! Posso testemunhar que é uma cura eficaz, embora desagradável. Temos de abrir bem os olhos e ver que as aranhas são apenas aranhas e nada mais. Evidentemente, se estes medos são doença, como agorafobia ou claustrofobia, ser afligido por eles não é de forma alguma uma covardia. Algumas das pessoas mais valentes que conheci tiveram de lutar contra tais fobias.

Na ilha de Robben, na África do Sul, os prisioneiros que se tinham oposto ao *apartheid* encorajavam-se uns aos outros citando as suas passagens favoritas de Shakespeare. A de Nelson Mandela era tirada de *Júlio César*: "Os covardes morrem, muitas vezes, antes da sua morte".[9] A covardia pode capturar-nos num

---

[8] G. K. Chesterton, "The Poet and the Cheese", in *A Miscellany of Men*, eBook # 2015, projeto Gutenberg, publicado em 1999.

[9] W. Shakespeare, *Júlio César*, II, 2.

mundo imaginário cheio de perigos de morte. A coragem começa pela busca da objetividade em face do perigo. Muitos cristãos encaram diariamente um perigo real. Em 12 de fevereiro de 2005, atiradores assassinaram a Irmã Dorothy Stang, das Irmãs de Notre Dame, que defendia o direito dos pobres camponeses da Amazônia, contra a ganância dos grandes latifundiários. O próximo, na lista dos atentados, é o dominicano francês Henri Burin des Roziers, que tem tentado levar a tribunal os proprietários que escravizam e matam os seus trabalhadores. Puseram a sua cabeça a prêmio por 30 mil dólares. Henri insiste que as ameaças são exageradas e diz: "Não tenho medo de morrer. Fiz 75 anos e vivi uma longa vida". Quando o visitei, deixou-me o seu quarto para pernoitar. Mas, depois, não dormiu, porque lhe veio à ideia de que, se tentassem apanhá-lo nessa noite, poderia ser eu a vítima, o que seria muito constrangedor. Felizmente, tal ideia não me ocorreu. Como se pode aprender uma tal coragem que nos liberte do temor servil?

No âmago da nossa fé, está a cruz, a imagem de uma pessoa totalmente vulnerável e ferida de morte. Mas, quando Jesus ressuscita dos mortos, as chagas ainda lá estão. No Evangelho de Lucas, Ele diz: "Vê as minhas mãos e os meus pés; sou Eu mesmo" (24,39). E, no relato joanino da Ressurreição, "Jesus veio colocar-se no meio deles e disse-lhes: 'A paz esteja convosco'. Dito isto, mostrou-lhes as mãos e o lado" (20,19ss). Quando Tomé regressa, tudo o que pede é ver e tocar as chagas de Jesus. O Cristo ressuscitado ainda está ferido. A sua Paixão e Morte não são simplesmente deixadas para trás, como fases anteriores da sua vida; como a nossa infância, quando nos tornamos adultos. James Alison defendeu que a ressurreição de Jesus foi a restituição gratuita de toda a vida e morte que terminara na Sexta-Feira Santa – o todo da humanidade de Jesus inclui a sua morte humana. O que significa que o Senhor ressuscitado é o Senhor simultaneamente morto-e-ressuscitado. Jesus, quando aparece aos discípulos, não surge como um campeão que sai de uma chuveirada depois da partida.[10]

O Prefácio Pascal III diz-nos que Jesus "continua a oferecer-se pela humanidade, e junto de Vós é nosso eterno intercessor. Imolado [na cruz], já não morre; e, [Cordeiro pascal] morto, vive eternamente". O latim original é mais paradoxal: Jesus é "*agnus qui vivit semper occisus*", o Cordeiro que vive para sempre morto. Se o Senhor ressuscitado não trouxesse ainda as suas chagas, não teria agora muito a ver conosco. A Ressurreição poderia prometer-nos uma certa cura futura e a vida eterna, mas deixar-nos-ia no nosso sofrimento presente. Mas, por causa do dia de Páscoa, já temos parte na vitória. Também nós fomos feridos e curados. Quando Brian Pierce OP foi aos Andes, no Peru, pela primeira vez, ficou surpreendido ao ver por todo o lado as imagens de Cristo crucificado coberto de sangue. Parecia que a fé do povo indígena não tinha ido até a Ressurreição, tendo se fixado nas imagens de derrota. Mas descobriu que estava enganado. Estas cruzes eram o sinal de Cristo ressuscitado, partilhando agora as crucifixões deles. Podemos ter coragem e arriscar ser feridos.

Charles Péguy, o escritor francês, contou a história de um homem que morreu e foi para o Céu. Quando encontrou o anjo que anotara as suas ações, este pediu-lhe: "Mostra-me as tuas

---

10 J. ALISON, *Knowing Jesus*, London, 1993, p. 20.

feridas". Ele respondeu: "Feridas? Não tenho nenhuma". E o anjo disse-lhe: "Nunca pensaste poder haver alguma coisa que valesse a pena lutar por ela?".

Esperando

Para Aristóteles, a coragem era sobretudo a virtude do guerreiro que se arriscava a ser ferido quando combatia. Para Tomás de Aquino era, mais precisamente, a resistência. Era aguentar fiel e pacientemente nas dificuldades. G. K. Chesterton lembra que todos nós devemos a existência à coragem das nossas mães, que suportaram nove meses de gravidez e as dores de dar à luz. Há a coragem dos pais que suportam noites sem dormir, enquanto educam os seus filhos. Há a coragem dos professores em meios urbanos degradados que permanecem firmes ali, continuando a ensinar, apesar da intimidação e do tédio. Na África subsaariana, há a coragem de enfermeiras e médicos que continuam a cuidar de pessoas com Aids, apesar de quase não terem medicamentos e a epidemia ameaçar submergir o país. Há a paciência dos que são fiéis quando uma relação é frágil ou fazem frente à doença dia após dia. A coragem torna-nos constantes.

A nossa sociedade procura eliminar a espera. Tiramos "a espera da insuficiência".[11] Isto é sintomático de uma sociedade que perdeu as longas narrativas e para a qual apenas existe o momento presente. Em outubro de 2004, um avião caiu no Canadá. Os pilotos estavam voando há quase 24 horas. Transportavam vegetais frescos da África para os mercados ocidentais. Os consumidores esperam/querem encontrar nos supermercados o

---

11 Z. BAUMAN, *Liquid Modernity*, Cambridge, 2000, p. 76.

feijão, os aspargos e as ervilhas, durante todo o ano. Queremos-nos *já*. Para poder proporcionar fruta e vegetais a preços competitivos, os supermercados adquirem-nos de companhias que utilizam velhos aviões, sem uma manutenção conveniente, registrados em países cujos padrões de segurança não são elevados, como neste caso em Gana. Os pilotos fazem voos perigosamente longos. Desde 1992, esta foi a quarta queda de um avião desta companhia. O seu fundador diz que a culpa não é dos supermercados, pois eles estão unicamente respondendo às exigências do mercado que não tolera esperas.

Mas os pobres têm de esperar. Têm de esperar que a terra dê os seus frutos. Têm de esperar em filas para comprar o que está disponível e, se há escassez, podem ter esperado em vão. Esperam por empregos. Qualquer pessoa que tenha viajado na África ou na Índia terá testemunhado a imensa paciência que lhes é exigida. Uma vez, quando esperava um avião na Costa do Marfim, fui prevenido de que o avião estaria um pouco atrasado. "Quanto?" "Três dias". Acima de tudo, esperam pela justiça, com os anos passando e, aparentemente, sem que nada melhore. Por isso, precisamos de resistência para aguentar, para continuar a fazer militância, não desistindo, sendo fiéis à promessa do Senhor de um mundo melhor. O diálogo com o islamismo também exige de nós que sejamos fiéis a longo termo, prontos para a amizade e o debate se houver uma abertura. Georges Anawati OP, um dominicano egípcio, que dedicou a sua vida ao diálogo com o islamismo, afirmava que se necessita de "uma paciência geológica". Isto é também o que Vicente de Couesnongle OP, antigo Mestre da Ordem, chamou "*le courage du futur*",[12] a coragem

---

12 *Le courage du futur*, Paris, 1980.

do futuro, uma coragem que alcança o futuro. Mostra-nos muito precisamente qual o sentido de ser cristão, ter o sentido do que ainda não existe, da promessa futura.

Na Igreja também precisamos desta coragem. Os leigos precisam da coragem de aguentar quando a paróquia está morta e seca e não recebem alimento do seu pároco, e quando o mais fácil seria desistir. As mulheres, que sentem que a sua dignidade não é reconhecida na Igreja, precisam aguentar, como já o fazem há séculos, recusando o desespero. Sacerdotes e religiosos precisam ser constantes quando a sua vocação parece fútil e a primeira alegria desapareceu. Antes do Concílio Vaticano II, muitos teólogos defenderam uma renovação da Igreja, um retorno às suas raízes na Palavra de Deus. Teólogos como Marie-Dominique Chenu e Yves Congar sofreram anos de marginalização. Mas aguentaram. Congar escreveu: "Aguentar na obscuridade, na ignorância de quanto pode ser longa a provação, não perder a coragem, se aquela é prolongada, e ultrapassar o desgaste do tempo: é isso que mostra a virtude da coragem ao máximo e como se revela um valor geral da existência moral".[13] Tinha de confiar que um dia, quando Deus decidisse, a verdade haveria de triunfar. Insistia que nos tempos de escuridão se deve confiar que será justificado o que se acreditou em tempos de luz.

Alguns católicos vivem com profunda decepção o fato de as suas esperanças acerca do Concílio não terem dado os frutos que esperavam. Defendem até que a Igreja está recuando e se tornando mais clerical. Por isso, também eles necessitam da coragem de aguentar, confiando que, quando Deus decidir aquilo por que

---

[13] Y. CONGAR, "Le traité de la force dans la *Somme Théologique* de S. Thomas d'Aquin", in *Angelicum* 51, 1974, pp. 331-348.

ansiamos, nos será dado, embora talvez não como o imaginamos. Santa Catarina de Sena combinou os ideais pagão e cristão da coragem na sua imagem de Cristo como um soldado paciente e vulnerável. Avança para o combate sobre a cruz, perseverando até o fim. Ser cristão é partilhar a sua resistência. Ela escreveu a um seu confrade dominicano:

> Estamos postos como num campo de batalha e devemos combater corajosamente não esquivando os golpes e recuando, mas com os olhos postos no nosso capitão, Cristo crucificado, que perseverou sempre. Não desistiu quando lhe disseram "Desce da cruz!". Nem o demônio nem a nossa ingratidão o fizeram desistir de realizar o mandamento do Pai e a nossa salvação. Não, Ele perseverou mesmo até o fim [...]. E isso matou-o![14]

Quando se espera pelo que não vem, a tentação é ficar agitado. Pode então ser-se tentado a desistir e avançar para outra coisa. Os Padres do Deserto, porém, acreditavam que o grande progresso na santidade vinha precisamente de permanecer onde se está e esperar por Deus. "Senta-te na tua cela e a tua cela te ensinará tudo". Amma Syncletica escreveu: "Se estás vivendo numa comunidade monástica, não vás para outro lugar: seria um grande prejuízo para ti. Se um pássaro abandona os ovos sobre os quais está sentado impede-os de chocar, e assim também o monge ou monja esfriará e a sua fé perecerá se andarem de um lugar para outro".[15]

---

[14] *Carta T159*, a Ranieri, um frade de Pisa, citado por Suzanne Noffke OP numa conferência não publicada: "Louvar, Bendizer, Pregar: Catarina lança a luva" (Molloy College, 22 de abril de 2005).

[15] *Syncleta* 6, citada por R. WILLIAMS, *Silence and Honey Cakes: The Wisdom of the Desert*, Oxford, 2003, p. 82.

O cardeal Newman disse que "o cristão é aquele que vela por Cristo".[16] O ano litúrgico, no seu todo, forma-nos para sermos um povo com coragem para esperar até que o Senhor venha. O Advento treina-nos na paciência para não começar a celebrar demasiado cedo, resistindo à tentação de celebrar o nascimento de Cristo antes de Ele vir, e apesar de as lojas estarem cheias de sinais dizendo "Feliz Natal", dominando o impulso de abrir os presentes antes do dia de Natal. Cristo é um dom e respeita-se o dom esperando pelo momento em que for dado. Esta espera não é mera passividade. A palavra latina para esperar, *attendere*, significa "esticar-se para a frente". Estamos atentos, abrindo-nos ao que virá como uma mãe que dá à luz. Todo o ano é marcado por momentos de espera: o Sábado Santo impõe-nos uma pausa entre a Morte e a Ressurreição e a espera pelo momento de triunfo, tal como esperamos entre a Ascensão e o Pentecostes pelo dom do Espírito Santo. O ano cristão forma-nos na paciência.

Por que é que a espera é uma parte tão importante do ser cristão? Não podia Deus dar agora aquilo por que ansiamos, justiça para os pobres e felicidade perfeita para todos nós? Já se passaram quase 2 mil anos da Ressurreição e ainda esperamos o Reino. Por quê? Uma das razões pelas quais o nosso Deus leva tanto tempo é porque não é um deus qualquer. O nosso Deus não é um poderoso super-homem celestial, uma espécie de Presidente dos EUA na escala cósmica, que poderia chegar irrompendo do exterior. A vinda de Deus não é como a cavalaria chegando a galope em nosso socorro. Deus vem de dentro, da nossa mais profunda

16 J. H. Newman, *Parochial and Plain Sermons* IV, 22, 1882, p. 319 ss.

interioridade. Ele está, como diz Santo Agostinho, mais perto de nós do que nós próprios ou, como diz o Alcorão, mais perto de nós do que a nossa veia jugular.

Deus vem a nós como uma criança vem à sua mãe, no profundo do seu ser, por uma lenta transformação de quem ela é. Qualquer outra coisa seria violência e uma violação. Nós somos corpos e os corpos vivem no tempo. Tal como são necessários nove meses para uma gravidez, também é preciso tempo para que os ossos partidos solidifiquem, para as febres passarem. A cura e o crescimento levam o seu tempo. Precisamos de paciência, porque Deus vem a nós não como um agente externo, mas na intimidade do nosso ser corporal que vive no tempo. Nós, os seres humanos, somos diferentes dos outros animais, porque levamos tanto tempo para atingir a maturidade – em contraste, por exemplo, com as moscas da fruta – e a nossa esperança está posta naquele que se faz humano e respeita o nosso ritmo de vida.

Durante o Advento, somos como gente à volta da cama; esperamos o nascimento. Mas a vinda de Deus não é apenas o nascimento de uma criança; é a vinda de uma Palavra. Poderia mesmo dizer-se que é a vinda de uma língua. Foram necessários séculos para que o inglês evoluísse ao ponto de Shakespeare poder escrever o *Hamlet*. A língua tinha de ser formada por inúmeros homens e mulheres, poetas e juristas, pregadores e filósofos, até estar pronta para a sua criatividade. A sociedade inglesa tivera de passar por uma profunda transformação até poder ser fertilizada pela criatividade de Shakespeare.

De forma semelhante, foram necessários milhares de anos para que houvesse uma língua na qual a Palavra de Deus pudesse ser falada, na forma de Jesus. Precisamos de todas aquelas experiências de libertação e exílio, de construção e demolição de reinos. Precisamos de inúmeros profetas e escribas, poetas e pais, esforçando-se por encontrar palavras para que Jesus pudesse nascer como o Verbo. O Verbo de Deus não desce do Céu como um esperanto celestial: brota da linguagem humana. As dores de parto do Verbo começaram quando os primeiros seres humanos começaram a falar.

Quando agora pedimos a vinda do Reino, ou apenas que nos passe a dor de cabeça ou uma possibilidade de emprego, Deus nem sempre responde como mágico celeste, fazendo aparecer do exterior soluções num instante. Muitas vezes, Deus vem secreta e invisivelmente, com infinito respeito pelos ritmos da nossa vida humana. "Vigiai, porque não sabeis a hora". Esta vigilância é uma preparação ativa para a vinda de Deus como o jardineiro que fertiliza o solo e cava a terra para que possa acolher a semente quando for semeada.

Esta resistência paciente pode parecer deprimente e severa; um cerrar de dentes e um endurecer da vontade, diariamente. Quando perguntaram a um padre francês, o Pe. Sieyès, o que fizera durante os últimos trinta anos, durante os longos anos da Revolução Francesa e de Napoleão, ele respondeu: "Sobrevivendo". Não basta apenas sobreviver. Para São Tomás, a paciência consiste em não deixar que a adversidade esmague a alegria. Escreve que "se chama paciente não à pessoa que não foge do mal, mas à que não se deixa entristecer por ele desordenadamente".[17] Como Agostinho disse, cantamos enquanto caminhamos, para

---

17 *ST*, II, II, 136, 4 ad 2.

não desanimar. Quando James Mawdsley estava na cadeia na Birmânia, cantava para se encorajar:

> Depois de os guardas da prisão terem ido embora, ainda incapaz de dormir, comecei a cantar *How Great Thou Art* [Quão grande és tu]. A minha voz foi-se tornando cada vez mais forte até cantar a plenos pulmões. Sentia que as forças me voltavam; ainda não era desta vez que me ia curvar. Um bando de guardas veio correndo e me mandaram ficar quieto. Estavam nervosos e com medo. Cantei a canção até o fim, felicitando-me pela minha provocação e, depois, caí na desolação.[18]

A cólera sustentava a coragem de James e fazia-o sacudir as grades da prisão. Na Igreja, frequentemente, lida-se mal com a cólera: ou é suprimida e cria uma úlcera dentro de nós ou explode de maneiras que destroem e dividem. Mas, segundo São Tomás, a coragem ensina a ser colérico de maneira frutuosa. A cólera dá-nos a força de confrontar o que está errado. "É próprio da cólera precipitar-se sobre o mal e, assim, colabora diretamente com a coragem".[19] Bede Jarrett protestou uma vez: "O mundo precisa de cólera. O mundo muitas vezes permite o mal porque não é suficientemente colérico".

É uma característica da amizade poder lidar com a cólera e, até, crescer graças a ela:

> Estava zangado com o meu amigo:
> Expressei a minha ira, a minha ira acabou.
> Estava zangado com o meu inimigo:
> Não a expressei, a minha ira aumentou.[20]

---

18 J. Mawdsley, op. cit., p. 153.
19 *ST*, II, II, 123, 10 ad 3.
20 W. Blake, op. cit., p. 165.

A Igreja é a comunidade dos que aceitaram o apelo de Jesus à amizade e, por isso, deveríamos ser capazes de encarar a cólera sem medo. Não é um sinal de deslealdade nem uma quebra de solidariedade. Com efeito, uma das tarefas dos que lideram a Igreja devia ser a de encorajar os que estão zangados com eles a ousar exprimi-lo, certos de que isso fortalecerá a comunhão da Igreja. Devia ser um lugar em que se aprende a estar em cólera, não de forma cega, mas gentilmente e com esperança. É, segundo Agostinho, uma das belas filhas da esperança. Há uma diferença entre a zanga com esperança, que acredita que as coisas não têm de estar como estão e que lutará para assegurar que mudem, e o simples lamentar-se. Perguntaram a Rabi'a, um muçulmano que viveu há mil anos em Bagdá, como se aprende a virtude da paciência: "Deixem-se de queixumes".

Na Liturgia das Horas, ficamos de pé quando cantamos certas partes das Escrituras: o *Benedictus* nas Laudes, o *Magnificat* nas Vésperas e o *Nunc Dimittis* nas Completas; mas também o *Pai-Nosso* na Eucaristia. Estamos de pé para manifestar o nosso respeito, porque estes cânticos foram todos tirados dos Evangelhos. Estamos de pé também como sinal da nossa dignidade e da nossa esperança. Ao contrário dos outros animais, os seres humanos erguem-se sobre as duas pernas. Estamos de pé para mostrar que somos firmes. Somos cidadãos do Reino, independentemente do que aguentamos. Estamos de pé para readquirirmos coragem quando nos sentimos rebaixados. Estamos de pé como sinal da nossa segurança de que Jesus ressuscitou dos mortos. Quando Santo Estêvão estava à beira da morte disse: "Vejo os céus abertos e o Filho do Homem de pé à direita de Deus" (At 7,56).

"O Senhor esteja convosco"

"Elas [as mulheres] saíram e fugiram do túmulo, pois estavam tremendo e fora de si. E não disseram nada a ninguém, porque tinham medo" (Mc 16,8). O medo calou as mulheres. O medo aferrolhou os discípulos "na sala de cima" [no Cenáculo]. O medo isola-nos uns dos outros. A coragem diz uma palavra que faz comunhão e triunfa do silêncio. Como disse Santa Catarina: "Só têm medo os que pensam que estão sós".[21] Durante a Eucaristia, o sacerdote saúda várias vezes as pessoas com as palavras: "O Senhor esteja convosco". E as pessoas respondem: "Ele está no meio de nós". Estas palavras dão-nos coragem, porque celebram o fato de, definitivamente, não estarmos sós. O Senhor está conosco porque ressuscitou dos mortos.

Sheila Provencher é uma leiga dominicana americana que passou vários meses no Iraque, durante a guerra, como membro de uma equipe cristã pela paz, que desejava demonstrar a sua solidariedade com os iraquianos nesse tempo de sofrimento. Este e-mail mostra-nos como a comunhão vence o medo:

> Estamos TODOS cercados pelo medo: aqui e na América do Norte. Sinto-o no ar e nas ondas hertzianas. Somos prisioneiros de palavras sem fim e de medos sem fim. Mas aqui, no Iraque, estamos também cercados de amigos. O meu vizinho Abu Zayman insiste em levar-nos de carro à igreja, mesmo se o edifício está só a uns quarteirões de distância. "Por favor, deixem-me fazer-lhes isto", diz ele. Um lojista diz-me: "Não tenham medo. Se alguém vos quiser fazer mal, eu defendo-os". Outro vizinho diz: "Esta é a

[21] M. DRISCOLL OP, *Catherine of Siena: Passion for the Truth, Compassion for Humanity*, New York, 1993, p. 97.

vossa casa. Venham cá a qualquer hora, mesmo no meio da noite!". São pessoas da classe alta e baixa, [vivem] em casas luxuosas e sem casa, [são] sunitas, xiitas, cristãos e sabeus, velhos, novos, homens, mulheres. Todos dizem o mesmo: "Se há ALGUMA COISA que eu possa fazer, por favor, estou pronto". Rodeiam-nos de cuidados. Que mais nos rodeia, a todos nós? Estamos rodeados pela graça. Estamos rodeados pela família. Estamos rodeados pelo sopro de vida. A Graça é infinita, todo mundo é a nossa Família e todo o sopro é o Sopro de Deus. Quando e como abriremos os olhos? E, quando virmos, como vamos atuar?

Portanto, combatemos o medo recusando o isolamento, construindo comunhão. Na ilha de Robben, Nelson Mandela e os seus companheiros mantinham a coragem viva, enviando mensagens uns aos outros. Escondiam-nas no fundo falso de caixas de fósforos e deixavam-nas pelos caminhos; ocultavam-nas na parte debaixo dos penicos e escondiam-nas sob o rebordo das pias. A coragem recusa o isolamento. Não pode ser egoísta ou isolada, para a sua própria glória ou para encontrar uma via rápida para o Céu. Soldados corajosos são os que enfrentam a morte para que outros possam viver, e não porque desejam matar. Pessoas como Henri Burin des Roziers, que se arrisca a ser morto, são corajosas porque o fazem por aqueles que estão em escravatura. Os que são intitulados mártires, quando se autoimolam de maneira a chacinar o maior número possível de pessoas inocentes e adquirir para si uma rápida passagem para o Céu, não são corajosos; no sentido mais profundo da palavra, estão na ilusão.

A Igreja, portanto, deveria encorajar-nos, dando valor à comunicação, dando-nos segurança para falar. Lacordaire refundou a Ordem Dominicana na França, depois da supressão da vida religiosa no século XIX, e tinha prazer na sua liberdade de falar como Pregador.

> Nunca tinha tido uma melhor percepção da liberdade do que no dia em que, juntamente com a bênção dos santos óleos, recebi o direito de falar de Deus. O universo abriu-se perante mim e dei-me conta de que no ser humano há algo de inalienável, divino e eternamente livre: a Palavra! A Palavra tinha-me sido confiada, como sacerdote, e foi-me dito para a levar até os confins da terra, ninguém tendo o direito de me selar os lábios um único dia da minha vida.[22]

Mas esta coragem de falar é própria de todo o cristão, em virtude do Batismo, e não apenas dos sacerdotes.

Com frequência, assemelhamo-nos mais às mulheres junto ao túmulo, incapazes de dizer qualquer coisa, porque temos medo. Por vezes, quando os bispos chegam ao termo do seu serviço e sabem que já não terão novas funções, falam com mais liberdade, porque dizem que já "não têm nada a perder". Mas poderá haver maior perda do que a da liberdade de falar? Devíamos encorajar-nos uns aos outros e, muito especialmente, àqueles com quem estamos em desacordo. De outro modo, a alegria, a liberdade e a felicidade, que são o fruto da participação na vida de Deus, murcharão e não teremos testemunho algum a oferecer quanto à Ressurreição do Verbo dentre os mortos. Coragem é a virtude de que precisamos para que qualquer uma das outras virtudes floresça. No capítulo 10, irei sugerir onde se encontra a origem deste silêncio e direi como se pode quebrar o seu domínio.

---

[22] *Le Père Lacordaire* por Ch. de Montalembert (Paris, 1862), citado por Y. CONGAR, "La liberté dans la vie de Lacordaire", in *Les Voies du Dieu vivant: Théologie et vie spirituelle*, Paris, 1962, p. 337.

O silêncio mais profundo que temos de encarar é a morte. "Não são os mortos que louvam o Senhor nem quantos descem ao silêncio" (Sl 115,17 [113,25]). A morte é o que mais claramente nos mostra o que a coragem é. A coragem confronta-nos com a nossa vulnerabilidade, e a vulnerabilidade suprema é que somos mortais. Se a coragem é a força mental que nos torna capazes de ver o que temos de aguentar, então temos de tentar compreender o significado da morte. A fé cristã traz alguma diferença à maneira de morrer? A morte dos mártires converteu o Império Romano. Teremos hoje algum testemunho a oferecer ao enfrentar a nossa própria morte?

G. K. Chesterton escreveu que "a coragem é quase uma contradição nos termos. Significa um forte desejo de viver que toma a forma de um estar pronto para morrer".[23] Esta contradição, ou pelo menos esta tensão, encontra-se no modo de encarar a morte. Há pelo menos duas maneiras de podermos falar da morte: como extinção e como libertação. Ambas são necessárias. Antes de mais, a morte é horrorosa. Somos corpóreos e, portanto, a morte do nosso corpo não consiste apenas em desembaraçar-se da bagagem inútil para que a alma possa escapar para o Céu. É o nosso fim, é a destruição da nossa tão amada singularidade. Prezamos o corpo daqueles que amamos. Lembremos as palavras do velho pastor ao seu filho: "Nunca pude agradecer suficientemente a Deus o esplendor que escondeu do mundo – com exceção da tua mãe, evidentemente – e me revelou na tua face docemente normal".[24] Por isso, a morte, a nossa e a dos outros, é horrorosa.

---

23 G. K. CHESTERTON, *Orthodoxy*, London, 1996, p. 134.
24 Cf. cap. 3, nota 32.

Herbert McCabe OP escreveu que a morte humana é um escândalo: "A maioria das pessoas concordará que há algo de chocante na morte de uma criança, que nem sequer teve a possibilidade de viver todo o seu ciclo vital plenamente; mas penso que, de certo modo, qualquer morte acaba com uma história que teria possibilidades infinitas à sua frente [...]. Temos razão em nos zangarmos a propósito da morte e a zanga tem uma grande parte no choro pelos mortos. E temos razão em estarmos zangados com Deus".[25] Se não aguentamos o desgosto e mesmo a cólera, não seremos capazes de chorar. Em face da morte, deveríamos ficar desolados. Há uma oração pelos mortos, frequente mas incorretamente atribuída a Bede Jarrett OP, que afirma: "A morte é apenas um horizonte e um horizonte não é mais do que o limite da nossa visão". Dá vontade de protestar. Parece banalizar a morte, não mais dramática do que uma ida a Londres. Henry Scott Holland nem sequer pensava que fosse tão longe: "A morte não é nada. Apenas escorreguei para o quarto ao lado".[26]

Mas há outra espécie de história a respeito da morte que também pode ser contada, que é sobre a morte como a nossa passagem para Deus. Isto é muitas vezes referido aos santos. Pouco antes de São Francisco morrer, acrescentou um último verso ao seu *Cântico do Irmão Sol*: "Louvado sejas, meu Senhor, pela nossa irmã a morte corporal, da que vivente algum pode escapar".[27] Jazia no chão, coberto de pó e cinza, como um sinal de que também iria voltar ao pó. Morreu com um cântico nos lábios:

---

25 H. McCabe, *Hope*, Catholic Truth Society, London, 1987, p. 24ss.
26 H. S. Holland, "All is Well", in *Facts of the Faith*, London, 1919.
27 M. Robson, *St. Francis of Assisi*, London, 1997, p. 260.

"Tirai-me desta prisão e darei graças ao vosso nome. Os justos hão de rodear-me pelo bem que me fizeste" (Salmo 142[141],7). Quando Domingos estava morrendo, disse aos irmãos: "Ser-vos--ei mais útil depois da minha morte do que o fui em vida". Dom Enzo Bianchi foi instruído pelas duas irmãs que o educaram que todas as noites, antes de ir para a cama, deveria beijar a terra. Deve-se sentir "solidariedade com a terra que aceitará os nossos corpos, o nosso passar a pó: a terra nossa mãe".[28]

Há, portanto, duas espécies de histórias a contar acerca da morte: a horrorosa e a do nosso regresso a casa, a do nosso fim e destruição e a da nossa libertação, a do fim da nossa história e a da nossa entrada na história mais longa da eternidade. Para ver como estas duas histórias se relacionam, voltemos à morte de Cristo.[29] Antes de tudo, há o puro fato brutal da morte. Um homem foi barbaramente torturado e morto. Disto se faz memória todas as Sextas-Feiras Santas. Geoffrey Preston OP recorda como tudo isto era evocado nos mistérios teatrais da Idade Media,

> em que o centurião ouve os diferentes sons, enquanto os seus homens martelam os cravos nas mãos de Jesus. "Carne", diz ele ao ouvir o primeiro golpe; "Osso", ao ouvir o segundo; e depois, "Madeira", quando o cravo se espeta na própria cruz. Isto é o que nos apresentam na tarde da Sexta-Feira Santa: "Eis o madeiro da cruz!". Que rudes e grosseiros somos na Sexta-Feira Santa. Mas sabemos que, neste mesmo dia, há pelo menos mil e seiscentos anos, os cristãos fazem precisamente isto, venerando uns bocados de madeira, o que é materialista, rude e grosseiro, mas o fundamento sem o qual nada se pode dizer. Há um caráter terreno essencial

---

28 E. BIANCHI, *Ricominciare: Nell'anima, nella Chiesa, nel mondo*, Genova, 1999, p. 68.
29 Cf. o meu *Seven Last Words*, London, 2004.

na Sexta-Feira Santa que lhe vem da morte de Jesus uma vez por todas, da carne e sangue e ossos e tendões e suor – e madeira.[30]

Este é o ponto de partida, o mero fato brutal da morte de Jesus. Mas qualquer relato dessa morte, mesmo o filme de Mel Gibson *A Paixão de Cristo*, é uma interpretação. Não há observação neutra. Cada um dos Evangelhos tenta compreender a morte de Jesus de modo diferente e temos necessidade dos quatro relatos. No quadro desta breve reflexão, basta dizer que os relatos da sua morte têm este duplo polo. A sua morte é terrível. No jardim do Getsêmani pede ao Pai que lhe poupe o que vem a seguir: "Pai, tudo te é possível; desvia de mim este cálice! Contudo, não seja o que eu quero, mas o que tu queres" (Mc 14,36). E quando morre, grita: "Meu Deus, meu Deus, porque me abandonaste?" (Mc 15,34). A sua morte foi um fim desonroso, uma ignomínia, um fracasso, abandonado por Deus e pelos seus amigos.

Mas os Evangelhos também contam outras histórias. No Evangelho de Lucas, Jesus promete ao Bom Ladrão: "Hoje mesmo, estarás comigo no Paraíso" (23,43); e quando dá o último suspiro, confia-se a seu Pai: "Pai, nas tuas mãos entrego o meu espírito" (23,46). A tensão entre estas duas maneiras de contar a história é mais acentuada no Evangelho de João. Quando Judas se vai embora, "era noite" (13,30). No entanto, a sua morte é o momento de glória, quando o filho do Homem é levantado e atrai todos a si. A morte de Jesus é, portanto, a escuridão mais profunda e a aurora da luz.

Perante estas histórias diferentes, o nosso impulso natural é perguntar: Qual é a verdadeira? Que teríamos visto se lá

30 G. Preston, *Hallowing the Time*, London, 1980, p. 106.

tivéssemos estado? Teria sido como no filme de Mel Gibson? Quais foram realmente as últimas palavras de Jesus na cruz? É Marcos ou Lucas quem nos dá o relato histórico mais exato? Não sabemos e não interessa. A coragem convida-nos a ver com clareza, e precisamos de ambas as histórias para poder compreender a morte de Jesus e a nossa. Precisamos das duas perspectivas para poder focar e situar o Gólgota na história da redenção. A narrativa da vida de Jesus, que termina no fracasso da cruz, é verdadeira. Pode contar-se uma história a respeito de Jesus que narre 30 anos da vida deste homem e que termina em derrota e no terrível grito de desolação na cruz. Mas, no Domingo de Páscoa, toda essa história é assumida na vida de Deus e, por isso, podemos também falar dessa morte como vitória. A Ressurreição não é apenas algo que aconteceu depois, o acontecimento seguinte na história de Jesus. Na Ressurreição, o Pai abraça tudo o que Jesus foi, toda a história que vai do nascimento até a cruz e dá-lhe significado. Ele é o nosso Senhor ferido, para sempre assassinado e vivo. Por isso, também está certo descrever a crucifixão em termos que falam de triunfo e de dom da vida. Precisamos dos dois tipos de história para poder encontrar esperança e coragem. Se não podemos contar a história de Jesus segundo Marcos, privado da presença do Pai, que tem então essa história a ver conosco, quando nos sentimos sós e abandonados? Mas também, se não podemos contar a história da vitória e da Ressurreição, que representará, afinal, para nós a morte de Jesus?

Quando morremos, num certo sentido é o fim. A história que se pode contar sobre nós está concluída. A morte é o nosso fim, a destruição da nossa prezada corporeidade. Como disse Coélet, "um cão vivo é melhor do que um leão morto" (9,4). Um dia haverá, espero, uma pedra tumular em que estará escrito: "Timothy Radcliffe OP 1945-20??". Somos mortais e temos de morrer, e está certo que a extinção dos que amamos nos desole e que encaremos a nossa com ansiedade. A obra de J. M. Synge, *The Riders to the Sea*, termina com estas palavras austeras: "Bartle terá seguramente um belo caixão de tábuas brancas e uma sepultura profunda. Que mais se pode desejar? Nenhum homem pode viver para sempre e devemos aceitá-lo".[31]

Este fim não é só biologicamente necessário. Necessitamos dele para poder ser alguém. Para que a história de uma vida tenha significado, tem de haver um princípio, um meio e um fim. A morte é esse fim. Quando as pessoas estão mortas, pode ver-se o que foi a história das suas vidas e escrever a sua biografia. Se a minha história nunca acabasse e permanecesse sempre aberta a infinitas possibilidades, nunca seria uma pessoa singular com uma história integral e completa que mostra quem sou. Quando envelhecemos, uma configuração emerge e há alternativas que se excluem. Sei agora que nunca realizarei alguns dos meus sonhos. Tenho a certeza de que, apesar de muitas tentativas, nunca conseguirei aprender suficientemente bem o hebraico para poder ler o Antigo Testamento na sua língua original. Poderei talvez chegar a aprender a tocar violoncelo, mas nunca serei membro da seleção inglesa de *cricket*. A morte, finalmente, fecha todas as outras possibilidades.

Por isso, as histórias de arrependimento na hora da morte são importantes. O último momento na história cristaliza tudo o que aconteceu antes. O fim da história projeta uma luz sobre o

---

[31] Citado por R. HATTERSLEY, *The Edwardians*, London, 2004, p. 285.

significado do todo. Quando Beda, o Venerável, estava morrendo, ainda tinha o seu último escrito por completar. "Então, o rapaz de que falei, cujo nome é Wilberht, disse mais uma vez: 'Há ainda uma frase, querido mestre, que não escrevemos'. E Beda disse: 'Escreve-a'. Um pouco depois, o rapaz disse: 'Pronto! Agora está escrita'. E Beda respondeu: 'Bom! Acabou'".[32] Beda é um escritor e, por isso, a sua história termina com o fim da sua escrita. Ele repete as palavras de Cristo na cruz: "Tudo está consumado". A nossa esperança é de que, na hora da morte, tenhamos concluído o que fomos chamados a fazer e a ser e ponhamos um ponto final na nossa vida. Clemente de Roma, escrevendo no final do primeiro século, compara a morte com a cozedura de um vaso de barro. Fixa-nos de uma vez para sempre: "Se um oleiro está fazendo um vaso e não dá certo, se desfaz nas suas mãos, torna a dar-lhe forma; mas quando chega o momento de o pôr no forno quente, já nada mais pode fazer por ele [...]. Da mesma forma, já não se pode confessar ou arrepender uma vez que se sai deste mundo".[33]

Portanto, há um sentido em que tudo o que se pode dizer de alguém é a história que se estende do seu nascimento à sua morte. E não é só porque se perdem de vista os episódios que se seguem à sua morte, como se tivesse emigrado para um país estrangeiro. Esta é a sua vida. Mas há mais: em Cristo, o conjunto da história da sua vida, do nascimento até a morte, será assumido na vida de Deus. Esta breve vida humana em toda a sua singularidade é abraçada por Deus e aberta ao infinito. Tudo o que tivermos feito e sido será recolhido em Deus. Juliana de

---

32 *Carta de Cuthbert sobre a morte de São Beda o Venerável*, tradução da Liturgia das Horas.

33 *2 Clemente*, 8, 1-3, citado por S. TUGWELL OP, *Human Immortality and Redemption of Death*, London, 1990, p. 88.

Norwich assegura-nos que "nada do que aconteceu no tempo e nada da adversidade e do sofrimento que tivermos aguentado neste mundo será perdido; *tudo* será mudado em adoração de Deus e nossa alegria sem fim. *Tudo* será bem".[34] Portanto, mesmo os nossos fracassos e pecados encontram alguma espécie de sentido. É como se uma série de notas dissonantes acabassem por encontrar transformação e sentido numa escala mais ampla. Não são anulados, mas incluídos.

Um dos modos, portanto, de os cristãos encararem a vida corporal de forma estranha e acentuadamente diferente consiste em valorizá-la imensamente, da concepção até a morte e, no entanto, ao mesmo tempo, vivê-la com esperança no Reino. Um juiz americano, Justice Scalia, enganou-se redondamente quando argumentou que, porque a América era um país cristão, podia aceitar a pena de morte, ao passo que a Europa pós-cristã se lhe opunha. "Atribuo isso ao fato de, para o fiel cristão, a morte não ser grande coisa [...]. Queres uma pena de morte justa? Tu matas; tu morres. Isso é justo".[35] Os cristãos opõem-se seriamente à pena de morte por causa do nosso sentido profundo do valor da vida corporal e é estimando-a que nos preparamos para a vida eterna.

A esperança impulsiona-nos para o que está fora do alcance da vista. Num certo sentido, é cego o nosso desejo daquilo que é mais do que se imagina. A coragem tem vista clara. Ousamos abrir corajosamente os olhos e ver como somos vulneráveis e como é provável sermos feridos no caminho para a felicidade. O ser humano é, como Lear diz a Edgar, apenas "um pobre animal

---

34 S. Tugwell, op. cit., p. 87.
35 Citado por C. Blair QC, "A Challenge to Justice", in *Tablet*, 11 de junho de 2005.

descoberto e bifurcado".[36] Se não se ousa encarar a própria fragilidade e mortalidade, não se é corajoso, apenas temerário, como Aristóteles ensinou acerca dos celtas. Mas Cristo partilha com este pobre animal descoberto e bifurcado a sua vitória sobre a morte e toda a sua glória, de forma que, como Hopkins escreveu: "Este Zé, pobre caco, remendo, palito, diamante imortal é diamante imortal".[37] Se não temos esta convicção, podemos não conseguir ser corajosos pela razão oposta, por desanimarmos. Se vivemos com esta coragem, não ficaremos calados e com medo, como as mulheres junto ao túmulo e, de vez em quando, a liberdade e a alegria do Reino hão de transparecer em nossas vidas.

---

36 W. Shakespeare, *King Lear*, III, 4.

37 G. M. Hopkins, "That nature is a Heraclitean fire", in *Poems and Prose*, ed. W. G. Gardner, London, 1953, p. 66.

CAPÍTULO 5

O corpo elétrico

Estas reflexões têm-nos confrontado repetidamente com o corpo. A absoluta liberdade de Jesus exprimiu-se no dom do seu corpo. A felicidade, que é a partilha da vida de Deus, não consiste apenas numa certa disposição mental interior. Tem de encontrar expressão corporal para ser verdadeiramente humana. É um encantar-se com a singularidade das pessoas e com os seus rostos "docemente normais". A coragem implica assumir a nossa morte corporal. O corpo está no centro de todas as principais doutrinas cristãs. Acreditamos que Deus criou o nosso corpo e se aproximou de nós em Jesus Cristo, carne e sangue como nós. O nosso principal sacramento é a comunhão no seu Corpo. Cremos que foi corporalmente ressuscitado do túmulo e que nós também o seremos. Não podemos avançar no aprofundamento do sentido de ser cristão sem refletir sobre o que significa para nós sermos corpóreos.

O ensino cristão está baseado na nossa crença na bondade do corpo humano. Sendo assim, é estranho que, tantas vezes, nós, os cristãos, pareçamos pouco à vontade no nosso corpo e o tratemos como se fosse uma bagagem incômoda, a puxar-nos para baixo até que na morte a alma possa escapar. E, honestamente, muitos teólogos escreveram como se assim fosse. Isto acontece porque, ao longo da sua história, o cristianismo teve de lutar contra o dualismo, a reivindicação de uma forte dicotomia entre o material e o espiritual. A Igreja primitiva travou várias batalhas contra a Gnose, que afirmava repetidamente que o mundo tinha sido criado por um deus mau. A Salvação era vista como a evasão da alma relativamente ao corpo. Santo Agostinho foi, durante algum tempo, maniqueu, até que a sua vida foi transformada pela escandalosa reivindicação de que o Verbo se tinha feito carne. São Domingos fundou inicialmente a Ordem dos Pregadores para combater o dualismo dos albigenses, que acreditavam que o mundo material era mau. Descartes injetou na cultura ocidental um forte elemento de dualismo entre mente e corpo, do qual ainda hoje estamos a tentar libertar-nos. A nossa sociedade está obcecada com os corpos, particularmente se são jovens e belos, mas a banalização do sexo sugere que, em última análise, não consideramos os nossos corpos com seriedade.

Não somos espíritos capturados em embalagens de carne, mas seres corporais cuja comunhão tem sempre um fundamento corpóreo. O nosso enraizamento, o nosso sentido de lugar e espaço, é profundamente corpóreo. Quando um seminarista perguntou ao cardeal Peter McKeefry, Arcebispo de Wellington, com o seu metro e noventa de altura, qual era a sua principal impressão do Concílio Vaticano II, ele respondeu-lhe que as cadeiras eram demasiado pequenas! Em *Root Shock* [*Choque das Raízes*], Mindy Thompson Fullilove descreve como a urbanização destruiu os bairros negros por toda a América. As casas foram demolidas e as comunidades foram dispersas. Ela descreve a desolação e a cólera que isto causou, no que ela chama o “choque das raízes". E não foi apenas a perda de amigos e vizinhos: foi a perda de um lar conhecido do corpo, um lugar onde podíamos florescer como seres corporais que somos.

> O pesar não é só uma questão mental, mas também do corpo. A experiência está codificada nos nossos músculos e ossos: a luz do Sol no dia mais longo do Verão, a distância até a loja da esquina, o sítio da árvore com as melhores castanhas-da-índia. Movíamo-nos entre estas distâncias na alegria da comunidade, na rede da bondade. Estas distâncias já não existem. No verão e no inverno, o corpo lembra-nos destes lugares que já lá não estão para satisfazer os nossos desejos e prazeres.[1]

Tanto o cristianismo como o judaísmo sublinham a conexão que existe entre o culto do Deus que nos criou, corpo e alma, e o cuidado dos corpos das outras pessoas, vestindo os nus, alimentando os famintos, tratando dos doentes. Não nos podemos conformar com o sofrimento humano como se fosse a consequência dos pecados cometidos numa vida anterior. Foi esta reverência pela vida corporal que levou a uma crescente consciência de que a pena de morte é profundamente contrária à fé cristã.

É no corpo que encontramos Deus. João escreve acerca do Verbo da Vida: "O que ouvimos, o que vimos com os nossos olhos, o que contemplamos e as nossas mãos apalparam" (1Jo 1,1). Quando visitei pela primeira vez um convento dominicano, fiquei sem ação quando um dos irmãos me explicou como todos os sacramentos estão enraizados na nossa vida corporal: nascimento e morte, sexo e comida, pecado e doença. É nestas

---

1 M. T. FULLILOVE, *Root Shock: How Tearing Up City Neighborhoods Hurts America, and What We Can Do About It*, New York, 2004, p. 226.

atividades muito físicas que a graça de Deus nos encontra e nos cura, aperfeiçoando a natureza. "Com o meu corpo, eu te desposo". Rowan Williams, como de costume, di-lo lindamente:

> Só o corpo salva a alma. Dito desta forma, parece bastante chocante, mas a questão está em que a alma (seja ela o que for) submete-se a si mesma, a vida interior ou o que quer que seja que lhe queiram chamar não é capaz de se transformar a si mesma. Precisa dos dons que só a vida exterior lhe pode alcançar: os efetivos acontecimentos da ação de Deus na história, escutados por ouvidos físicos, o efetivo fato material de encontros com crentes onde se partilha o pão e o vinho, os efetivos, maravilhosos, desagradáveis, impossíveis e imprevisíveis seres humanos que encontramos dentro e fora da Igreja. Só neste cenário nos tornamos santos – de maneira inteiramente única para cada um de nós.[2]

Segundo Lutero, a queda de Adão e Eva curvou os nossos corpos de forma que ficamos física e mentalmente torcidos, *incurvatus in se*,[3] voltados para nós mesmos. A graça significa que nos podemos esticar, pôr de pé e distender, como fazemos quando rezamos o *Pai-nosso*. Em todas as tradições religiosas, a oração está em profunda ligação com o corpo. No cristianismo, perdemos com frequência esta dimensão física da oração. Lembro-me de estar sentado no terraço do nosso Seminário de Nagpur, na Índia, com irmãs e irmãos dominicanos de toda a Ásia. Uma irmã do Sagrado Coração, chamada Vanda Mataji, convertida do hinduísmo, tentava convencer-nos a vermos a relação entre rezar e estar à vontade nos nossos corpos. Fazíamos uma hora de lições de respiração e

---

2 R. WILLIAMS, *Silence and Honey Cakes: The Wisdom of the Desert*, p. 94.
3 D. MACCULLOCH, op. cit., p. 118.

ioga todas as manhãs, ao nascer do Sol, para grande espanto dos macacos que se amontoavam nas árvores a observar-nos, e com o festival de música em honra de Dhurga como fundo. No entanto, alguns de nós estávamos atrapalhados, murchos como sacos de batatas, não sabendo como sentar-se nem como respirar.

O velho diabo Screwtape aconselha o seu jovem aprendiz como poderá tornar realmente fúteis as orações das suas vítimas:

> Isto consegue-se encorajando-o a lembrar-se ou a pensar que se lembra do papaguear das suas orações na infância. Em reação contra isto, pode persuadir-se a tentar algo de inteiramente espontâneo, interior, informal e sem regras [...]. Um dos seus poetas, Coleridge, referiu que não rezava "mexendo os lábios e de joelhos", mas apenas "dispunha a sua alma para amar" e "entregava-se a um sentimento de súplica". Esta é precisamente a espécie de oração que nós queremos [...]. No mínimo, podem convencer-se de que a posição corporal não tem importância para as suas orações; porque eles esquecem constantemente, o que você e eu devemos sempre recordar, que são animais e que, portanto, tudo o que os seus corpos fazem influencia as suas almas.[4]

O corpo de um animal permite-lhe realizar-se num ambiente específico. O corpo de um peixe evoluiu para realizar-se na água e o corpo de um pássaro, no ar. É seguramente aceitável que os corpos humanos, em certo sentido, exprimem a nossa mais profunda identidade de termos sido criados para Deus. O salmista anseia por Deus com todo o seu ser, alma e corpo: "A minha alma tem sede de Vós; por Vós suspira a minha carne como terra árida, sequiosa, sem água" (Sl 63[62],1).

---

4 C. S. LEWIS, *Screwtape Letters*, London, 1942, pp. 24s.

Etty Hillesum, uma judia holandesa, morreu em Auschwitz em 1943. Parte da sua caminhada consistiu em aprender a rezar com o seu corpo. "Um desejo de ajoelhar-se vibra, por vezes, através do meu corpo ou, antes, é como se o meu corpo tivesse sido pensado e feito para o ato de se ajoelhar".[5] Rezar com o corpo mostra a espécie de animais que somos. Tal como os peixes fazem o seu percurso na vida nadando e os cangurus saltando, nós estamos orientados para o fim da jornada em oração. São Domingos tinha nove maneiras de rezar: prostrado por terra, de pé, com os braços levantados, sentado e outras mais. As posições corporais ofereciam uma formação espiritual completa. Um irmão que deixou a Ordem sofreu um colapso físico de saúde. Ele acreditava que se tratava de uma consequência direta de ter deixado de cantar o Ofício com os irmãos. O seu corpo não se aguentava sem o canto dos salmos!

Segundo o Antigo Testamento, a idolatria deixa-nos tão sem vida como os ídolos que são adorados:

> Os ídolos dos pagãos são ouro e prata,
> obra das mãos dos homens:
> têm boca e não falam,
> têm olhos e não veem;
> têm ouvidos e não ouvem,
> têm nariz mas sem olfato;
> têm mãos e não apalpam,
> têm pés e não andam
> nem sua garganta articula qualquer som.
> Sejam como eles os que os fabricam
> e quantos põem neles a sua confiança (Sl 115,4-8 [113,12-16]).

---

5 E. Hillesum, *An Interrupted Life: The Diaries of Etty Hillesum 1941-1943*, trad. A. J. Pomerans, London, 1996, p. 129.

Uma má religião torna-nos insensíveis, incapazes de vida corporal. O culto do verdadeiro Deus faz-nos corporeamente vivos, apalpando, saboreando, cheirando, vendo e ouvindo. A realização plena do nosso ser, dom de Deus, significa aspirar à vitalidade em todos os nossos sentidos. Em *Billy Elliott* (2000), um filme sobre um menino da classe operária que deseja ser bailarino, perguntam a Billy o que sente quando dança e ele responde: "Eletricidade!". A graça de Deus é eletrizante.

A graça pode fazer-nos graciosos. Os cristãos do Oriente insistem até que a graça pode fazer-nos belos. Seria uma mais-valia a ter em conta na promoção da fé cristã! A graça configura os nossos rostos para sorrir. Dom Enzo Bianchi, Prior do Mosteiro de Bose, escreveu: "Estou pessoalmente convencido de que a vida espiritual tem um efeito profundo sobre a aparência física de uma pessoa, sobre a sua face. A tradição grega fala dos monges espiritualmente amadurecidos como os *kalógeroi*, os 'belos anciãos'. Sim, a dimensão da beleza é parte da sinergia entre graça e natureza".[6] A ideia destes velhos bonitos faz-me sorrir e admito que nunca fiquei particularmente impressionado pela beleza dos meus irmãos. Tenho de voltar a olhar!

É por isso inteiramente certo e belo que a oração cristã fundamental seja a partilha de um corpo. Jesus faz o dom do seu corpo aos discípulos. Ou melhor, o seu corpo é, por natureza, um dom. O ato central da Última Ceia revela o que significa para nós ser corpóreo. Sou o meu corpo, existência dada pelos meus pais e avós e, em última análise, por Deus. Ser criatura é receber a existência não apenas na concepção, mas também em todo o

---

6 E. BIANCHI, *Ricominciare nell'anima, nella Chiesa, nel Mondo*, Genova, 1999, p. 58 (trad. do autor).

momento. Uma das maneiras de agradecer a Deus e aos nossos pais a existência é cuidar do corpo. Jean-Louis Bruguès OP escreveu que "todo aquele que não ama o seu pai ou a sua mãe não pode amar o seu corpo nem o das outras pessoas".[7] Honra sua mãe e seu pai quem honra o corpo que eles geraram e conceberam, e que é ele. G. K. Chesterton afirmou que, num dia de Natal, acordou e encontrou nas meias ao fundo da cama dois extraordinários presentes, os seus dois pés. Cuidar do próprio corpo, mantê-lo em forma, o que dificilmente se pode acusar Chesterton de ter feito, é uma questão de acolher o dom que é o nosso corpo, de agradecer o nosso ser.

Se o dom de um corpo é o sacramento no coração da nossa oração, não é de surpreender que um dos mais profundos modos de exprimir quem somos seja o de dar o nosso corpo a outra pessoa. Cada um diz ao outro: "Eis o meu corpo para ti". É um ato profundamente eucarístico. Isto pode parecer quase blasfemo, mas os laços entre a sexualidade e a Eucaristia são profundos na nossa tradição. A primeira carta de São Paulo aos Coríntios trata sobretudo da Eucaristia e da sexualidade. Passa de um ao outro tópico, através de toda a carta. Só podemos entender a nossa sexualidade à luz da Eucaristia e vice-versa. Esperar-se-ia, por isso, que os cristãos tivessem uma compreensão da sexualidade acentuadamente diferente da das outras pessoas. Uma vez mais, a *Carta a Diogneto* considera que essa é uma das questões em que os cristãos sobressaem: "Casam, como fazem todos os outros; geram filhos; mas não destroem a sua geração. Têm uma mesa comum, mas não um leito comum. Vivem na carne, mas não vivem segundo a carne".

---

[7] J.-L. BRUGUÈS, *L'éternité si proche*, Paris, 1995, p. 102.

Há duas razões que dificultam, à nossa sociedade, compreender a sexualidade como eucarística. A primeira é porque se banaliza o corpo. É sintomático desta tendência considerar o sexo ou apenas como uma forma de diversão ou então como algo que é melhor ignorar. Podem comprar-se camisetas que proclamam "Feliz por ser um(a)...". Há pessoas que "se revelam" e confessam que são assexuais, o que vai desde uma rejeição da sexualidade até uma simples falta de interesse por ela. Eis algumas citações de um artigo do *The Times*:[8] "É mais desinteresse que repugnância. Há ocasiões, quando considero tudo o que o ato sexual implica, em que penso: 'Uf, por que quereria eu fazer aquilo?' É apenas uma coisa que não sinto a necessidade de experimentar". Zoe O'Reilly, uma escritora assexual, num ensaio intitulado "A minha vida como uma Ameba", escreve: "Acho que o estar livre da sexualidade torna a minha vida muito mais fácil. Por não participar nesse aspecto da vida, o tempo fica livre para outras atividades: construção de relicários, memorização de rezas para curas, estudo de psicologia forense". Como comenta Michele Kirsch, a autora do artigo: "Poderá pensar-se que com interesses como esses seria bem melhor ter sexo".

A visão cristã da sexualidade deveria ser acentuadamente diferente, porque a apreciamos como fundamental para a nossa humanidade. Numa ocasião em que estava pregando sobre sexualidade, São João Crisóstomo notou que algumas pessoas coravam e ficou indignado: "Por que coram? Não é puro? Comportais-vos como heréticos".[9] Pensar que o sexo é repugnante é

---

[8] *The Times*, 17 de março de 2005, recolha de Michele Kirsch.

[9] *XII Homília sobre a Epístola aos Colossenses*, tradução da Liturgia das Horas.

uma negação da verdadeira castidade e, segundo nada menos do que São Tomás de Aquino, uma imperfeição moral![10]

A segunda razão que impede a nossa sociedade de entender a sexualidade como eucarística é a tendência a ver os nossos corpos como objetos que possuímos. No metrô de Londres, encontrei um anúncio de um livro sobre o corpo humano chamado, se bem me lembro, *Homem: Desde 12.000 a.C. até hoje. Todos os modelos, formas, dimensões e cores. Manual de oficina do proprietário Haynes.* Era uma espécie de manual do proprietário, como os que se recebem com um carro ou uma máquina de lavar. Se é isso o que se pensa do próprio corpo, uma possessão entre outras, os atos sexuais não têm significado especial. Posso fazer o que quero com a minha máquina de lavar, utilizá-la para misturar tintas ou fazer bolos ou tomar um banho se for suficientemente grande. Portanto, por que não posso fazer o que quero com o meu corpo? Esta é a maneira como naturalmente pensamos, visto que desde o século XVII absolutizamos virtualmente os direitos de propriedade. De fato, John Locke elaborou a sua compreensão da pessoa humana sobre a noção de "autopropriedade", "uma propriedade da sua própria pessoa".[11] Pensa-se, frequentemente, que a ética sexual da Igreja difere da da sociedade por ser mais restritiva, porém, é-o por ser acerca de relações vivas de dom, em vez de trocas de propriedade.

A Igreja tem um ensino inequívoco acerca da sexualidade. As relações sexuais têm-se apenas com quem se está casado, do outro sexo e aberto à procriação de filhos. É um ideal claro, mas está longe da maneira de viver de muitos católicos. Um

---

10 *ST,* II-II, 142, 1.

11 R. RUSTON, *Human Rights and the Image of God,* London, 2004, p. 245.

grande número de católicos está divorciado e recasado, ou vive com companheiros, por vezes do mesmo sexo, e pratica a contracepção. Há um abismo entre o que a Igreja ensina e a maneira como muitos membros da Igreja vivem. Quando se trata de sexo, muitos católicos não se comportam de maneira acentuadamente diferente dos outros membros da sociedade.

Como poderá a Igreja responder a isto? Uma maneira será a de insistir fortemente no ensino habitual. Se o fazemos, corremos o risco de perder cada vez mais o contato com as vidas de muitos membros da nossa Igreja. A Igreja poderia tornar-se uma seita restrita, cuja ética sexual a faz isolar e a inibe de partilhar o Evangelho com outros. De fato, muitos católicos apegam-se à sua afiliação à Igreja e ignoram o ensino eclesial sobre sexualidade – o que debilita a autoridade da Igreja também em outras áreas. Se se pode não ter em consideração o que a Igreja diz sobre a sexualidade, por que não fazer o mesmo a respeito de qualquer outro assunto? Outros permanecem católicos, mas sentem-se ou sob o peso da culpabilidade ou cidadãos de segunda classe, excluídos da comunhão por estarem em "situação irregular".

Mas, se a Igreja aceitar simplesmente os costumes sexuais modernos, os riscos são igualmente sérios. Pareceríamos estar aderindo ao mundo moderno por fraqueza, por não termos a coragem de nos levantarmos em defesa do que acreditamos. Se o ensino da Igreja é verdadeiro, devemos indubitavelmente proclamá-lo. O que acontece frequentemente é que o ensino oficial é defendido, talvez *sotto voce*, mas, sutilmente, dão-se sugestões de que todo mundo é realmente bem-vindo. É o que se chama a "solução pastoral". Talvez seja a atitude mais compreensiva, mas pode parecer desonestidade e covardia.

Eu não sei qual é a solução, mas o melhor ponto de partida para compreender a nossa sexualidade é a Última Ceia. Quando Jesus entrega o seu corpo aos discípulos, torna-se vulnerável. Está nas suas mãos para que façam como bem entenderem. Um já o vendeu, outro vai negá-lo e quase todos os outros fugirão. O dom do seu corpo revela que a sexualidade é inseparável da vulnerabilidade. Dá corpo a uma ternura, o que significa que se pode muito bem ser ferido. É um dom de si que pode ser recebido com rejeição e troça, e no qual uma pessoa pode perfeitamente sentir-se usada. A Última Ceia mostra-nos, com o máximo realismo, os riscos de nos darmos a alguém. Não é um encontro romântico à luz de velas. Uma ética sexual cristã convida-nos a assumir esta vulnerabilidade, a aceitar os riscos inerentes à revelação de si e ao contato íntimo.

A Última Ceia é a história do risco de se dar aos outros. Foi por isso que Jesus morreu, porque amou. Mas não correr esse risco é ainda mais perigoso. É mortal. Ouçamos C. S. Lewis:

> Amar é, em absoluto, ser vulnerável. Ama qualquer coisa e o teu coração será certamente atormentado e possivelmente partido. Se queres ter a certeza de o manter intacto, não o deves dar a ninguém, nem sequer a um animal. Envolve-o cuidadosamente com passatempos e pequenos prazeres; evita todos os enredos; fecha-o à chave, em segurança, no cofre ou no caixão do teu egoísmo. Mas, nesse cofre – seguro, escuro, sem movimento e sem ar –, ele mudará. Não será partido; mas tornar-se-á inquebrável, impenetrável, irremissível. A alternativa à tragédia, ou pelo menos ao risco de tragédia, é a danação. O único lugar fora do Céu onde podes estar perfeitamente seguro de todos os perigos e perturbações do amor é o Inferno.[12]

[12] C. S. LEWIS, *The Four Loves*, London, 1960, p. 111.

Mark Patrick Hederman OSB escreveu que "o amor é o único ímpeto que é suficientemente avassalador para nos forçar a deixar o confortável abrigo da nossa individualidade bem protegida, a pôr de lado a concha inexpugnável da autossuficiência e rastejar nus para a zona do perigo, lá para a frente, para o cadinho em que a individualidade se purifica para aparecer a personalidade".[13]

A Última Ceia foi um momento de crise na relação de Jesus com os seus discípulos. A comunidade desmorona-se, os laços do grupo são negados e subvertidos. Jesus enfrenta esta crise e torna-a fértil. Talvez quase todas as relações de intimidade conheçam o seu momento de crise. Quando nos damos mais profundamente a outra pessoa haverá, quase inevitavelmente, um momento de possível desastre. A Última Ceia ensina-nos a não fugir de uma crise, mas a enfrentá-la, confiantes de que pode dar fruto. Isto é verdade mesmo para padres e religiosos. Muitos de nós terão de aguentar uma crise, habitualmente, não muito tempo depois de sermos ordenados ou de termos feito a profissão solene. Quando um jovem monge disse a Dom Byrne, Abade de Ampleforth, que sentia a necessidade de explorar "horizontes mais largos", Byrne retorquiu: "Como é que ela se chama?".

Tipicamente, pouco tempo depois da ordenação, compreendi pela primeira vez que havia alguém a quem podia dar a minha vida. Foi um tempo de intensa confusão. Tinha feito livremente votos perpétuos na Ordem dos Pregadores. Amava os irmãos e a nossa missão e continuava a acreditar que era essa a minha vocação. Foi um momento fecundo e o começo

---

[13] M. P. HEDERMAN, *Manikon Eros: Mad Crazy Love*, Dublin, 2000, p. 66.

do acordar da fantasia. Quando tinha feito a profissão, tinha havido uma pequena bolha de fantasia. "Agora nunca terei a liberdade de casar. Bem, vamos ver... Nunca se sabe". Agora, nesta crise, tinha que descer à terra e aceitar o caminho que tinha escolhido ou, antes, ao qual acreditava que Deus me tinha chamado. Era só como esta pessoa, com a vida e os compromissos que tinha aceitado, que eu podia aprender a amar e a ser amado. Os seres humanos são muito espertos a refugiarem-se na fantasia e eu espero ter descido plenamente à terra antes de nela ser enterrado.

A castidade é uma virtude muito pouco na moda. Soa a presunção e afetação. Mas é uma virtude à qual todos somos chamados, quer sejamos casados, solteiros ou tenhamos feito votos religiosos. Herbert McCabe escreveu que "a castidade que não é manifestação de amor é simplesmente o cadáver da verdadeira castidade".[14] O cadáver de um cão parece-se com um cão. Uma pessoa pode até ser enganada e pensar que é um cão dormindo sossegado. Mas, realmente, não é nada um cão, segundo São Tomás, apenas um ex-cão. Alguém que é celibatário mas não tem amor pode parecer casto mas não é.

A castidade cura os nossos amores, libertando-os da fantasia. Aprendemos a encarnar nos corpos que somos com as vidas que escolhemos e os compromissos que assumimos. É vir para o real. A fantasia não é o mesmo que a imaginação. Esta é o poder de refazer a realidade, de encontrar esperança onde parece haver só desespero. A imaginação cria sinais que falam do futuro e o aproximam. A fantasia é, em certos aspectos, o seu oposto. É uma forma de desespero que foge da realidade em

---

14 H. McCabe, *Law, Love and Language*, p. 22.

vez de procurar reformá-la. W. B. Yeats escreveu que "alimentamos o coração com fantasias e o coração tornou-se brutal com a comida".[15] A castidade, como nos liberta da fantasia, torna mais tenro o coração, e faz dele um coração de carne e não de pedra.

A castidade procura dar forma à nossa vida, de maneira que dela se possa contar uma história coerente. Deus encarnou em Jesus Cristo e nós somos também chamados a encarnar nos nossos corpos. A castidade não tem a ver, primariamente, com a supressão do desejo, pelo menos na tradição de São Tomás de Aquino. Ele escreveu algo que é facilmente mal-entendido, que castidade é viver de acordo com a *ordo rationis*, a ordem da razão.[16] Parece frio e cerebral, como se ser casto tivesse a ver só com o poder da mente de controlar as paixões desregradas. Mas a *ratio*, para São Tomás, significava viver no mundo real, "de acordo com a verdade das coisas reais".[17] Significa viver na realidade de quem sou e de quem são as pessoas que amo. A paixão e o desejo podem levar-nos a viver na fantasia. A castidade traz-nos de novo à terra. Chama-nos, antes de mais nada, a ultrapassar a perniciosa fantasia de sermos figuras angélicas, etéreas. Isso poderia parecer castidade, mas é a sua perversão. Somos carne e sangue. São Tomás ensinou que ninguém pode viver sem prazer sensível e corporal e que "aquele mesmo que ensina que todo o prazer é mau será apanhado desfrutando algum prazer".[18] Lembro-me de um dos meus irmãos que foi celebrar missa em um convento. A irmã que lhe abriu a porta olhou para ele e disse: "Ah! É o senhor Padre. Estava à espera de um homem". Numa

---

15 B. YEATS, *Complete Poems*, ed. A. Martin, London, 1990, p. 211.
16 *ST*, II-II, 151, 1.
17 J. PIEPER, *The Four Cardinal Virtues*, Notre Dame, 1966, p. 156.
18 *ST*, I-II, 34, 1.

conferência em Dublin, havia três conjuntos de instalações sanitárias: "Homens", "Senhoras" e "Padres".

Se o cristianismo tem realmente apreço pela nossa sexualidade, tem de aceitar e alegrar-se com o erótico. Na realidade, E. F. Rogers argumenta que isso está no coração da nossa relação com Deus:

> O amor com que Deus ama os seres humanos é eros, se eros é um amor que anseia pela união com o outro, anseia pela carne do outro, é vulnerável e apaixonado pelo outro. A *filantropia* divina é o amor de um amante tanto como o amor de um pai [...]. Eros, portanto, não revela Deus, mas Deus desvela o eros. Deus faz o eros significar, exprimir aquilo que significa. Deus faz o eros significar aliança. Deus faz o eros ser a energia da virtude. O que exprime não é satisfação, a não ser inadvertidamente, mas santificação. O que significa é vida com Deus.[19]

Como poderemos viver felizes com o constrangedor poder do erótico, tanto casados como solteiros ou celibatários? Sei bem quanto podem ser ridículos os celibatários clericais quando se metem nesta área. Tentarei evitar os excessos de um bispo irlandês que pregou um enérgico sermão sobre a beleza do sexo. Saiu da igreja atrás de duas mulheres e ficou encantado por ouvi-las elogiar o sermão, até que uma disse: "É uma pena que ele saiba muito menos sobre sexo do que nós". Também sei que, tal como o bispo, sou um homem e isso dá-me uma perspectiva sobre a sexualidade, sem dúvida, limitada.

Há pelo menos duas formas de fantasia que podem deformar o erotismo e torná-lo doentio: a paixão e a concupiscência.

---

[19] E. F. ROGERS Jr, *Sexuality and the Christian Body: Their Way into the Triune God*, Oxford, 1999.

São reflexo uma da outra. A virtude está no meio. Muitos de nós conhecemos esses momentos de paixão absorvente, quando alguém se torna o objeto de todos os nossos desejos, o símbolo de tudo a que sempre aspiramos, a resposta a todas as nossas necessidades. Se não nos fazemos um com essa pessoa, toda a nossa vida fica sem sentido, falhada e vazia. A pessoa amada passa a ser a única cura do grande e profundo poço de carência que descobrimos dentro de nós. Pensa-se nisso todo o dia.

> Vede, assim de dia meus membros, de noite minha mente
> Por ti, e por mim próprio, nenhum encontra descanso.[20]

Ou, para ser mais atualizado, a face do ser amado é como o protetor de tela do computador. No momento em que se deixa de pensar em qualquer outra coisa, aparece. É como uma prisão, uma escravatura de que não queremos desistir. Estamos sem forças. Divinizamos o que amamos e pomo-lo no lugar de Deus. Aquilo que adoramos é, evidentemente, uma criação nossa. É uma projeção. Talvez quase todo o amor verdadeiro passe por esta fase louca e obsessiva. A única cura para isso é viver com a pessoa no dia a dia e ver que não é Deus, apenas filha de Deus. O amor amadurece quando é curado desta ilusão e nos encontramos face a face com a pessoa real, e não com a projeção dos nossos desejos. Como diz Octávio Paz: "O amor revela a realidade ao desejo".[21]

Por muito que se ame uma outra pessoa, ela não pode ser tudo quanto se procura. Ninguém pode oferecer aquela plena satisfação, aquele aquietar de todo o desejo. Somos *capax Dei*

---

[20] W. SHAKESPEARE, *Soneto* XXVII; cf. P. MURRAY OP, "God's Spy; Shakespeare and Religion", in *Communio*, Inverno de 2000, pp. 764-786.

[21] Cit. em M. P. HERDERMAN, op. cit., p. 87.

– feitos para Deus – e, como Agostinho escreveu, "o nosso coração está inquieto enquanto não repousa em Ti".[22] E, na nossa peregrinação, precisamos não só daquele que mais amamos, mas também de outros amigos e família e de toda uma rede de relações que nos ampare. Em certo sentido, permanecemos solitários e insatisfeitos até chegarmos ao Reino. Rilke compreendeu que não pode haver verdadeira intimidade num casal enquanto não se entender que cada um permanece, de certo modo, só. Cada ser humano mantém uma solidão, um espaço à sua volta que não pode ser abolido. "Um bom casamento é aquele em que cada um nomeia o outro o guardião da sua solidão e lhe mostra esta confiança, a maior que lhe possa outorgar [...]. Uma vez que se compreenda e aceite que mesmo entre os seres humanos mais próximos continuam a existir distâncias infinitas, um maravilhoso viver lado a lado pode crescer, se conseguirem amar a distância entre eles, que torna possível ver o outro por inteiro e contra um largo céu".[23]

As pessoas que fizeram promessas de celibato podem ter ideias românticas acerca da completa intimidade possível para os casados e estarem zangados com a Igreja, por os excluir daquilo que parece ser uma necessidade tão fundamental. E as pessoas casadas podem estar zangadas com os cônjuges por acabarem por perceber, afinal, que não são Deus. A decepção torna-nos amargos. Rowan Williams, Arcebispo de Cantuária, um homem casado, escreveu que "o eu torna-se adulto e verdadeiro ao ser enfrentado com o caráter incurável do seu desejo: o mundo é tal

---

22 AGOSTINHO, *Confissões*, Liv. I, 1, 1.

23 J. MOOD, *Rilke on Love and Other Difficulties: Translations and Considerations of Rainer Maria Rilke*, New York, 1993, pp. 27ss; cit. por M. P. HERDERMAN, op. cit., p. 81.

que nada concederá ao eu uma identidade perfeita e acabada".[24] Quando duas pessoas se casam, dão a sua palavra e prometem viver na verdade uma com a outra. Em última análise, esta verdade é expressa pela peregrinação partilhada para o Único, no qual encontraremos tudo quanto procuramos.

A armadilha oposta à paixão é a de fazer da outra pessoa um mero objeto, uma coisa para satisfazer as minhas necessidades sexuais. A concupiscência fecha os nossos olhos à personalidade dos outros, à sua fragilidade e bondade. São Tomás diz, escrevendo sobre a castidade, que o leão vê a gazela apenas como uma refeição e a concupiscência faz de todos nós caçadores, predadores em busca de algo para devorar. Desejamos apenas um pouco de carne para engolir. Santo Agostinho sustentava que "não se pode gostar das pessoas do mesmo modo que se ouvem os gastrônomos dizerem 'gosto de sopa'". A mesma intuição está presente, em grande parte, na recusa da Rainha Vermelha de deixar Alice – em *Alice do outro lado do espelho* – comer um bocado do carneiro, ao qual tinha sido apresentada. "É falta de etiqueta cortar alguém a quem se foi apresentado."[25] A concupiscência despersonaliza a outra pessoa, de modo a que possa ser consumida. O consumismo implica uma abordagem devoradora da realidade e, por isso, não é de estranhar que a concupiscência seja característica da sociedade de consumo.

Quando se comem animais, têm que ser cortados; assim a concupiscência também nos leva a desmembrar as pessoas, focando diferentes partes do corpo, como se as cortasse em pedaços.

---

24 R. WILLIAMS, *Lost Icons*, Edinburg, 2000, p. 153.

25 L. CARROLL, *Alice's Adventures in Wonderland and Through the Looking-Glass*. Oxford, 1971, p. 234 (trad. port. *Alice no país das maravilhas* e *Alice do outro lado do espelho*).

Jesus, falando acerca de olhar concupiscente, diz: "Se o teu olho direito é para ti ocasião de pecado, arranca-o e lança-o para longe de ti [...]. Se a tua mão direita é para ti ocasião de pecado, corta--a e lança-a para longe de ti" (Mt 5,29s). Se obedecêssemos à letra, duvido que houvesse no planeta muitos cristãos com os dois olhos. Seríamos, com certeza, acentuadamente diferentes! Mas a retórica de Jesus está, sem dúvida, no convite a entender o que fazemos aos outros. Se não nos queremos mutilar, também não devemos fazer isso aos outros. Mais uma vez, a castidade consiste em viver no mundo real. Ela abre os nossos olhos para vermos que o que está perante nós é, de fato, um belo corpo, mas esse corpo é alguém. Em "Eu canto o corpo elétrico", Walt Whitman encanta-se com o corpo que é a visibilidade da alma:

> Cabeça, pescoço, cabelo, ouvidos, lóbulo e tímpanos dos ouvidos,
> Olhos, cílios, íris do olho, sobrancelhas e o despertar e adormecer das pestanas,
> Boca, língua, lábios, dentes, céu da boca, maxilares e articulações das maxilares, [...]
> O par robusto das coxas, suportando bem o tronco,
> Fibras das pernas, joelho, rótula, parte superior e inferior das pernas [...]
> Oh! isto digo eu que não são só as partes e poemas do corpo mas da alma,
> Oh! Tudo isto digo eu agora, é a alma![26]

Aquele corpo não é um objeto, mas um sujeito. Não sou só eu que olho para ela; ela olha para mim. O pornográfico procura a imunidade garantida do *voyeur*, a segurança da invisibilidade.

---

26 Citado por Martha C. Nussbaum, op. cit., p. 660 (na tradução de Maria Luísa Guimarães in Folhas de Erva, Lisboa, 2006, pp. 95-96).

Roger Scruton distingue entre a arte erótica e a pornografia, dizendo que naquela o corpo belo é o de uma pessoa que tem uma face e constitui um centro de subjetividade. A *Vênus de Urbino* de Ticiano é belíssima, mas não pornográfica, porque os nossos olhos são atraídos para a sua face.

> A face individualiza o corpo, possui-o em nome da liberdade e condena todos os olhares cobiçosos como uma violação. O nu de Ticiano não provoca nem excita, mas mantém uma serenidade reservada – a serenidade de uma pessoa cujos pensamentos e desejos não são nossos, mas seus [...]. Em Ticiano, a face está de vigília sobre esta forma, afirmando serenamente propriedade e tirando-a do nosso alcance. Isto é arte erótica, mas de forma alguma arte concupiscente: Vênus não nos é mostrada como um possível objeto de desejo. É retirada de nós, integrada na personalidade que calmamente olha com aqueles olhos e que está ocupada com pensamentos e desejos que são os seus.[27]

A concupiscência pode parecer uma paixão sexual que se descontrolou, mas Santo Agostinho, que compreendia bem o sexo, acreditava que a concupiscência tinha mais a ver com o desejo de dominar as outras pessoas do que com o prazer sexual. Faz parte da *libido dominandi*, o impulso de assumir o controle e nos fazermos Deus. Sebastian Moore OSB escreveu que "a concupiscência, portanto, não é a paixão sexual fora do controle da vontade, mas a paixão sexual como uma capa para encobrir a vontade de ser Deus [...]. A tarefa que enfrentamos não é submeter a paixão sexual à vontade, mas a de a restituir ao desejo, cuja origem e fim é Deus, cuja libertação é uma graça de Deus manifestada na vida,

[27] R. SCRUTON, "Flesh from the Butcher: How to distinguish eroticism from pornography", in *Times Literary Supplement*, 15 de abril de 2005, p. 11.

ensino, Crucifixão e Ressurreição de Jesus Cristo".[28] O primeiro passo no domínio da concupiscência não é abolir o desejo, mas restaurá-lo, libertá-lo, descobrir que é para uma pessoa e não para um objeto.

Concupiscência e paixão podem parecer muito diferentes e, no entanto, são o espelho uma da outra. Na paixão, faz-se da outra pessoa Deus; na concupiscência, faz-se de si próprio Deus. Num caso, tornamo-nos completamente impotentes e, no outro, exigimos poder absoluto. Rowan Williams escreveu que o amor "oscila entre egoísmo e abnegação".[29] Concede um intenso sentido de si mesmo e, no entanto, faz-nos desaparecer do mapa. A castidade consiste em manter o equilíbrio dinâmico. Se o egoísmo domina, a pessoa inclina-se para a concupiscência e, se é a paixão, a abnegação pode ser tão absoluta que se perde inteiramente a identidade. O filme *Ligações perigosas* (1988) conta-nos a história de dois aristocratas franceses em competição por manipular as pessoas e as levar a relações sexuais. O momento decisivo aparece quando o visconde Sébastien de Valmont se apaixona de tal maneira que perde a capacidade de se controlar a si mesmo e à outra pessoa. "Quanto a esta paixão atual, não vai durar, mas no presente não a consigo controlar". O domínio transformou-se em impotência e a concupiscência em paixão, sem se deter naquele preciso ponto de equilíbrio em que o amor poderia germinar.

A ética cristã deveria ajudar-nos a viver a sexualidade à luz da Eucaristia. Eis-me aqui e dou-me a ti sem reservas, agora e para sempre. O nosso ensino não consiste em dizer o que se está

---

28 S. MOORE, *Jesus, the Liberator of Desire*, New York, 1989, p. 105.
29 R. WILLIAMS, *Lost Icons*, p. 156.

ou não autorizado a fazer. Com frequência, as pessoas exprimem a esperança de que a Igreja possa atenuar as regras, como esperam que o governo mude as regras de abertura dos bares para que estejam abertos mais tempo. A ética, porém, não é acerca do permitido e proibido, mas procura expressar o significado do que fazemos. A reivindicação cristã está no fato de que dar o próprio corpo a outra pessoa é um ato com um sentido intrínseco e que, se estamos "dormindo com alguém" de maneira promíscua, estamos contradizendo o sentido inscrito nos nossos corpos, o que levará necessariamente à frustração e à infelicidade. Fala-se de "linguagem corporal", mas toda a atividade corporal fala. Herbert McCabe defende que "a ética é apenas o estudo do comportamento humano, na medida em que é uma peça de comunicação, em que diz alguma coisa ou não consegue dizê-la [...]. A ética é, assim, a procura de modos cada vez menos triviais de relações humanas".[30] Neste sentido, o sexo indiscriminado é a subversão da comunicação. Dizemos uma coisa com o corpo, que negamos com a vida. É como se disséssemos a alguém "Eu te amo" e, no minuto seguinte, esquecêssemos que existe.

Na nossa sociedade, o sexo é pensado de formas muito variadas, desde a expressão de terna solicitude por alguém até a um momento de prazer. Poucas pessoas lhe reconhecem o sentido profundo que tem na tradição cristã. Como poderão os cristãos perseverar naquela compreensão eucarística da sexualidade, quando todos os dias, nas conversas, na leitura dos jornais ou na televisão nos é dito que significa uma outra coisa? É como agarrarmo-nos à convicção de que o mundo é esférico, quando todos à nossa volta afirmam que é plano. E há toda uma série de dados

30 H. McCabe, *Law, Love and Language*, pp. 92, 99.

sociológicos que tornam muito mais difícil para nós – do que o foi para os nossos antepassados – ser fiel a uma pessoa durante toda a vida. Vive-se muito mais tempo. Hoje, quando um casal se casa, pode, perfeitamente, admitir a perspectiva de viver 60 ou 70 anos juntos. Por isso, a maneira de encarar a sexualidade na nossa sociedade também é compreensível por razões sociais.

Não basta, pois, que a Igreja insista apenas nas regras. Sem dúvida, temos necessidade de regras, mas não fazem sentido se não se tem pelo menos um vislumbre inicial do significado cristão da sexualidade. Seria como tentar comunicar a alguém o entusiasmo pelo críquete a partir da simples leitura dos seus regulamentos. Não vejo como é que uma pessoa poderia estar minimamente interessada nisso. Precisa-se de uma pedagogia, de processos para abrir gradualmente os olhos das pessoas à beleza e dignidade do corpo humano e à sua graça. Aprender a viver bem a nossa castidade não é basicamente uma questão de vontade, um recalcamento das nossas mais desenfreadas paixões, mas um modo de viver que nos mantém na verdade do que somos e de quem somos.

Um primeiro passo é aprender a ver os rostos das pessoas. Quando olhamos para as pessoas, que vemos nós? Brian Pierce OP escreveu um livro – *We Walk the Path Together* (*Percorremos o caminho juntos*) – em que compara o pensamento de Mestre Eckhart, o místico dominicano do século XIV, e Thich Nhat Hanh, um budista do século XX. Para ambos, o começo da vida contemplativa é estar no momento presente, o que o budista chama "atenção". Só o momento presente é real. É neste momento que estou vivendo e, por isso, é neste momento que posso encontrar Deus e as pessoas. Devo estar sossegado, sem me afligir nem com o passado nem com o futuro.

No primeiro capítulo sugeri que, na Última Ceia, Jesus agarrou o momento presente. Os soldados já estão a caminho para o prender. O seu tempo está se esgotando. Mas o futuro ainda não chegou. Agora é o momento de comer e beber com os seus amigos. Recordo São João Fisher que, quando lhe disseram que a sua execução tinha sido adiada por algumas horas, perguntou se podia voltar para a cama e dormir um pouco mais! É neste momento que posso tornar-me presente para a outra pessoa, sossegado e sereno na sua presença. Este é o momento em que posso abrir os olhos e olhar para a sua cara. Se estou demasiado ocupado, correndo para uma e outra coisa, pensando no que vai acontecer a seguir, posso não ver o rosto diante de mim, não ver a sua beleza e as suas feridas. Portanto, a castidade implica a presença a alguém, agora, e não fantasiar sobre o que poderia acontecer no fim da noite, inventando cenários imaginários.

A castidade ensina-nos como olhar para os rostos com uma atenção especial, que certos pintores de retratos têm, um olhar com verdade e com ternura. Os melhores pintores até podem olhar para si mesmos sem a distorção da fantasia. Numa entrevista, Lucian Freud observou que, "na obra de maus pintores, todos os retratos parecem autorretratos porque 'são feitos com aquele olhar sobre si mesmo' (isto é, todo mundo acaba por parecer igual). Por outro lado, alguns bons pintores examinam-se tão objetivamente que quase não se dão conta de que estão pitando a si próprios. O autorretrato de Chardin parece a pintura de alguém que ele tivesse encontrado na rua".[31] Este é o fruto de uma disciplina que é mais do que simples mecânica. Implica uma

[31] M. GAYFORD, entrevista com Lucian Freud, in *Daily Telegraph*, 18 de maio de 2002.

certa disciplina espiritual, uma qualidade de contemplação que também é exigida para viver castamente. Poder-se-ia até dizer que a castidade é uma disciplina estética.

Em segundo lugar, tenho de aprender a estar só. Não posso encontrar felicidade em estar com as pessoas se não sou capaz de estar só com satisfação. Se a solidão me aterroriza, agarro-me aos outros, não porque me encanta estar com eles, não por eles, mas como uma solução para o meu problema. Vejo as pessoas apenas como um modo de preencher o meu vazio, a minha aterradora solidão. Não serei, portanto, capaz de me alegrar com as pessoas por serem quem são. Assim, quando se está presente para outra pessoa, deve estar-se verdadeiramente presente e, quando se está só, deve amar-se a solidão. Confesso que quando estou com outras pessoas, às vezes, conto os minutos até poder estar só e, quando estou só, me interrogo quando poderei conversar com alguém.

Em terceiro lugar, em todo amor se pode abrir um espaço em que Deus venha habitar. Em vez de ver os nossos amores em competição com Deus, podemos oferecê-los como lugares em que Ele pode instalar a sua tenda. Há um só amor – Deus – que está presente em todo amor, queiramos ou não reconhecê-lo. Bede Jarrett, um dominicano inglês que foi provincial na década de 1930, escreveu uma maravilhosa carta a Dom Hubert Van Zeller que, quando jovem monge em Downside, se tinha apaixonado por alguém de nome P. e estava profundamente perturbado pela experiência. Bede escreveu:

> Se pensou que a única coisa a fazer era retirar-se para a sua concha, nunca verá como Deus é adorável. Deve amar P. e procurar

Deus em P. [...]. Goze da sua amizade, pague por ela o preço do sofrimento que a acompanha, lembre-a na sua missa e deixe-O ser um terceiro nela. A abertura de *A amizade espiritual* [de Aelred de Rivaulx] diz: "Eis-nos aqui, tu e eu, e espero que entre nós Cristo seja um terceiro".[32]

Se separamos o amor a Deus do amor pelas pessoas, cada um deles torna-se amargo e doentio. É o que se chama ter uma vida dupla.

Um prisioneiro de guerra num campo de concentração japonês escreveu:

Ninguém me conseguia dizer onde podia estar a minha alma;
Procurei Deus, mas Deus escapou-me;
Localizei o meu irmão e encontrei todos os três:
A minha alma, o meu Deus e toda a humanidade.[33]

Todos nós vivemos de histórias. Cada cultura tem as suas narrativas típicas que moldam a imaginação coletiva do seu povo. A mais comum na nossa cultura, repetida vezes sem conta em filmes, romances e nas colunas de fofocas, é a de um rapaz que encontra uma moça, apaixonam-se e terminam juntos na cama. Se esta for a única história modelando o coração de alguém, então existirá uma certa inevitabilidade sobre o resultado da aproximação a outra pessoa. Os nossos corações precisam de ser alimentados com histórias diferentes que mostrem que há muitas maneiras de amar e de exprimir o amor. As vidas dos

---

32 B. BAILEY, A. BELLENGER e S. TUGWELL (ed.), *Letters of Bede Jarrett*, Downside e Blackfriars, 1989, p. 180.

33 Citado por V. BOLAND OP, "It takes Three to Make a Love Story", in *Priest and People*, abril de 2001, p. 149.

santos, tanto casados como solteiros, sancionam a liberdade de amar de modos que a sociedade pode achar estranhos, como dar a sua vida aos pobres e partir em missão. Francisco, o trovador, torna-se aquele que canta para Deus. As histórias de Nelson Mandela e de James Mawdsley, acima referidas, mostram diferentes formas de amor heroico.

Finalmente, precisamos rezar de maneira a lembrar ao nosso corpo quem somos. A antiga liturgia estava cheia de movimentos corporais como ajoelhar, inclinar-se e fazer atos de reverência. Sempre que fui a uma mesquita, fiquei profundamente impressionado com o caráter totalmente físico da adoração. É quase uma ginástica e dá uma expressão plenamente corporal à reverência. Somos animais. Um dos momentos mais tocantes do ano litúrgico é a adoração da Cruz na Sexta-Feira Santa. Aproximando-se da Cruz, os irmãos fazem três prostrações completas. Todos os membros da assembleia fazem a sua veneração, crianças e velhos, alguns ajoelhando e levantando-se com dificuldade. Leva bastante tempo, mas exprime um momento em que toda a nossa humanidade é redimida, corpo e alma. Grava a memória de tudo isto no solo da nossa corporeidade.

Tenho pesquisado como todos os cristãos podem viver a sua sexualidade, leigos ou religiosos, procurando não ser levado a um entusiasmo algo ingênuo, como o tal bispo irlandês. E que dizer daqueles de nós que fizeram a promessa ou voto de celibato? Como podemos nós, religiosos ou sacerdotes, enfrentar as nossas paixões e os nossos desejos? O sacerdote, no altar, repete todos os dias estas palavras: “Este é o meu corpo, entregue por vós” e, depois, é-lhe exigido que não entregue o seu corpo a ninguém. Todo o simbolismo que ele torna presente parece fazer apelo a uma realização sexual pessoal, que é negada à maioria dos sacerdotes católicos de rito latino. Não é este o momento de debater se esta disciplina deve ser ou não mantida, mas apenas de ver como pode ser vivida de forma fecunda e como sinal da nossa comum peregrinação para o Reino.

A um certo nível, é evidente que temos de dar toda a nossa vida corporal; damos os ouvidos às pessoas a quem escutamos durante todo o dia, damos as pernas ao arrastarmo-nos para trás e para diante numa paróquia, damos a nossa força e saúde. Quando o cardeal Bernardin foi nomeado Arcebispo de Chicago, escreveu à diocese: "Por tantos anos quantos me forem dados, dou-me a vós. Ofereço-vos o meu serviço e a minha liderança, as minhas energias e os meus dons, a minha mente, o meu coração, a minha força e, sim, as minhas limitações. Ofereço-me a vós em fé, esperança e amor".[34] E fez realmente um dom da sua vida e, enfim, da sua morte. Frequentemente, os velhos missionários na África ou na Amazônia deixaram-me impressionado. Eles, que deram tudo e acabam exaustos, doentes com malária, sem dentes, porque onde estão não há dentistas, permanecem todavia na sua missão, porque se deram sem reservas, corpo e alma, para o melhor e o pior, na doença e na saúde, até a morte.

Mas que dizer da nossa sexualidade e dos nossos desejos? Em *A casa abandonada*, Charles Dickens fala-nos de uma Sra. Jellyby, marcada por "filantropia telescópica, porque não conseguia ver nada mais perto do que a África". Amava os africanos em geral, mas nem sequer se dava conta da existência dos seus próprios filhos. Nós, religiosos e padres, não nos podemos refugiar nessa

---

34 *The Gift of Peace: Personal Reflections by Joseph, Cardinal Bernardin*, Chicago, 1997, p. 147.

filantropia telescópica. Santo Aelredo, o Abade de Rivaulx (século XII), adverte os religiosos contra "um amor que, dirigindo-se a todos, não alcança ninguém".[35] Aproximando-nos do mistério do amor, isso também significa que amaremos algumas pessoas em particular, umas com amizade, outras com profunda afeição ou, talvez, mesmo apaixonadamente. Temos de aprender a integrar honestamente estes amores na nossa identidade. Dizem-me que, no passado, os religiosos eram frequentemente prevenidos contra "as amizades particulares". Gervase Matthew OP dizia sempre que tinha mais medo da "inimizades particulares".

Na já citada carta a Dom Hubert, Bede Jarrett escreve:

> Alegra-me [que se tenha apaixonado por P.] porque penso que a sua tentação foi sempre a do puritanismo, uma estreiteza, uma certa desumanidade. A sua tendência foi sempre para a negação da santificação da matéria. Tinha amor pelo Senhor, mas não propriamente pela Encarnação. O senhor estava realmente com medo [...]. Tinha medo da vida, porque queria ser um santo e porque sabia que era um artista. O artista em si via beleza por todos os lados; o aspirante a santo dizia "Alto, isto é terrivelmente perigoso"; o noviço em si dizia "Mantém os olhos bem fechados"; se P. não tivesse aparecido na sua vida, o senhor teria rebentado. Acredito que P. lhe vai salvar a vida. Direi uma missa de ação de graças pelo que P. tem sido e feito por si. Você já precisava de P. há muito tempo. As tias não são a solução. Como também não o são os velhos e gordos provinciais.[36]

Receio que os desafios que enfrentamos não sejam muito diferentes dos das pessoas casadas. Afinal, nós *não* estamos casados

---

35 Citado por L. CARMICHAEL, *Friendship: Interpreting Christian Love*, London, 2004, p. 96.

36 Op. cit., p. 180.

com quase tantas pessoas como eles. Para nós, a essência da castidade é também estar liberto da fantasia, ver as pessoas que amamos (ou vimos a amar) nem como deuses nem como pedaços de carne a "devorar", mas como seres humanos idênticos a nós, vulneráveis e bons. Se tentarmos apenas apagar as paixões, teremos corações mortos e nada teremos a dizer sobre o Deus da vida.

A energia do eros pode encontrar algum escape na nossa missão. Quando examino candidatos à Ordem, procuro sempre descobrir alguma faísca de paixão. Há, na Austrália, umas espécies de eucalipto cujas sementes só podem abrir e germinar se um fogo de floresta estourar a casca. Uma vocação necessita de um fogo para germinar. Pode ser a paixão pelo estudo, o desejo de compreender. Vincent McNabb OP costumava dizer aos noviços: "Pensem em qualquer coisa, mas, pelo amor de Deus, pensem!".[37] Graham Greene dizia que descobrimos que temos uma alma quando o sofrimento do outro nos faz sofrer.

Se um marido e a sua mulher se amam verdadeiramente um ao outro, o seu amor é mutuamente libertador. Mas isto também deve ser assim, de forma ainda mais radical, no caso de um celibatário. Não só damos à outra pessoa liberdade, deveríamos amá-lo ou amá-la de tal maneira que se sintam livres para amar outros ainda mais do que nos amam a nós. Santo Agostinho descreve o bispo como "o amigo do esposo", o *amicus sponsi*, tendo como modelo São João Batista.[38] O amigo do esposo não se mete

---

[37] F. E. NUGENT (ed.), "Sermão de Aniversário de Pe. Vincent McNabb, por Hilary Carpenter OP", in *A Vincent McNabb Anthology: Selections from the Writings of Vincent McNabb OP*, London, 1955, p. ix.

[38] Cf. M. SHERWIN OP, "The Friend of the Bridegroom Stands and Listens: And Analysis of the term *amicus sponsi* in Augustine's account of Divine Friendship and the ministry of Bishops", in *Augustinianum*, junho de 1998, pp. 197-214.

de permeio. Não tenta fazer a noiva apaixonar-se por ele, nem sequer as madrinhas. Apoia os amores dos outros. Sabe quando deve desaparecer. Como João Batista, deve diminuir para que Cristo cresça.

Michel Van Aerde OP comparou, uma vez, Deus a um cavalheiro inglês tão imensamente discreto que não quer intrometer-se na vida dos que ama. Do lado de fora da porta, olha para ver se são felizes com o amado atual e, depois, por muito que lhe agradasse ficar, desaparece para os deixar estar. Como C. S. Lewis disse: "É um privilégio divino ser sempre menos o amado do que aquele que ama".[39] Deus é sempre aquele que ama mais do que é amado. Pode ser também a nossa vocação. O que implica a recusa de deixar as pessoas serem demasiado dependentes de nós e ocuparmos o centro das suas vidas. Deveríamos ajudá-las a descobrir outros modos de apoio, outros pilares, de forma a não sermos indispensáveis. Por isso, a pergunta que devemos sempre fazer é: Estará o meu amor fazendo esta outra pessoa mais forte, mais independente, ou fazendo-a mais fraca e mais dependente de mim?

Este amor discreto, que não se põe à força no centro, não consiste em fugir. Essa é a tentação habitual dos celibatários, fazer as malas e desaparecer, quando as coisas se tornam complicadas. Os padres podem sucumbir a uma série de paixões que nunca os deixam amadurecer para uma amizade sadia. Sem dúvida, pode haver momentos em que será sensato criar uma distância, mas, normalmente, o que precisamos fazer é permanecer fielmente presentes, uma rocha sobre a qual outros poderão descansar em

---

[39] C. S. LEWIS, *Four Loves*, p. 184.

segurança e proteção; sempre lá para eles, sem reclamar protagonismo. Temos de ter a coragem de ultrapassarmos as perturbações da paixão e o rasgar do nosso coração para chegar à água calma e profunda de um amor adulto, amadurecido, santo.

Há tantos padres e religiosos que saem para se casar que nos podemos interrogar se este gênero de vida é possível. Poderei aguentar nele sem "matar" o meu coração? As irmãs e os irmãos mais velhos são, muitas vezes, um sinal de que se pode abraçar este gênero de vida e florescer. Na Última Ceia, Jesus derramou o seu sangue pelo perdão dos pecados. Isso não significa que teve de sofrer para aplacar a ira de um Deus zangado. Significa, antes, que da história confusa do amor de Jesus e dos discípulos, com os seus fracassos e as suas derrotas, Deus faz aparecer uma vida nova, a ressurreição dos mortos. O perdão de Deus é aquela criatividade profunda que transforma o fracasso da morte de Jesus num momento de glória, Sexta-Feira Santa em Domingo de Páscoa. Nós ousamos avançar neste caminho perigoso, suportar os momentos de confusão e até de crise, porque estamos confiantes que Deus está lá, no meio de toda a confusão, para nos abençoar. Podemos, por vezes, não amar bem, desviarmo-nos e sofrer. Mas Deus está conosco para tornar as nossas vidas fecundas. Por isso, não temos de recear. Podemos ter coragem.

CAPÍTULO 6

A comunidade da verdade[1]

Voltamo-nos agora para a questão da atitude cristã em face da verdade. Já apareceu várias vezes nas reflexões precedentes. A liberdade, como vimos, exige que se enfrente honestamente a complexidade da experiência humana e se acompanhe as pessoas numa reflexão séria acerca do bem. A castidade consiste em descer à terra e viver no mundo real, assumindo a verdade de quem sou e de quem são os que eu amo. A coragem que é necessária para tudo isto não consiste em sentir-se valente, mas em ver a própria vulnerabilidade com clareza. Portanto, para que a fé cristã possa florescer e dar testemunho da Boa-Nova, a verdade é essencial. E, talvez, uma das razões que faz com que o cristianismo seja visto, tantas vezes, sem interesse, seja porque vivemos numa sociedade que não tem grande apreço pela verdade. O meu próprio interesse pelo cristianismo foi provocado pela pergunta: é verdade? O meu amigo, como devem estar lembrados, acreditava que, na nossa sociedade, não é assunto que interesse a muita gente.

---

[1] Muito do material deste capítulo provém das conferências dadas na Abadia de Westminster ("Eric Symes Abbott", em 2004) e na Catedral de Westminster ("A contribuição cristã para o futuro da Europa", publicada em *Faith in Europe?*, London, 2005). No jargão do tiro e do boxe, isto representa "um golpe de esquerda e de direita".

Durante grande parte da história do Ocidente, dizer a verdade foi considerado um valor em si mesmo, como fazendo parte da dignidade humana e sendo exigido pela honra. Aristóteles escreveu que "a falta de sinceridade é, em si própria, lamentável e repreensível; a sinceridade, porém, é bela e louvável".[2] Esta tradição ainda estava viva em Kant, que escreveu: "Por uma mentira, uma pessoa perde e como que aniquila a sua dignidade".[3] Raimond Gaita, um filósofo australiano, escreveu uma belíssima descrição de seu pai, *Rômulo, meu pai*. O seu pai era um ferreiro que emigrou da Romênia para a Austrália. No coração do caráter de Rômulo, da sua personalidade, estava a veracidade. Gaita diz de seu pai e do seu amigo Hora: "Eles prezavam [a veracidade] porque, parafraseando as palavras de um grande filósofo inglês, eram homens para quem *não falsificar* se tinha tornado um procedimento espiritual".[4] Isto nada tinha a ver com o cálculo utilitarista de que a sinceridade a longo prazo compensa ou de que quando se começa a dizer mentiras em breve se está metido em dificuldades. Era uma simples exigência da honra. Em grande parte, este sentido da honra desapareceu e, com ele, desapareceu um suporte da nossa sinceridade recíproca, e fomos afetados pela sua perda.

Nas Conferências Reith de 2002, Onora O'Neill falou de uma crise de suspeição. As pessoas já não confiam que os políticos, médicos, dirigentes de empresas, clero e, muito especialmente, os meios de comunicação social lhes digam a verdade. Evidentemente, os últimos fazem acusações semelhantes contra os políticos. Estamos submersos por informação, mas não sabemos em

---

2 ARISTÓTELES, *Ética a Nicômaco*, Liv. 4, cap. 7.

3 Citado por S. BOK, *Lying: Moral Choice in Public and Private Life*, New York, 1989, p. 32.

4 R. GAITA, *Romulus My Father*, Melbourne, 1998, p. 148.

quem acreditar e o que acreditar. Isto não é para dizer que as pessoas são necessariamente menos verdadeiras do que antes, embora eu receie que assim seja. As pessoas exigem, certamente, que lhes digam a verdade, mesmo se não é muito evidente que elas se sintam também obrigadas a fazê-lo. A tremenda insistência sobre a sinceridade do Primeiro-Ministro britânico, nas últimas eleições [2005], foi o sinal de um profundo mal-estar. Falta-nos o fundamento na rocha sólida da verdade. O Dr. Samuel Johnson escreveu numa carta a Bennet Langton: "Esforcemo-nos por ver as coisas como elas são e, em seguida, interroguemo-nos sobre se deveríamos queixar-nos. Se ver a vida como ela é nos traz muita consolação, não sei; mas a consolação que vem da verdade, se alguma existe, é sólida e duradoura; e a que pode ser retirada do erro deve ser, tal como a sua origem, ilusória e fugitiva".[5]

Frequentemente, diz-se que a solução para este mal-estar é fomentar tanto quanto possível a transparência. Se tudo for revelado, saberemos se as nossas suspeitas de engano têm fundamento ou não. Assim, qualquer anotação, e-mail, chamada telefônica ou conversa nos corredores do poder deve ser recolhido para inspeção. E o governo controla-nos, todos, cada vez mais. Contudo, O'Neill defende que isto nunca poderá acabar por completo com as suspeitas. Ela escreveu que "as exigências de transparência total irão provavelmente encorajar as fugas, as hipocrisias e as meias-verdades a que habitualmente nos referimos como o 'politicamente correto', mas que deveria ser chamado, com mais franqueza, de 'autocensura' ou 'fraude'".[6] A suspeita

---

[5] "Carta de 21 de setembro de 1758", in *Collected Letters*, ed. J. Lynch, Oxford, 1904.

[6] O. O'Neill, *A Question of Trust: The BBC Reith Lectures 2002*, Cambridge, 2002, p. 73.

nunca pode ser extinta. Poder-se-á sempre estranhar a falta de um pequeno elemento de prova, se se procurar com afinco, como se fez com as armas de destruição maciça do Iraque. O próprio fato de não conseguirmos encontrar a prova demonstra que os nossos inimigos são diabolicamente manhosos e que, por isso, não merecem confiança.

Uma cultura de completa transparência poderia efetivamente desencorajar alguém a ser verdadeiro. Nunca se saberia se as nossas palavras não seriam utilizadas como prova contra nós. E como poderemos alguma vez pensar seja o que for se nunca temos a liberdade de experimentar ideias loucas, de lançar hipóteses e de cometer erros? O Mestre Eckhart defendia que ninguém pode alcançar a verdade sem, antes, ter cometido uma centena de erros pelo caminho. Precisamos ter a liberdade de palavras, pelas quais não vamos ser eternamente acusados. Procurar a verdade requer tempos de irresponsabilidade protegida. Por isso, o ideal da transparência total não é possível nem desejável.

Esta frustrada fome de verdade também é evidente no desejo contínuo de autorrevelação ou de denúncia de outros. Vivemos na já chamada "sociedade do tudo-a-nu". Nas listas de livros da Amazon há mais de mil títulos que incluem a palavra "nu"..., desde *O cozinheiro nu* até a *O pároco nu*. Nos programas de entrevista da televisão, como o da Oprah nos Estados Unidos, as pessoas são heróis por um breve momento por contarem tudo. E, para os meios de comunicação, segundo Zygmunt Bauman, o "interesse público" significa "os problemas privados das figuras públicas".[7] Os pequenos segredos de todo mundo têm de ser desvendados.

---

7 Z. BAUMAN, *Liquid Modernity*, Cambridge, 2000, p. 70.

No entanto, esta paixão pela denúncia nunca elimina a suspeita de que qualquer coisa desagradável ou indecente, que temos o direito de saber, nos está sendo escondida.

O cristianismo tem alguma coisa a oferecer em face desta fome de verdade? Enfim, não é que os cristãos sejam mais verdadeiros que todos os outros. Seria maravilhoso que seguíssemos o conselho de Mark Twain, que disse: "Quando tiveres dúvidas, diz a verdade. Desconcerta os teus inimigos e deixarás perplexos os teus amigos",[8] mas não conheço nada que prove seriamente que o fazemos. De fato, um inquérito nos Estados Unidos mostrou que 13% das pessoas que se afirmavam religiosas mentiriam para conseguir um emprego contra 15% das que não se identificavam como tal.[9] Não é uma diferença significativa. De qualquer modo, vimos que o que há de especificamente diferente no cristianismo não é que os cristãos sejam melhores do que as outras pessoas e, portanto, menos inclinados a dizer mentiras. O que é diferente é duplo: num mundo cético, acreditamos que podemos alcançar a verdade pelo pensamento; em segundo lugar, a nossa fé dá-nos uma compreensão bastante diferente do que significa ser verdadeiro. Yves Congar disse uma vez: "Amo a verdade como amo uma pessoa".

Fé na razão

Uma cultura influenciada pela propaganda facilmente perde todo o sentido da verdade. Gastamos tanto do nosso tempo vivendo em mundos imaginários que se torna difícil distinguir

---

8 Citado por S. Bok, op. cit., p. 145.
9 O inquérito foi realizado pelo Instituto Josephson de Los Angeles.

entre realidade e ficção. Muitas pessoas acreditam que os heróis das suas telenovelas são reais e que, se, por exemplo, passeassem pela rua certa, haveriam de os encontrar. O mundo da realidade virtual dá-nos a liberdade de refazer o mundo como se deseja. Há pessoas que criam identidades fictícias e, depois, têm relações com outras pessoas fictícias que são tão absorventes como as que têm com os seus cônjuges de carne e osso. Isto atrofia o instinto da verdade, fundamental nos seres humanos. A nossa sociedade perdeu a confiança no poder da razão, com exceção talvez da razão científica. Os europeus modernos não confiam que, por reflexão e debate, se podem descobrir o significado da existência humana e o propósito da nossa existência. Há pouca discussão em torno das grandes questões: por que há alguma coisa em vez de nada? Para que fui feito? Onde poderei encontrar a minha felicidade? Estas questões parecem transcender-nos.

Paradoxalmente, uma das contribuições do cristianismo neste momento pode ser *acreditar* na razão. Apesar de todo o desvario do último século, todo o absurdo de guerras e genocídios, acreditamos que os seres humanos são racionais e foram feitos para procurar a verdade. Se debatermos uns com os outros, podemos alcançá-la. A divisa da Ordem dominicana é *Veritas*, Verdade. Domingos, como se recordam, fundou a Ordem numa estalagem, discutindo com o estalajadeiro. Discutiram toda a noite e, como observou um dos meus confrades, Domingos não deve ter passado todo o tempo dizendo: "Você está errado... Olhe que você está enganado... Isso não está certo...". Só se prossegue o debate se a outra pessoa também está, em certo sentido, na razão. Discute-se não para vencer mas sim para que a verdade possa vencer.

João Paulo II via o cristianismo como o grande defensor da razão. Na Encíclica *Fides et Ratio* escreveu: "A Igreja serve a humanidade com a *diakonia* – o serviço – da verdade. Participamos no esforço comum da humanidade para chegar à verdade" (n. 2). "Vemos entre os homens e mulheres do nosso tempo, e não apenas em alguns filósofos, atitudes de desconfiança generalizada quanto aos grandes recursos cognoscitivos do ser humano. Com falsa modéstia, contentam-se de verdades parciais e provisórias, desistindo de formular as perguntas radicais sobre o sentido e o fundamento último da vida humana, pessoal e social" (n. 5). "De fato, nunca se poderia fundar a vida sobre a dúvida, a incerteza ou a mentira; tal existência estaria constantemente ameaçada pelo medo e pela angústia. Assim, pode definir-se o ser humano como *aquele que procura a verdade*" (n. 28).

No debate entre Bertrand Russell e Frederick Copleston SJ, surgiu a questão de saber por que existia o universo. Por que existia qualquer coisa em vez de nada? Russell afirmou que essa era uma pergunta que não devia ser posta. O universo existia, simplesmente. Foi o filósofo cristão que insistiu que isso seria desistir demasiado cedo de pensar.[10] Portanto, faz parte da missão do cristianismo insistir para que as pessoas continuem a levantar a questão difícil, procurando respostas. Os cristãos não desistem da razão.

Para os filhos do Iluminismo, pode parecer disparatado que o Papado defenda a razão. A opinião generalizada é de que razão e religião se opõem e, assim, isso pareceria tão paradoxal como o Gengis Khan se tornar pacifista ou São Francisco defender os

---

[10] Cf. D. TURNER, *Faith Seeking*, London, 2002, p. 13.

maus-tratos a animais. No entanto, foi demonstrado por sociólogos, em estudos na Suécia, no Japão e nos Estados Unidos, que, quando as pessoas se afastam do cristianismo convencional, tendem a acreditar em coisas loucas. Segundo Rodney Stark, os cristãos são muito menos propensos a aceitar "discos voadores com visitantes extraterrestres, percepções extrassensoriais, astrologia, cartomancia, espiritismo e meditação transcendental do que os estudantes que dizem não ter religião".[11] Como disse G. K. Chesterton: "Um homem que não acredita em Deus acredita em qualquer coisa".[12]

Portanto, o cristianismo deveria lembrar à nossa sociedade o nosso sepultado desejo de verdade, e caminhar com ela na sua busca. Mas só o podemos fazer de forma convincente se formos vistos como peregrinos, que não sabem de antemão todas as respostas. Os responsáveis cristãos falarão com mais autoridade se disserem mais frequentemente: "Não sei". Devemos ser vistos como aqueles que não só ensinam, mas também aprendem. A Igreja tem de ter a coragem de proclamar as suas convicções, mas também a humildade de aprender com os outros. O físico Niels Bohr afirmou que "o oposto de uma afirmação verdadeira é uma afirmação falsa, mas o oposto de uma verdade profunda pode ser outra verdade profunda".[13] O Papa Bento XVI escolheu para o seu brasão episcopal em Munique uma concha. Isto evocava a

---

11 R. STARK, E. HAMBERG e A. S. MILLER, "Exploring Spirituality and Unchurched Religions in America, Sweden and Japan", in *Journal of Contemporary Religion*, vol. 20, n. 1, 2005, p. 19.

12 Os admiradores de Chesterton travam duras batalhas sobre o momento em que ele teria dito isto e quais teriam sido exatamente as suas palavras.

13 Citado por P. MCPARTLAN, "The Same but Different: Living in Communion", in B. HOOSE (ed.), *Authority in the Roman Catholic Church: Theory and Practice*, Aldershot, 2002, p. 156.

passagem em que Santo Agostinho caminha pela praia, refletindo sobre a Trindade, e alguém lhe faz ver que é tão impossível compreender a plena verdade de Deus nas nossas palavras como encerrar o mar numa concha. Agostinho escreveu: "Quem pensar que nesta vida mortal se podem dispersar de tal modo as brumas da imaginação e possuir a luz límpida da verdade imutável [...] não percebe o que procura nem quem é o que procura".[14]

No momento em que as pessoas religiosas começam a falar sobre a verdade, fica-se em geral bastante nervoso. O que é compreensível. Por todo o mundo se associa a violência às disputas das diferentes crenças acerca da verdade. Os cristãos fazem reivindicações a respeito de Jesus, os muçulmanos a respeito do Corão, os hindus a respeito de Krishna. Estas reivindicações não podem ser todas verdadeiras e, por isso, os crentes começam a se matar uns aos outros. As reivindicações de verdade estão associadas a intolerância, arrogância e doutrinação. Mesmo dentro de cada uma destas religiões, as interpretações dos textos sagrados são amargamente disputadas. Como cristãos, afirmamos que a Bíblia é verdadeira, mas há uma vasta proliferação de interpretações da Bíblia. Encontrar a mais bizarra tem sido comparado à tentativa de identificar a mais feia das estátuas da Rainha Vitória: uma competição bastante acirrada.

Apesar de tudo, acreditamos que a verdade pode ser procurada pacientemente e com humildade. Se não, estamos todos presos às nossas diferenças. Depois da Segunda Guerra Mundial, Albert Camus, numa conferência aos irmãos dominicanos de Paris, disse que "o diálogo só é possível entre pessoas que permanecem

---

[14] AGOSTINHO, *De Consensu Evangelistarum*, IV, 10, 20.

o que são e falam verdade".[15] Não tem sentido dialogar se não há verdade. A única base sobre a qual posso construir comunhão com pessoas de outras crenças ou sem nenhuma é uma busca partilhada da verdade. Uma vez, um taxista fez algumas afirmações racistas durante uma viagem por Londres. Eu disse-lhe que o que ele estava dizendo era falso. Ele respondeu: "Que quer dizer com falso? São as minhas opiniões". Para ele, isto era uma defesa, sem resposta possível ao seu direito de as afirmar.

Só nos podemos aproximar de quem pensa diferentemente se acreditarmos que podemos refletir juntos e atingir uma verdade comum. Reclamar que temos toda a verdade gera violência e intolerância. Acreditando que juntos podemos chegar à verdade, pode curar/salvar a diferença. Esta convicção não está na moda. O Presidente da Administração da British Airways, Willie Walsh, afirmou que "um homem razoável não consegue nada em negociações". As negociações, na nossa sociedade, não são um instrumento para descobrir uma maneira de chegar ao melhor, mas uma tentativa de medir forças. O que interessa é ganhar, e o último recurso é a lei.

Para Agostinho, dizer a verdade a desconhecidos faz parte da construção da comunidade humana, da edificação do Reino. E isto explica por que tantos teólogos tenham sido tão intolerantes, mesmo com as mentiras inocentes. Mentir não era apenas não ser exato, era destruir a linguagem, a base da solidariedade humana. Quando Atanásio estava remando rio abaixo para escapar dos seus perseguidores, cruzou com eles, que iam na direção

---

15 A. CAMUS, "L'Incroyant et les Chrétiens: fragments d'un exposé fait au couvent des Dominicains de Latour-Maubourg en 1948", in *Actuelles* 1, Paris, 1965, p. 372.

oposta. "Onde está o traidor Atanásio?", perguntaram-lhe. "Não muito longe", respondeu e continuou a remar satisfeito. Desse modo, não tinha dito mentira nenhuma!

Devo confessar que, muitas vezes, digo mentiras inocentes. Não sou sempre estritamente verdadeiro quando felicito os meus irmãos pelos seus sermões ou por seus pratos. Mas isto é necessário, como diz o *Talmude*, para que haja paz em casa. Para nós, não parece haver uma grande diferença entre uma observação verdadeira que engana e uma mentira. Isto é porque não temos aquele sentido profundo de que o caráter sagrado das palavras verdadeiras é o fundamento da comunidade humana. As mentiras poluem o nosso ambiente natural. Morremos espiritualmente como peixes num rio poluído.

As pessoas dizem que a Igreja está obcecada com o sexo. Durante grande parte da tradição cristã, a Igreja esteve bem mais preocupada com a mentira. No *Inferno* de Dante, os círculos infernais superiores, onde os castigos são mais leves, estão reservados aos que foram arrastados por paixões. Desejaram o bem, mas desejaram-no erradamente. As regiões médias eram reservadas às pessoas que desejaram o que é mau, sobretudo os violentos. Mas o coração gelado do Inferno é guardado para os que minaram a comunidade humana da verdade: os mentirosos, os fraudulentos, os lisonjeiros, os falsários e, os piores de todos, os traidores. Convém aos meios de comunicação apresentar a Igreja como obcecada pelo sexo, porque põem a salvo o Evangelho dentro de uma caixinha, onde facilmente pode ser escarnecido. De fato, como vimos no capítulo 5, a sexualidade é uma parte profunda da nossa identidade humana, mas, para um cristão tradicional, a mentira é uma coisa muito mais séria, o que se pode considerar ou não uma consolação! Como Herbert McCabe escreveu: "Enquanto se pensar que a moral cristã é, principalmente, uma questão de se se vai e quando se vai ou não para a cama, não haverá bispos a serem crucificados. E isto é deprimente".[16]

Diz-se, muitas vezes, que a primeira vítima numa guerra é a verdade. Não só há a deformação da propaganda, mas a violência da guerra resulta numa degradação da comunicação humana, ilustrada pela famosa declaração na guerra do Vietnã: "Para salvar a aldeia (dos comunistas), tornou-se necessário destruí-la". Assim, não há absolutamente nenhuma probabilidade de ganhar a chamada "guerra contra o terrorismo", se não se estabelecer comunicação com os que odeiam o Ocidente, tentando dizer-lhes a verdade e aprender a ouvi-la. De outro modo, entramos numa espiral de desconfiança, cada vez mais profunda, e de mútua destruição.

Parte do testemunho cristão deveria estar no nosso respeito pelas palavras e no cuidado pelo seu sentido exato. Agostinho falava das palavras como "aquelas preciosas taças de sentido".[17] Com frequência, na nossa sociedade, as palavras são arremessadas irresponsavelmente e usadas para atacar ou para dar "graxa", embotando as ferramentas com as quais se tece a comunidade humana. O pastor moribundo de *Gilead* diz do seu afilhado que

> ele trata as palavras como se fossem ações. Não escuta o *sentido* das palavras como fazem as outras pessoas. Apenas decide se são hostis e quanto o são. Decide se o ameaçam ou insultam, e reage a esse nível. Se descobre censura em qualquer coisa que se lhe diz, é

---

16 H. McCabe, *Law, Love and Language*, p. 164.

17 Agostinho, *Confissões*, I, capítulo 16.

como se lhe tivessem dado um tiro. Como se lhe tivessem cortado uma orelha.[18]

Se atiramos palavras sem nos preocuparmos com o sentido e com a verdade, podemos estar, literalmente, matando pessoas. Em maio de 2005, o semanário americano *Newsweek* publicou uma notícia sobre uma profanação intencional do Alcorão na prisão da Baía de Guantánamo, onde suspeitos de terrorismo são interrogados. Os distúrbios que isso provocou em todo o mundo resultaram em pelo menos quinze mortos. Depois, a *Newsweek* retratou a história e veio dizer que não tinha certeza de que isso fosse verdade.

Se temos apreço pela Palavra de Deus, devemos ter reverência por todas as palavras, conscientes do seu poder de ferir ou sarar. Mesmo a Sra. Beeton, a guia da cozinha vitoriana, conhecia o poder das palavras ao ponto de nunca se permitir escrever a tão perturbadora palavra "calças", devido às suas presumíveis conotações! O mais próximo que esteve foi dizer "as indescritíveis" ou "as que não se podem mencionar". Assim, deveria ser possível reconhecer os cristãos pela maneira como usamos as palavras, atentos ao seu sentido exato e cuidadosos, porque podem ser como facas que cortam. Rowan Williams escreveu: "O que seria se pudéssemos reconhecer as pessoas de fé pela maneira como falam? Por uma ausência de lugares-comuns, ou de troça desapiedada ou de consolações palavrosas?".[19]

Quando lê o Evangelho, o sacerdote beija o texto. O nosso respeito deveria englobar até as palavras da vida diária. Salman

---

[18] Op. cit., capítulo 4, nota 30, p. 130.

[19] R. WILLIAMS, *Silence and Honey Cakes: The Wisdom of the Desert*, p. 70.

Rushdie, num artigo encantador intitulado "Não há nada sagrado?", escreveu:

> Cresci beijando livros e pão. Na nossa casa, sempre que alguém deixava cair um livro ou um *chapatti* ou uma "fatia", que era como nós chamávamos um triângulo de pão fermentado com manteiga, era necessário que o objeto caído fosse não só apanhado como beijado, num ato de reparação pelo ato de desajeitada falta de respeito. Eu era descuidado e desastrado como qualquer criança e, por consequência, beijei um bom número de "fatias" e também uma razoável quantidade de livros. Nas casas piedosas na Índia, havia com frequência pessoas com o costume de beijar os livros sagrados. Mas nós beijávamos tudo. Beijávamos dicionários e atlas. Beijávamos os romances de Enid Blyton e as bandas desenhadas do *Super-Homem*. E, se alguma tivesse deixado cair a lista telefônica, provavelmente, também a teria beijado. Tudo isto acontecia antes de alguma vez ter beijado uma moça. De fato, seria verdade, ou pelo menos verdade para um escritor de ficção, dizer que quando comecei a beijar as moças, as minhas atividades a respeito de pão e livros perderam uma parte da sua excitação especial. Mas nunca se esquecem os primeiros amores. Pão e livros: alimento para o corpo e alimento para a alma – que poderia ser mais merecedor do nosso respeito e até amor?[20]

Para lá da suspeição

Na nossa sociedade fraturada pela desconfiança, a contribuição cristã deveria ser não apenas o cuidado com as palavras, mas também uma compreensão própria do que significa usá-las com verdade. Podemos não ser muito mais verdadeiros do que as

---

20 S. Rushdie, "Is Nothing Sacred?", in *Granta*, 31, 1990, pp. 98s.

outras pessoas, mas seria de esperar que fossemos verdadeiros de maneira a surpreender e intrigar. A sinceridade não é apenas o relato dos fatos. Alasdair MacIntyre afirma que os fatos, tal como as perucas dos cavalheiros e os telescópios, só foram inventados no século XVII.[21] Pode argumentar-se que esta crise de confiança pode ter a sua raiz no fato de a nossa sociedade entender a verdade quase exclusivamente nos termos da tradição do Iluminismo. É uma tradição maravilhosa e fecunda que nos deu as ciências modernas e muita liberdade, mas tendo-se tornado o único modelo de procura da verdade não admira que nos tenha posto nesta confusão. É difícil identificar e criticar esta tradição, porque dá o tom a tudo o que dizemos. A ideologia dominante é, segundo escreve Alan de Botton, "como um gás sem cor e sem cheiro",[22] que satura a atmosfera e que respiramos em permanência sem dar por isso.

Alasdair MacIntyre escreveu:

> A partir do século XVII, tornou-se um lugar-comum afirmar que, enquanto os escolásticos se tinham deixado enganar a respeito dos fatos do mundo natural e social, impondo uma interpretação aristotélica entre eles e a realidade da experiência, nós, os modernos, isto é, os modernos dos séculos XVII e XVIII, tínhamos eliminado interpretação e teoria e abordávamos o fato e a experiência tal como são. Foi precisamente em função disto que aqueles modernos se consideraram os Iluminados e compreenderam o passado medieval, por contraste, como a Idade das Trevas. O que Aristóteles obscurecia, eles veem.[23]

---

[21] A. MacIntyre, *Whose Justice? Whose Rationality?*, London, 1988, p. 357.
[22] A. de Botton, *Status Anxiety*, London, 2004, p. 214.
[23] A. MacIntyre, After Virtue, London, 1981, p. 78.

Assim, deve procurar-se a verdade rejeitando a tradição e, em especial, os dogmas do cristianismo. Esta atitude está ainda muito difundida. Por exemplo, a proposta de preâmbulo da Constituição Europeia passa diretamente dos Gregos e Romanos para o Iluminismo, como se muito da história da Europa cristã fosse uma aberração no progresso para a racionalidade.

Para o Iluminismo, o olhar verdadeiro é o do cientista imparcial que observa friamente, racionalmente, pondo em questão as hipóteses correntes e os preconceitos do vulgo. Mas descobriu-se que não era tão simples quanto isso. Como se podia estar seguro de que se estava vendo as coisas como eram? Como se pode ultrapassar a distância entre a mente e o mundo? Como se podia ter a certeza de que o objeto ali em frente é, de fato, idêntico à minha percepção dele? Na sua busca de certeza, a mente tem de duvidar de tudo. Tem de ser cética, suspeitosa e desconfiada. É o que Bernard Williams caracteriza da seguinte maneira: "Há um imenso empenho em face da verdade ou, de qualquer modo, uma suspeita generalizada, uma disponibilidade contra ser enganado, uma ânsia de ver para lá das aparências as estruturas reais e os motivos que estão por detrás delas".[24] Voltaire afirmou que a linguagem existia para esconder os nossos pensamentos. Não desejo rejeitar simplesmente esta tradição. Somos todos filhos do Iluminismo e temos uma profunda dívida para com ele. Mas, se este se torna o modo prioritário de entender a procura da verdade, criaremos inevitavelmente uma sociedade que será desconfiada, marcada pela suspeita e pela insegurança, e cujos laços sociais hão de desmoronar-se.

---

[24] B. WILLIAMS, *Truth and Truthfulness: An Essay in Genealogy*, Princeton, 2002, p. 1.

Uma espiritualidade cristã da sinceridade escandalizará certamente um filho do Iluminismo, porque está baseada em doutrina. Para o Iluminismo, a verdade começa com a libertação da doutrina. Não se reparou, evidentemente, que o Iluminismo em breve adquiriria as suas próprias doutrinas. Como G. K. Chesterton uma vez observou: "Há apenas duas espécies de pessoas, as que aceitam dogmas e o sabem e as que aceitam dogmas e não o sabem".[25] Ele mantinha que os seres humanos são animais que produzem dogmas. "As árvores não têm dogmas. Os nabos são de uma invulgar abertura de espírito".

Comecemos pelo princípio, pela Criação. Para São Tomás de Aquino, a doutrina da Criação não nos diz o que aconteceu há muito tempo – antes do *Big Bang*. A nossa crença diz-nos, agora, que tudo recebe a sua existência de Deus e é por isso que o podemos entender. É o mundo de Deus, e nós, criaturas de Deus, estamos *em casa* nele. Não é um local estranho e incompreensível. A intuição central de São Tomás, nas palavras de Cornelius Ernst OP, era de que o mundo "se mostra sem esforço como é, floresce para a luz".[26] O mundo foi criado pela palavra de Deus e, por isso, pode ser compreendido. Como afirma Nicholas Lash, o universo é legível.[27] O significado não é algo que impomos arbitrariamente. Sem dúvida, por vezes, cometemos erros e enganamo-nos. Dizemos mentiras e usamos máscaras. Mas a verdade é mais importante que o erro e a fraude. Tal como os peixes foram feitos para nadar na água, os seres humanos foram feitos para crescer

---

25 G. K. Chesterton, "The Mercy of Mr. Arnold Bennett", in *Fancies vs. Fads*, London, 1923.

26 C. Ernst, *Multiple Echo*, London, 1979, p. 8.

27 N. Lash, "Authors, Authority and Authorization", in B. Hoose (ed.), *Authority in the Roman Catholic Church: Theory and Practice*, Aldershot, 2002, pp. 59ss.

na verdade. É o nosso lar. Isto é completamente diferente da visão de Descartes, na qual a mente é "o fantasma na máquina" esforçando-se por entrar em contato com a realidade. Para o Iluminismo, o grande desafio é saber como se pode estar seguro de alguma coisa. Como podemos ir das nossas mentes para o mundo? Como podemos saber que a realidade não é inteiramente diferente daquilo que julgamos ver? Podemos, inclusivamente, ter a certeza de que realmente existe? Por isso, entramos em dúvida e desconfiança. A doutrina da Criação fundamenta a nossa confiança de que não vivemos na ilusão.

São Tomás acreditava que, para ver as coisas como são, se deve ser contemplativo. A contemplação é aquela abertura sossegada e serena da mente ao que está diante dela: a Palavra de Deus, uma pessoa, uma planta. É aquela presença calma ao que é diferente de nós, resistindo à tentação de o adquirir, possuir ou usar. Significa deixar a outra pessoa ser diferente de nós, recusar absorvê-la ao nosso modo de pensar. Devemos deixar o coração e a mente alargar-se e abrir-se, engrandecido pelo que vemos. Ele amava a frase de Aristóteles: "A alma é, de certa maneira, todas as coisas".[28] Compreender o que é diferente é o que alarga o nosso ser. A contemplação é estar despojada e humildemente presente ao outro. Simone Weil escreveu que "o verdadeiro gênio não é senão a virtude sobrenatural da humildade no domínio do pensamento".[29]

Esta serena abertura contemplativa aos outros exige a disciplina difícil de quebrar o egocentrismo que nos faz ver tudo

---

28 *De Veritate*, a. 1, cit. do *De Anima* III, 8. 431b 21.

29 Citada por R. GAITA, *A Common Humanity: Thinking About Love and Truth and Justice*, London, 2000, p. 224.

e todos em função de nós próprios. Tornar-se verdadeiro não é apenas uma disciplina intelectual: é um treino em altruísmo, pondo de lado a voracidade com que nos relacionamos com o mundo. Isto era central na espiritualidade de Santa Catarina de Sena. Suzanne Noffke OP escreve:

> Ela chama a esta restrição da nossa perspectiva e do nosso próprio ser "a nuvem do egocentrismo" ou "do amor egoísta por nós próprios". Este egocentrismo não é apenas a espécie de egoísmo que nos faz abusar do pronome no singular da primeira pessoa ou buscar a atenção dos outros. É viver num universo de que somos o centro, em que qualquer decisão é muito naturalmente baseada no que nos agrada ou desagrada, o que nos beneficia ou nos fere. É "uma peçonha que nos envenena e estraga o paladar [...]. Cega-nos a ponto de não podermos discernir e conhecer a verdade". De fato, faz-nos tratar Deus e o próximo "com repugnância e desprazer e crítica, julgando segundo a nossa percepção malsã e opinião grosseira, em vez de julgar segundo a verdade [...]. Não nos tira inteiramente a luz; deixa-nos um pouco de claridade, mas não vemos o círculo pleno do Sol".[30]

Isto exige-nos serenidade de espírito e tempo. Uma das fontes da nossa crise da verdade está em que as nossas vidas são tão agitadas e frenéticas que não temos tempo para nos vermos convenientemente uns aos outros, ou qualquer outra coisa. A nossa preocupação com a verdade, enquanto responsabilidade, significa que passamos tanto do nosso tempo a preencher formulários, a redigir relatórios, a reunir estatísticas que não temos tempo para abrir os olhos e ver. Quando perguntaram a Wittgenstein

---

30 Conferência não publicada.

como deveriam os filósofos saudar-se uns aos outros, ele respondeu: "Não tenha pressa". Deste modo, a espiritualidade da verdade deveria convidar-nos a desacelerar, a ter calma e deixar o coração e o espírito abrirem-se e alargarem-se. Simone Weil escreve que "não alcançamos os dons mais preciosos andando à procura deles, mas esperando por eles [...]. Esta maneira de olhar é, em primeiro lugar, atenciosa. A alma esvazia-se de todos os seus conteúdos próprios para receber o ser humano, para quem está olhando, tal como é em toda a sua verdade".[31]

Assim, para ver o mundo verdadeiramente, temos de aprender uma atenção serena e humilde. E então, segundo São Tomás, veremos a bondade do mundo. Quando Deus acabou a Criação, viu que tudo era muito bom. Fergus Kerr OP escreveu que "o mundo, para Tomás, muito ao contrário do que era largamente ensinado no seu tempo, era simplesmente a expressão da liberalidade divina, livremente oferecida, em nada imposta, 'não necessária', simplesmente uma expressão de amor".[32] O verdadeiro olhar do Iluminista é o do observador imparcial, que olha sem paixão para o que está diante dos seus olhos. É o olhar científico que observa através de um microscópio. É uma maneira útil de olhar para o mundo. Mas, se não se tivesse desenvolvido no século XVII, estaríamos imensamente mais pobres. Porém, se tentarmos olhar uns para os outros através de microscópios, como animais a serem dissecados, não veremos a bondade uns dos outros, que é a verdade mais profunda do nosso ser. Santo Agostinho escreveu no final das Confissões: "Vemos todas estas vossas obras. Vemos que juntas são muito boas, porque sois Vós

---

[31] S. Weil, *Waiting on God*, trad. E. Crauford, London, 1959, p. 169.
[32] F. Kerr, *After Aquinas: Versions of Thomism*, Oxford, 2002, p. 39.

que as vedes em nós e fostes Vós que nos destes o Espírito pelo qual as vemos e vos amamos nelas".[33]

Podemos mostrar esta bondade a pessoas que não partilham as nossas crenças. Raimond Gaita trabalhou, certa vez, num hospital psiquiátrico na Austrália. Muitos dos psiquiatras que lá trabalhavam eram pessoas compassivas e conscienciosas. Ele escreve:

> Um dia, uma freira veio ao pavilhão. De meia-idade, apenas a sua vivacidade me impressionou, até que falou com os doentes. Tudo no seu procedimento para com eles – a maneira como falou com eles, as suas expressões faciais, a linguagem do seu corpo – contrastava e desmascarava o comportamento daqueles nobres psiquiatras. [Esse procedimento] mostrava que eles eram, apesar dos seus melhores esforços, condescendentes, tal como eu também o tinha sido. Ela revelava que mesmo aqueles doentes, tal como os psiquiatras e eu tínhamos sincera e generosamente afirmado, eram iguais àqueles que os queriam ajudar; mas ela também mostrava que, nos nossos corações, não acreditávamos nisso.[34]

Ela tornou visível a humanidade dos doentes mentais. "A pureza do seu amor provou a realidade do que revelava." Gaita defende que muitas vezes descobrimos que os outros são amáveis, quando vemos que outras pessoas os amam. "As crianças começam a amar os seus irmãos e irmãs porque os veem à luz do amor dos pais." Os carcereiros olham para os prisioneiros de outra maneira, depois de os terem visto com os que os amam. Não é uma questão de ser generoso, de ver o mundo cor-de-rosa. É ver as coisas como são, verdadeiramente.

---

[33] AGOSTINHO, *Confissões*, XIII, 34.

[34] R. GAITA, *Common Humanity*, p. 18.

O opositor da verdade de Deus, na Bíblia, é Satanás, o pai da mentira. E as suas mentiras não consistem em faltar à verdade ou em fazer erros de apreciação, como os políticos dizem hoje em dia. Nem sequer consiste em dizer umas mentiras. A sua ausência de sinceridade consiste em semear a dúvida e a desconfiança entre Deus e Adão e Eva. Fá-los suspeitar de Deus. O seu nome, Satã, significa "o Acusador", e a Bíblia conclui com uma grande voz proclamando que "foi precipitado o acusador dos nossos irmãos" (Ap 12,10). Para os cristãos, a grande mentira é ver os outros sem misericórdia; é fechar os olhos à bondade da sua humanidade e sobrecarregá-los com o peso dos seus pecados.

Não veremos corretamente as pessoas, se não for com misericórdia. Iris Murdoch escreveu que "o grande artista vê os seus objetos (e isto é verdade mesmo se eles forem tristes, absurdos, repelentes ou até maldosos) à luz da justiça e da misericórdia. A direção da atenção é, contrariamente à natureza, para fora, afastando-se do eu, que reduz tudo a uma falsa unidade, para a grande e surpreendente variedade do mundo, e a capacidade de assim dirigir a atenção é o amor".[35] O amor presta atenção, como vimos com o pastor em *Gilead*, à singularidade das pessoas, ao fato da sua existência. O ódio abstrai da realidade, de modo que a pessoa odiada se torna um símbolo de tudo o que ameaça, mais do que uma pessoa real. Em *Riders in the Chariot*, Patrick White diz que os guardas do campo de concentração "podem rir de alguma vergonha que tenham vislumbrado, mas em geral parecem preferir a escuridão na qual possam odiar em abstrato toda a massa dos judeus".[36]

---

35 I. MURDOCH, *The Sovereignty of Good*, London, 1985, p. 66.
36 London, 1996, p. 192.

Um dia, um rabino perguntou aos seus discípulos: "Como se pode dizer que a noite terminou e o dia está de volta?". Um discípulo sugeriu: "Quando se pode ver claramente que um animal à distância é um leão e não um leopardo". "Não", disse o rabino. Um outro disse: "Quando se pode ver que uma árvore tem figos e não pêssegos?". "Não", disse o rabino, "é quando se pode olhar para a face de outra pessoa e ver que aquela mulher ou aquele homem é vossa irmã ou vosso irmão. Porque enquanto não forem capazes de o fazer, seja qual for o tempo do dia, ainda é noite".[37]

Portanto, o conflito entre verdade e falsidade, no quadro da Bíblia, não é apenas uma questão de exatidão, de descrever a realidade, apesar de isso ter a sua importância. Mais profundamente, é o conflito entre a Palavra de Deus que dá o ser e nos realiza e a palavra do acusador que estraga e rebaixa e deprecia. Chesterton escreveu que só há um pecado: chamar uma folha verde de cinzenta.[38]

Os meios de comunicação são o fruto característico da procura da verdade do Iluminismo do século XVIII, desmascarando a hipocrisia e denunciando o fracasso. Em larga escala, é pelos seus olhos que nos vemos uns aos outros, hoje em dia. Graças a Deus que temos meios de comunicação livres! Graças a Deus por Watergate! A denúncia, através dos meios de comunicação, dos abusos sexuais na Igreja Católica e a incapacidade das autoridades de lidar com isso de forma responsável são profundamente penosas e humilhantes. Mas graças a Deus que os meios de comunicação revelam as nossas faltas, pois, de outro modo, a

---

37 S. D. SAMMON, *Religious Life in America: A New Day Dawning*, New York, 2002, p. 95.

38 *The Collected Poems of G. K. Chesterton*, London, 1933, p. 326.

Igreja poderia nunca ser forçada a encarar o seu pecado. Graças a Deus pela revelação, através dos meios de comunicação, do chocante tratamento dos iraquianos na prisão de Abu Ghraib! Sem esta revelação, poderia nunca ter terminado.

No entanto, se a denúncia e a acusação se tornam a principal maneira de os seres humanos se confrontarem uns com os outros, seremos de fato sugados para a falta de verdade. Por vezes devemos acusar, mas não podemos fazê-lo enquanto não virmos primeiro a bondade da outra pessoa. Pessoas boas fazem coisas más. Neste mundo de desconfiança e suspeita, precisamos de outro tipo de imprensa, liberta das limitações do Iluminismo. Precisamos de um outro tipo de debate político em que o objetivo não seja desfazer os opositores, mas chegar a uma compreensão partilhada do bem comum.

A doutrina da Criação ensina-nos a ver o mundo como criado, o que quer dizer como dado. Os nossos olhos são abertos para a pura gratuidade do ser. Nada é obrigado a existir. Em 1944, Karl Polanyi escreveu um livro chamado *A grande transformação: as origens políticas e econômicas do nosso tempo*. Começando também ele no século XVII, esboça a evolução de outra maneira de ver o mundo: o aparecimento da "mercadoria fictícia".[39] Esta "ficção" consiste em que tudo pode ser comprado e vendido: terra, trabalho, água, todas as criaturas de Deus. A economia de mercado fornece o filtro pelo qual olhamos para o mundo. A posse de propriedades passa a ser o fundamento da dignidade humana. Os direitos de propriedade são absolutos e tudo se torna propriedade – mesmo, como vimos, os nossos próprios corpos.

---

[39] *The Great Transformation: The Political and Economic Origins of Our Times*, Boston, 1957, p. 73.

Sessenta anos após a publicação do livro de Polanyi, podemos ver que o conceito de "mercadoria fictícia" e de "mercantilização" da Criação avança a bom ritmo. Ele anunciou a transformação da terra em mercadoria. Mas nunca poderia ter sonhado que, em finais do século, algumas multinacionais iriam procurar obter até a propriedade da fertilidade da terra em nome dos "direitos de propriedade intelectual". Umas tantas companhias estão comprando o controle do plasma de sementes. Segundo Jeremy Rifkin, "em seguida, modificam ligeiramente as sementes ou retiram características genéticas individuais ou recombinam novos genes nas sementes e garantem as suas 'invenções' com a proteção de patentes. O objetivo é controlar, sob a forma de propriedade intelectual, toda a reserva de sementes do planeta".[40] Indignamo-nos, e com razão, pelo fato de o presidente do Zimbabwe se ter apropriado das terras dos agricultores brancos. É um pecado contra a justiça. Mas muito mais inquietante é a apropriação da fertilidade do Planeta. É um pecado contra a Criação.

Numa sociedade que se define como um mercado e na qual somos, antes de mais nada, consumidores, como se pode manter outra maneira de ver o mundo, uma visão transparente dele? Uma das maneiras consiste na oração. Para São Tomás, rezar era sobretudo uma questão de dizer "faz favor" e "muito obrigado". Pedimos a Deus o que desejamos e agradecemos, se o recebemos. Isto pode parecer um modo de vida muito infantil. Não deveríamos ser suficientemente adultos para nos ocuparmos das nossas coisas? Lembra-me daquele pregador que disse que, de manhã, não tinha tido tempo para preparar o seu sermão e, por isso,

---

[40] J. Rifkin, *The Age of Access: How the Shift from to Ownership to Access is Transforming Modern Life*, London, 2000, p. 66.

rezara ao Espírito Santo a pedir inspiração. Porém, nessa mesma tarde, elaborou ele próprio a sua homília, esperando deste modo sair-se bem melhor! Mas, para Tomás, a oração era simplesmente o reconhecimento do que as coisas são. Tudo é dom. Pedir a Deus o que desejamos e agradecer a Deus quando o recebemos é viver no mundo real. É abrir os olhos à gratuidade do ser. Agradecer é pensar[41*] com verdade e rezar ajuda-nos a pensar bem.

Para Tomás de Aquino, considerar qualquer coisa como criada não é apenas ver o que está diante dos olhos. É ver aquilo para que foi feita. Uma bolota é um carvalho em potência. Se se tem um bom olho para cavalos, pode-se olhar para um potro e ver a espécie de cavalo que é capaz de vir a ser. Deus cria as coisas para que floresçam e realizem a potencialidade do seu ser. Ver um feto é ver um ser humano adulto em potência. Se é esta a maneira de vermos o mundo, não tem assim tanta importância estabelecer quando é que o feto pode ser corretamente definido como humano. O momento exato em que começamos a ser humanos não é determinante, quando se pensa na moralidade do aborto.[42] Olhamos para o que Deus criou em vista a tornar-se humano. Olhar para um ser humano é ver alguém destinado para Deus. Ver os seres humanos como criados, mais do que apenas como produtos acidentais da evolução, é ver seres que foram feitos para mais do que se pode dizer. Não verei corretamente um velho mendigo pedindo à beira da estrada, enquanto não o vir como um futuro cidadão do Reino.

---

41 J. Ayto, *Bloomsbury Dictionary of Word Origins*, London, 1990, p. 526.

* O autor aproxima etimologicamente *thanking* ("agradecer") de *thinking* ("pensar"). (N.E.)

42 São Tomás ensinava que a animação não ocorria na concepção e que, embora o aborto anterior à animação fosse pecado, não era homicídio.

Se somos feitos para encontrar a nossa realização em Deus, isso também significa que, por ora, não podemos conhecer plenamente quem somos. Estamos feitos para florescer naquele que não podemos imaginar. Deus está para lá das nossas palavras. Por ora, só podemos ter um vislumbre do que é ser um ser humano. Como São João diz: "Caríssimos, agora somos filhos de Deus e ainda se não manifestou o que havemos de ser. Sabemos que, na altura em que se manifestar, seremos semelhantes a Ele, porque o veremos tal como é" (1Jo 3,2).

Portanto, se quero descrever um ser humano com verdade, não basta descrever apenas o que os meus olhos veem. Tenho de entrar pelo que não pode ser plenamente dito por ora, pelo que só pode ser entrevisto no limite da linguagem. A sinceridade conduz-nos, muitas vezes, à poesia, e Tomás de Aquino foi sem dúvida um dos melhores poetas da Idade Média. Seamus Heaney descreve um poema de Dylan Thomas como dando "a sensação de linguagem em movimento para um destino em conhecimento".[43] Ele escreve: "Recorremos à poesia, recorremos à literatura em geral, para sermos promovidos em nós mesmos. O melhor que poderá fazer é dar-nos uma experiência que é como uma presciência de certas coisas que parecíamos já estar recordando".[44] Esta presciência, que também é uma recordação, sugere a dinâmica da Eucaristia, que é simultaneamente recordação – "Fazei isto em memória de mim" – e promessa de um futuro indescritível.

Isto não significa que os outros tenham de aceitar as nossas doutrinas para poderem ver aquilo que nos motiva. Os olhos de Gaita se abriram com o comportamento da freira no hospital

---

43 S. HEANEY, *Redress of Poetry*, p. 141.
44 Ibid., p. 159.

psiquiátrico, sem ter de aceitar as suas crenças. Ela mostrou-lhe como ver os doentes com mais verdade. Milhões de hindus foram impressionados pelo cuidado da Madre Teresa pelos moribundos. Não tiveram de se tornar cristãos para ver os moribundos de outra maneira. E outras tradições religiosas também podem abrir-nos os olhos para melhor vermos o mundo.

Não procurei dizer o que poderia significar para um político, um jornalista, um taxista, um contador ou até um padre ser verdadeiro, neste sentido cristão. Num mundo tão complexo não pode haver um simples e único modelo. O que a Igreja deveria tentar é construir espaços e lugares onde as pessoas pudessem vir refrescar a visão e limpar os olhos. O clima de desconfiança e suspeita, o constante bombardeamento dos meios de comunicação com a sua cultura de acusação, o *ethos* do consumismo, tudo isto pesa sobre nós e deforma as nossas percepções. A busca da verdade de Tomás de Aquino, como frade, estava inserida num contexto de oração regular, silêncio e estudo. Precisamos de oásis de lazer e silêncio e gratidão onde possamos, literalmente, recuperar os sentidos e clarificar a vista, como o filho pródigo que "caiu em si" e recordou a verdade de quem era, o filho de seu pai.

Capítulo 7

"Eu sou porque nós somos"

A *Carta a Diogneto* diz que os cristãos "habitam pátrias próprias, mas como peregrinos: participam de tudo como cidadãos e tudo suportam como estrangeiros". Encontramos várias vezes esta linguagem no Novo Testamento, especialmente na Primeira Carta de São Pedro, que é dirigida "aos emigrados da Dispersão do Ponto, da Galácia, da Capadócia, da Ásia e da Bitínia" (1,1). A partir de 1Pd 2,11, torna-se claro que não se trata apenas de viver longe da sua pátria: "Caríssimos, exorto-vos, como estrangeiros e emigrados que sois, a abster-vos dos apetites carnais que fazem guerra à vossa alma". A Carta aos Hebreus fala dos que nos precederam como "forasteiros e hóspedes na Terra" (11,13). Portanto, uma das coisas que parece ser diferente – pelo fato de se ser cristão – é que, neste mundo, não se está completamente em casa. Em certo sentido, é-se um exilado. Em "A viagem dos magos", de T. S. Eliot, os magos voltam para casa depois de ver o Menino e, no entanto, já não estão à vontade:

> Voltamos para os nossos lugares, estes reinos,
> Mas já sem gosto daqui, na velha ordenação

Com esta gente estranha, agarrada aos seus deuses.
Agradava-me uma outra morte.[1]

Que significa isto? Seremos nós como emigrantes poloneses ou italianos, por exemplo, que sonham com o regresso à velha pátria? Deveremos nós ter um sentimento de exílio porque não somos daqui? Não é bem isso. Como cristãos, acreditamos que estaremos completamente na pátria no Reino de Deus, mas não como um holandês vivendo na Inglaterra e sentindo que, verdadeiramente, pertence ao Reino dos Países Baixos. O Reino de Deus não é outro lugar escondido numa parte remota do universo, à qual se pode esperar regressar um dia. É a unidade de todos os seres humanos em Cristo. A Epístola aos Colossenses diz que Cristo

> é anterior a todas as coisas e todas elas subsistem nele. É Ele a cabeça do Corpo, que é a Igreja. É Ele o princípio, o primogênito de entre os mortos, para ser Ele o primeiro em tudo; porque foi nele que aprouve a Deus fazer habitar toda a plenitude e, por Ele e para Ele, reconciliar todas as coisas, pacificando pelo sangue da sua cruz, tanto as que estão na terra como as que estão no céu (1,17-20).

Cristo é Aquele no qual toda a Criação se reúne em unidade. Portanto, o regresso à pátria para toda a humanidade.

Na nossa aldeia global, um dos modos pelos quais muitas pessoas compreendem o que são é em termos de nacionalidade. É de fato maravilhoso ser inglês, irlandês, queniano ou indiano. É bom ter sentimentos patrióticos, sentir que se pertence a uma nação ou tribo ou grupo étnico. No entanto, como cristãos,

---

1 *The Complete Poems and Plays of T. S. Eliot*, London, 1969, p. 104.

acreditamos que estas identidades são demasiado restritivas para o que nós somos. Essas identidades são não só inclusivas, englobando certas pessoas; são também exclusivas, deixando outras de fora. Durante séculos, o grande orgulho e alegria de ser inglês consistiu em *não* ser francês; ou, para um irlandês, *não* ser inglês. As identidades nacionais não se fundamentam apenas no amor à pátria, mas no medo e na hostilidade aos outros. O cristão afirma que, em última análise, a única comunidade em que pode realizar-se e ser plenamente ele próprio é toda a humanidade, reunida conjuntamente em Cristo. Podem-se descrever os cristãos como sendo estrangeiros não tanto porque pertencem a um outro lugar, mas porque a sua pátria é Aquele que transcende as exclusões de qualquer local particular. Quando se tornou católico, Thomas Merton escreveu: "Tinha agora entrado no movimento perpétuo daquela gravitação que é a vida mesma de Deus e o seu espírito. A gravitação de Deus para as profundezas da sua infinita natureza. A sua bondade infinita. E Deus, esse centro que está em toda a parte e cuja circunferência não está em parte nenhuma, encontrando-me. E Ele convocou-me das suas imensas profundezas".[2] Deus é Aquele no qual ninguém fica à margem, porque o centro de Deus está em toda a parte e a sua circunferência em parte nenhuma. É na vastidão de Deus que estaremos completamente à vontade, porque todos lá estarão.

Portanto, o desejo cristão aponta para uma pátria da qual ninguém é excluído, a não ser os que a rejeitem. O Concílio Vaticano II descreve a Igreja como "um sacramento, isto é, um sinal

---

2 M. FURLONG, *Merton: A Biography*, London, 1980, p. 79. Merton cita aqui Alano de Lille

e instrumento de comunhão com Deus e da unidade de todo o gênero humano".[3] A tradução inglesa interpreta o latim como dizendo que a Igreja é *um* sinal e, portanto, não necessariamente o único sinal da unidade da humanidade. Deus não está limitado à Igreja. Todos os sacramentos se dirigem à unidade final da humanidade em Cristo. Herbert McCabe insiste, por exemplo, que "o Batismo é, não o sacramento da participação na Igreja, mas a participação na Igreja; é o sacramento da participação na humanidade". No Batismo, morremos para tudo o que nos separa dos outros seres humanos; somos direcionados para lá de todos pequenos limites de qualquer identidade mais restrita. Os nossos pais, tendo-nos recebido como um dom, talvez sem o saber, fazem de nós dom. É por isso que acho difícil compreender a ideia de uma Igreja puramente nacional. Parece uma contradição, como celebrar os Jogos Olímpicos com a participação de só uma nação. A Igreja deveria ser um sinal da afinidade humana e, por isso, os cristãos primitivos se tratavam uns aos outros por "irmão" e "irmã".

Que significado poderá ter assumir-se como cidadão do Reino? Parece bastante vago e sem vida, como a "filantropia telescópica" da Sra. Jellyby no seu amor pelos africanos em geral. Eric Hoffer disse que é mais fácil amar a humanidade como um todo do que o nosso vizinho. Segundo Edmund Burke, Jean Jacques Rousseau foi mais longe, pois "amava a sua espécie e odiava os seus parentes".[4] Nos dois próximos capítulos, vou tentar sugerir o que poderá significar pertencer à humanidade como um todo em Cristo. Como poderá uma tal identidade marcar as nossas vidas?

---

3 *Lumen gentium*, 1.

4 Citado por K. A. Appiah, *The Ethics of Identity*, Princeton, 2005, p. 221.

Richard Rohr[5] descreveu os três níveis da narrativa da Escritura: há "a minha história", a história que conto a respeito de mim mesmo e na qual se articula o meu sentido de identidade; há "a nossa história", que é a história que um grupo – uma tribo, uma nação ou um clube de futebol – diz de si mesmo e que aprofunda o que significa ser membro desse grupo; e, finalmente, "a História" que vai da Criação ao Reino e que exprime o derradeiro desígnio de Deus para tudo quanto fez. Vou usar estes diferentes níveis de narrativa para aprofundar a relação entre os três níveis de identidade que temos como indivíduos, como membros de comunidades específicas e como cidadãos do Reino. Neste capítulo, vou considerar a relação entre a identidade pessoal e a comunitária e, depois, no próximo, vou ocupar-me da relação entre as nossas identidades locais, como membros de famílias, nações, tribos etc., e a nossa comum identidade como cidadãos do Reino de Deus.

Aprender a dizer "nós"

> Havia um homem rico, a quem as terras deram uma grande colheita. E pôs-se a discorrer, dizendo consigo: "Que hei de fazer, uma vez que não tenho onde guardar a minha colheita?". Depois continuou: "Já sei o que vou fazer: deito abaixo os meus celeiros, construo uns maiores e guardarei lá o meu trigo e todos os meus bens. Depois, direi a mim mesmo: Tens muitos bens em depósito para muitos anos; descansa, come, bebe e regala-te". Deus, porém, disse-lhe: "Insensato! Nesta mesma noite, vai ser reclamada a tua vida; e o que acumulaste para quem será?" (Lc 12,16-20).

5 R. Rohr e J. Martos, *The Great Themes of Scripture*, Cincinnati, 1987.

Esta parábola fala-nos de um homem que está inteiramente voltado sobre si mesmo. É a história do que pensou consigo mesmo. Fala na primeira pessoa, de si mesmo e dos seus bens umas onze vezes e, quando diz "tu", é ainda a si mesmo que se dirige. Não existe mais ninguém para ele. E, depois, a voz de Deus desfaz esta prisão narcisista: "Insensato!". Parece condenatório e duro, mas também se pode considerar libertador, como o julgamento de Deus sempre é. Deus deita abaixo os muros da prisão do seu estúpido egocentrismo. Cabe agora ao homem decidir se vem para fora, para a luz, pelo buraco neste muro da sua autopreocupação, ou fica dentro na solidão. Poderá ele aprender a dizer "nós"? A liberdade consiste em ser libertado daquilo que Santa Catarina, como vimos no último capítulo, chamava "a nuvem do egocentrismo", que me cega com a ilusão de que sou o centro do mundo.

Não é fácil descobrir o caminho para sair do egocentrismo. É como tentar pensar numa maneira de se desprender da consciência de si. Um esforço aplicado para agir espontaneamente resulta, invariavelmente, em ser pomposo e desajeitado. As minhas malogradas tentativas de dançar fracassam sempre na minha consciência de tentar não estar consciente de mim mesmo e, por isso, incapaz de me abandonar à música. As parábolas de Jesus resultam, frequentemente, num choque que nos faz sair da preocupação conosco mesmos. O doutor da Lei pergunta a Jesus quem é o *seu* próximo. Jesus conta aquela história do bom samaritano, que se encontra com um homem ferido à beira da estrada, depois de ter sido roubado por ladrões e ignorado pelo sacerdote e pelo levita. No final, pergunta ao doutor da Lei: "Qual destes três, na tua opinião, foi o próximo *daquele que* caiu na mão dos ladrões?" (Lc 10,36). O doutor da Lei tinha feito uma pergunta centrada sobre si mesmo, mas Jesus respondeu com uma história que visava abaná-lo e tirá-lo do centro do seu mundo.

Isto – ceder o centro do palco – é humildade. Temos tentado captar os indícios da diferença que o cristianismo pode representar. Nos primeiros séculos, a resposta mais frequente teria sido: a humildade. Esta era desprezada pelo paganismo, tanto romano como grego. Para Aristóteles, a humildade era um vício. Ser humilde era ser inferior, desprezível e não merecer consideração. O cristianismo mudou esta maneira de encarar o mundo, virando-a às avessas, ao proclamar que a humildade é a virtude cristã típica, e o orgulho o maior dos vícios.

Mas a humildade cristã não consiste em a pessoa se considerar um verme desprezível. Consiste, sim, num respeito correto por si mesmo. Jean-Louis Bruguès OP escreveu que a humildade é o nome cristão da autoestima. "Graças à humildade, repouso em mim mesmo",[6] satisfeito em ser o que sou. É a libertação da competição, da compulsão de me comparar com os outros. E dá-me uma ambição adequada relativamente ao que posso fazer, libertando-me das fantasias relativas ao que não posso fazer. O arcebispo Ullathorne de Birmingham, um grande beneditino do século XIX, quando lhe perguntaram se havia alguns bons livros sobre humildade, respondeu: "Só há um e fui eu que o escrevi".[7]

No primeiro canto do Inferno, Dante confessa que, por medo, "*perdei la speranza dell'altezza* – perdi a esperança das alturas". A humildade é a virtude que nos restitui a coragem, com uma

[6] J.-L. BRUGUÈS, *Les Idées Heureuses*, Paris, 1996, p. 33.
[7] Conde de LONGFORD, *Humility*, London, 1970, p. 14.

compreensão realista de quem somos e do que podemos ser com a graça de Deus e, por isso, lança-nos de novo na escalada das alturas. Screwtape, o nosso velho diabo, compreende muito bem como é perigosa, para a sua causa, uma verdadeira humildade cristã, embora se tenha de desculpar o sexismo dos seus exemplos. Na década de 1940, os diabos não eram sensíveis a essas coisas:

> Deves, por isso, esconder ao paciente o verdadeiro fim da humildade. Deixa-o pensar, não que é um esquecimento de si, mas que é certa opinião de si mesmo, nomeadamente uma opinião negativa dos seus próprios talentos [...]. Milhares de seres humanos foram ensinados a pensar que a humildade consiste em mulheres bonitas tentarem acreditar que são feias e homens inteligentes tentarem acreditar que são idiotas [...]. Deus gostaria muito mais que o homem pensasse que era um grande arquiteto ou um grande poeta e, depois, se esquecesse disso do que passasse muito tempo sofrendo por pensar que não tem qualidade.[8]

Noel Coward, ao encontrar um amigo que já não via havia muito tempo, disse-lhe: "Não temos tempo para falarmos um do outro, por isso, vamos falar de mim". A humildade é a libertação da compulsão de ocupar o centro do palco, aceitando desempenhar um papel na história que se partilha com os outros, mas não necessariamente o primeiro papel. No filme *Shakespeare apaixonado* (1998), o elenco vai a uma taverna, depois do primeiro ensaio, e fala aos amigos a respeito desta maravilhosa nova peça chamada *Romeu e Julieta*. A ama explica que a estrela é a ama que cuida da donzela Julieta. O boticário diz que é a história de um boticário. Mesmo Frei Lourenço não mostra nada

8 C. S. Lewis, *Screwtape Letters*, p. 72.

daquela humildade que habitualmente associamos aos frades e vê-se como o centro do enredo. A humildade consiste em contentar-se com um papel secundário, de mero figurante. Como é habitual, a virtude tem a ver com viver no mundo real, no qual nem sempre somos estrelas.

Em boa parte dos últimos 2 mil anos, isto tem sido aceito como uma virtude cristã central e libertadora. É maravilhoso não ter de ser o Brad Pitt ou a Gwyneth Paltrow *todo* o tempo. Mas, desde o século XVII, a humildade viu-se obrigada a esforçar-se imensamente para ser reconhecida. Desde Descartes, numa exagerada simplificação, a cultura europeia tem cultivado certa compreensão do ser humano como um ser solitário, cuja segurança na própria existência se funda na consciência de si. *Cogito ergo sum* – "Penso, logo existo" –, embora se afirme que hoje em dia o axioma se converteu em *Tesco ergo sum* – "Compro, logo existo". Este eu é, essencialmente, consciente de si. A minha autoconsciência é o fundamento da minha segurança de ser alguém. Este é o moderno eu ocidental, autônomo e solitário, "o fantasma na máquina", inseguro e, como vimos no último capítulo, desconfiado e cheio de suspeitas. É uma compreensão atomística dos seres humanos, o que Charles Taylor designou "o eu pontual",[9] pontos disseminados de autoconsciência, tentando entrar em contato uns com os outros. Em tal sociedade, o convite à humildade, libertação do egocentrismo, terá que parecer, de forma alarmante, como um suicídio mental. É como um salto para o abismo do esquecimento de si, onde poderá não haver ninguém que nos agarre.

Alguém que estava profundamente infeliz escreveu um dia a um famoso rabino, o *Rebbe* Lubavitcher, dizendo-lhe: "Gostaria

---

9 C. TAYLOR, *Sources of the Self*, Cambridge, 1989, e.g. p. 169.

que o *Rebbe* me ajudasse. Acordo todos os dias triste e apreensivo. Não consigo concentrar-me. Tenho dificuldade em rezar. Guardo os mandamentos mas não tenho satisfação espiritual. Vou à sinagoga, mas sinto-me só. Começo a perguntar-me se a vida terá algum sentido. Preciso de ajuda". E o Rebbe mandou-lhe de volta a carta, sublinhando o começo de cada uma das frases. Era sempre um verbo na primeira pessoa, tudo se referia ao "eu".[10] Esta é a infelicidade do eu ocidental, moderno e solitário.

As culturas africanas desafiam-nos a pensar em nós próprios de outro modo. É acentuadamente reducionista a ideia de que há apenas uma concepção africana de personalidade, tal como seria pensar que há só uma concepção europeia ou asiática do ser humano. Mas a sua essência pode ser resumida nas palavras de John Mbiti: "Eu sou porque nós somos",[11] ou no ditado zulu "*Umuntu ungumuntu ngabantu* – A gente torna-se pessoa por causa das pessoas". A minha identidade não é uma possessão solitária, descoberta mentalmente por introspecção, por distanciamento das redes de relações, comigo a pensar em mim. É-me dada pela participação na minha comunidade – a família, o clã, a tribo ou a nação. Fazemo-nos pessoas pela integração na comunidade, por assumir a nossa posição e desempenhar o nosso papel. David Cooper escreveu que, "entre os que falam Chichewa, uma das línguas banto, uma criança que morre antes de ser mostrada em público é enterrada sem luto ou cerimônia, o que, para alguns observadores, indica que uma criança se faz

---

10 Cf. J. Sacks, *Celebrating Life: Finding Happiness in Unexpected Places*, London, 2000, p. 47.

11 D. Cooper, "I am because we are", in *TLS*, 6 de abril de 2005, p. 5.

um ser humano só quando sai do isolamento com sua mãe".[12] Ele cita Ifeanya A. Menkiti: "A personalidade é uma realização, uma 'chegada moral'; é por isso que o estatuto de uma criança ainda não introduzida em relações morais com os outros não é inequivocamente o de uma pessoa".

Este sentido comunitário de identidade tem os seus perigos, como bem sabe qualquer pessoa que tenha crescido numa pequena aldeia. Os outros podem não nos conceder o reconhecimento que julgamos que nos é devido. Podemos sentir-nos oprimidos pelas concepções do nosso papel como mulher ou como membro de um grupo étnico especial. Qual é o estatuto do ainda não nascido? Note-se que uma compreensão cartesiana da personalidade, com fundamento na consciência de si, pode igualmente pôr em questão o estatuto moral do feto.

Mas a crença de que "eu sou porque nós somos" contém um convite ao Ocidente para redescobrir um sentido de identidade que seja menos solitário e inseguro. Nas palavras de Santo Antão, um Padre do Deserto que viveu em África e é um dos antepassados espirituais do Ocidente, "a nossa vida e morte é com o próximo". Somos convocados de novo a uma compreensão da personalidade que, em última análise, é relacional. Isto não é uma ideia estranha para nós, no Ocidente. Foi o esforço para articular o mistério da Trindade, um Deus e três pessoas, pura relação, que ajudou o Ocidente, em primeiro lugar, a chegar a uma nova compreensão do que é uma pessoa humana. O que distingue os membros da Trindade não é que tenham diferentes tarefas, uma espécie de equipe divina (Criador, Redentor,

---

12 Ibid.

Santificador). É a relação que têm com cada um dos outros, o dom e a recepção do ser. Terá sido o afastamento da doutrina da Trindade do centro da nossa consciência comum que contribuiu para o enfraquecimento, no Ocidente, da compreensão dos seres humanos como constituídos por relações? Ou poderá ter sido ao contrário? Quando deixamos de compreender a personalidade humana como fundamentada na relação, a doutrina da Trindade começou a parecer-nos uma bizarra matemática celeste.

Como posso descobrir a minha identidade dentro da comunidade, na relação, sem ser engolido e oprimido? Que história comunitária pode ser contada – "a nossa história" – que deixe espaço para a história que eu possa contar de mim mesmo? O comunismo e o nazismo mostraram o que pode acontecer quando o eu é absorvido pela tribo. Para o exprimir nesses diferentes níveis de narrativa, como se pode guardar um equilíbrio correto entre "a nossa história" e "a minha história"? A Guerra Fria poderia ser vista como a batalha entre um individualismo radical, que absolutizava a história da pessoa solitária do Ocidente moderno, e um coletivismo selvagem, tanto fascista como comunista, que absolutizava a história do grupo. Era ou a absolutização do indivíduo – a Sra. Thatcher declarando que a sociedade não era coisa que existisse – ou a sua abolição.

É pelo diálogo com outras pessoas que descubro tanto quem eu sou como quem nós somos. Kwame Anthony Appiah escreveu:

> Começando já na infância, é em diálogo com a compreensão que os outros têm de quem sou que desenvolvo uma concepção da minha própria identidade. Vimos ao mundo "miando e vomitando nos braços da ama" (como Shakespeare diz tão expressivamente),

capazes de individualidade humana, mas só se tivermos a sorte de a desenvolver interagindo com outros. Uma identidade é sempre articulada por conceitos (e práticas) facultados pela religião, pela sociedade, pela escola e pelo Estado, com a mediação da família, dos pares, dos amigos.[13]

Só com os outros eu descubro quem sou. De qualquer modo, não há apenas um "nós" que tudo alcança e tudo engloba. Uma parte do que sou, como único, é o ponto de intersecção de várias espécies de comunidades, da família e da escola, passatempos e desporto, pertencendo a grupos que se definem por etnia, por sexualidade ou por idade. Chego a uma identidade segura pela minha negociação das muitas identidades comunitárias que cada um de nós tem, decidindo qual tem prioridade em cada momento. Vou jogar futebol ou aos anos do meu irmão ou à Bênção do Santíssimo? Os contornos da minha identidade definem-se pelas opções que vou fazendo diante das exigências que os diferentes grupos me dirigem.

Quando se fala de uma vocação, por exemplo, a vocação religiosa ou o matrimônio, ou qualquer outra, seguramente não estamos apenas nos referindo a mais um grupo a que se pertence, como o clube local de futebol ou um partido político. Se é uma *vocação*, de certo modo, terá de ser aí que se começa a reunir todos os outros sentidos de identidade, um lar no qual se pode procurar a integridade. Uma vocação, enquanto oposta a uma afiliação menor qualquer, é onde nos tornarmos parte de um "nós" – seja por casamento, por profissão numa Ordem religiosa ou por iniciação a uma profissão –, é fundamental para a percepção de quem sou.

13 K. A. Appiah, op. cit., p. 20.

Quando entrei na Ordem dominicana, aprendi a dizer "nós, os dominicanos". Posso dizer que chegamos a Oxford em 1221, mesmo que eu tenha nascido apenas vários séculos mais tarde. Posso também dizer que estamos fundando uma universidade na Etiópia, mesmo se por ora não há nenhum dominicano inglês envolvido nela. Ser membro desta comunidade pode, por vezes, exigir que a história que conto de mim mesmo não decorra como tinha esperado e previsto. Talvez tivesse desejado ser missionário na China, para descobrir que me é pedido que ensine em Oxford, ou ao contrário. Posso ter de sacrificar as minhas prioridades em função das que a minha comunidade escolheu. Isto é o que para mim significa aceitar ser um dos irmãos.

Em *Dombey e Filho*, de Charles Dickens, o sr. Dombey diz de seu filho e herdeiro: "Não há nada de fortuito ou duvidoso no destino diante do meu filho. O seu caminho na vida foi claro e preparado, e delineado antes que ele existisse".[14] A Ordem elabora planos para os irmãos e envia-nos a fazer o que os nossos irmãos desejam mas, ao contrário do menino Dombey, eu participo nas conversações que elaboram esses planos. Dizemos que quem quiser fazer Deus rir que lhe conte os seus planos. Com os irmãos, poderia dar-se o mesmo. Mas, apesar de não ser o único autor da narrativa da minha vida e tenha que estar aberto ao totalmente inesperado, também não sou inteiramente passivo. É por meio de conversas que as histórias que contamos de nós próprios e a história que posso contar de mim mesmo se articulam.

Se encarar o ser membro da Ordem apenas como útil para os meus planos – a Ordem dar-me-á uma boa formação para poder ser professor e, portanto, posso beneficiar-me ao ser dominicano

[14] C. DICKENS, *Dombey and Son*, Oxford, 1991, p. 139.

–, em verdade nunca fiz parte da Ordem. Não me teria dado aos meus irmãos. Mas se me vir apenas como um pião que é movido no tabuleiro de xadrez da Ordem, não haverá de forma alguma um verdadeiro "eu" fazendo parte dela. Não se trata de uma questão de compromisso entre a Ordem e eu – umas vezes faço o que quero e outras submeto-me. É uma comunidade na qual me realizo e sou feliz, precisamente, porque descubro quem sou como um dos irmãos. Se a Ordem não tivesse nenhuma consideração por tudo o que somos como indivíduos, seria inevitavelmente uma comunidade não de irmãos mas sim de autômatos. Mas também me descubro quem sou aos olhos dos meus irmãos. Se tivesse a ilusão de ser um outro Tomás de Aquino ou um brilhante ecônomo, eles bem depressa me libertariam dessa fantasia. Eu sou porque nós somos, mas também nós somos porque cada um de nós é.

A primeira biografia de São Domingos encontra-se inserida num livro chamado *Vitae Fratrum* (*A vida dos irmãos*). Recolhe memórias dos primeiros membros da Ordem. Não se pensou apropriado escrever uma vida de São Domingos, apresentando-o como a figura principal. O seu gênio foi o de fundar uma fraternidade na qual as pessoas pudessem florescer precisamente como sendo "um dos irmãos".

A história do cego de nascença, no capítulo 9 do Evangelho de João, conta-nos a história de um homem que aprende a dizer "eu", não de forma egocêntrica, como aquele que escreveu ao rabino *Rebbe*, mas com dignidade humana. No começo da história, os discípulos falam do cego, mas não falam com ele. Só Jesus o faz. Depois, quando está curado, os vizinhos falam acerca dele, mas nada lhe dizem até que ele toma a palavra e diz: "Sou eu".

Em seguida, levam-no aos fariseus e, de novo, começam por falar acerca dele em vez de falar com ele. Os fariseus convocam os seus pais, mas também eles recusam falar a respeito dele. Dizem: "Tem idade. Ele próprio falará a seu respeito". E é o que ele faz cada vez com mais força, culminando na confissão de fé: "Creio, Senhor!". É a história de um homem que encontra a sua própria voz. Deixa de ser o assunto das conversas e torna-se um sujeito que se dirige a outras pessoas. De fato, é a *sua* história. O cego aprende a dizer "eu", tornando-se parte de um grupo, um dos discípulos de Jesus. É porque pode dizer "eu" que pode também dizer "nós", e vice--versa. Nenhuma identidade, nenhuma espécie de história tem uma prioridade absoluta. Consolidam-se reciprocamente.

É pelo diálogo que descobrimos como relacionar a história da comunidade e a do indivíduo. Tais conversações passam necessariamente por momentos de perplexidade, de resistência, ao descobrir que os outros não aceitam a imagem que tenho de mim. Este é o esforço para me tornar alguém. Walter Davis escreveu que "o eu não é uma substância que se desenterra, descascando sucessivas camadas até chegar ao âmago, mas uma integridade que se luta para trazer à existência".[15] O verdadeiro Timothy Radcliffe não é o centro escondido da minha mente, uma interioridade profunda e secreta que preciso descobrir por introspecção. Descubro quem sou, mais exatamente, torno-me aquele que estou chamado a ser interagindo com os meus irmãos e amigos, descobrindo que eles pensam, por vezes, que consigo fazer mais do que penso conseguir, mas também por vezes menos do que me julgo capaz.

---

[15] W. DAVIS, *Inwardness and Existence: Subjectivity in/and Hegel, Heidegger, Marx and Freud*, Madison, 1989 p. 105; citado por R. WILLIAMS, *On Christian Theology*, Oxford, 2000, p. 139.

Por vezes, a conversa pode incluir uma intolerável rejeição de quem sou. Se me considero descrito em termos que são degradantes, porque sou mulher ou negro ou *gay* ou pobre, terá de haver a irrupção de uma nova forma de conversa, a revelação de um modo diferente de falarmos uns com os outros, no qual eu possa reconhecer-me. Rowan Williams escreveu que "nós não crescemos sem competição; mas competição sem mútua aceitação e sem mútua dependência é bárbara e autodestruidora".[16] Na história do cego de nascença, os fariseus dizem frequentemente "nós". "Nós sabemos que Deus falou a Moisés, mas, como para este homem, não sabemos de onde é". Usam um sentido de identidade comunitário que exclui tanto Jesus como o cego. "'Tu nasceste todo inteiro no pecado e estás nos ensinando?!' Expulsaram-no." A presença de Jesus desafia-os a compreender de outra forma a natureza da sua comunidade, para que nela o cego possa dizer "eu". Os fariseus são desafiados à conversão, o que significa aprender uma nova forma de conversação.

A Igreja deveria ser um lugar onde se aprendesse a conversar – nas nossas paróquias, nas nossas famílias e comunidades –, o que ajudaria cada um de nós a dizer "eu", porque aprendemos a dizer "nós" e vice-versa. Aqui, ousar-se-ia correr o risco de pertencer. Os europeus modernos acreditam sem afiliação alguma. Os jovens estão marcados por uma profunda fome de Deus, mas desconfiam de qualquer instituição que se lhes apresente exigências – o Estado, a Igreja, os partidos políticos, seja o que for. Pertencer parece ameaçar a nossa preciosa autonomia, o "nós" parece apagar um "eu" frágil. Mas a comunidade cristã deveria ser um lugar para aprender a dizer "eu" desassombradamente como o cego de nascença.

---

16 R. WILLIAMS, *On Christian Theology*, p. 243.

Isto significa que os dirigentes cristãos deveriam ter muito cuidado no que diz respeito a falar das pessoas, em vez de falar com elas. Há a tendência para falar *acerca* dos jovens, dos divorciados, dos homossexuais, do laicado. Fazem-se afirmações acerca deles e, por vezes, para eles nem sempre há espaços nos quais as suas vozes possam ser ouvidas como parceiros de diálogo. A Igreja deveria dar corpo ao acolhimento incondicional de Deus, o que significa que ninguém deveria ter de lutar para ser reconhecido. "O eu terá liberdade para crescer eticamente [...] apenas quando não estiver sob pressão, sobretudo a de se defender – ou para se *criar* a si mesmo, para conseguir o seu lugar num ambiente potencialmente hostil."[17] Na Igreja, há a tentação de os clérigos dominarem a conversa, de decidirem o seu vocabulário e o seu dialeto. Assim, o "nós" da Igreja torna-se opressor e sufocante, e as pessoas têm de lutar para conseguir respirar. Deveríamos criar silêncios, nos quais as vozes silenciadas possam ser ouvidas, utilizando palavras pouco habituais. Os discípulos estão calados enquanto Jesus fala com o cego de nascença. Jesus deixa-o fazer ouvir a sua voz. Se não fizermos o mesmo, não será de estranhar que aqueles que acham que não estão sendo ouvidos comecem a gritar.

Habitamos uma história que nos dá esperança: o ano litúrgico. Este leva-nos do Advento, em que esperamos que Cristo venha como criança, até o fim do ano, em que esperamos que Ele venha no fim dos tempos. Até aqui centramo-nos no âmago dramático dessa história, os últimos dias de Cristo em Jerusalém – de Quinta-Feira Santa a Domingo de Páscoa. A maior parte do ano é o que chamamos "o Tempo Comum". Parece bastante aborrecido, como se estivéssemos simplesmente à espera de que chegue o próximo

---

17 Ibid., p. 250.

acontecimento emocionante do ano litúrgico. O Tempo Comum preenche o vazio entre a alegria de Natal e Epifania e o drama da Semana Santa e, depois, entre o Pentecostes e o fim do ano.

Isto está errado. O Tempo Comum [*ordinary time*, em inglês] celebra o que é fundamental para se ser humano, isto é, que estamos ordenados, direcionados para além de nós mesmos. Constitui uma contribuição específica para mostrar o sentido da fé cristã. Estamos ordenados uns aos outros. Não podemos realizar-nos isolados. E estamos ordenados para o Reino, no qual haveremos de florescer todos juntos. Neste capítulo, vimos como estamos ordenados uns aos outros e, no próximo, veremos como estamos ordenados a essa comunidade plenária, o Reino, da qual ninguém está excluído.

A Igreja deveria ser uma comunidade na qual se descobre o prazer de ser comum, de pertencermos uns aos outros. Deus diz a Santa Catarina de Sena: "Podia muito bem ter feito os seres humanos de tal maneira que cada um tivesse tudo, mas preferi dar diferentes dons a diferentes pessoas para que todos necessitassem de cada um".[18] Chamam-se "Ordinários [*ordinaries*, em inglês]" os Bispos não porque sejam desinteressantes, mas porque estão encarregados de cultivar uma comunidade na qual possamos aprender como devemos estar juntos. No século XVIII, a palavra também foi usada para quem entregava mensagens, o equivalente antigo dos carteiros, que eram essenciais para o intercâmbio na comunidade. A cor litúrgica do Tempo Comum é o verde, porque é o tempo em que aprendemos a florescer juntos.

A menos de cem metros mais abaixo na rua em que vivo, há um cartaz que diz: "O mundo pode ser mudado por pessoas

---

[18] Sta. CATARINA DE SENA, *Diálogo*, 7.

comuns como você". Confesso que costumava ficar irritado cada vez que passava por aquele cartaz. Como sabem eles que eu sou uma pessoa comum? Por menos que queiram, eu posso ser uma pessoa excepcional! Parecia-me condescendente. No entanto, a Igreja deveria ser uma comunidade que nos intima, para além da necessidade de sermos celebridades, a termos importância e nos liberta da compulsão de exigir o centro do palco. Podemos aprender a alegria de ser comuns, não no sentido de ser desinteressantes ou irrelevantes, mas de estarmos voltados uns para os outros e recebermos vida uns dos outros.

Quando Thomas Merton, depois de alguns anos no mosteiro, saiu pela primeira vez, em visita à cidade vizinha, ficou submergido pelo sentimento da beleza e bondade das pessoas que encontrou.

> É um destino glorioso ser membro da raça humana, embora seja uma raça dedicada a muitas coisas absurdas e que comete erros enormes: no entanto, apesar de tudo isso, o próprio Deus gloriou-se de se fazer membro da raça humana. Um membro da raça humana! Pensar que uma realização tão trivial deveria, de repente, parecer como a notícia de que se tem o bilhete premiado de uma loteria cósmica. Não há maneira de se dizer às pessoas que andam por aí brilhando como o Sol [...]. Não há estrangeiros [...]. Se ao menos nos pudéssemos ver uns aos outros, todo o tempo, como na realidade somos. Não haveria mais guerra, nem ódio, nem crueldade, nem ganância [...]. Suponho que o grande problema seria que nos prostraríamos adorando-nos uns aos outros [...] a porta do céu está em toda parte.[19]

---

[19] M. FURLONG, op. cit., p. 184.

A Igreja deveria ser uma comunidade em que a beleza da banalidade se revela, porque no nosso Deus, cujo centro está em toda parte e cuja circunferência não está em parte nenhuma, ninguém deveria sentir-se à margem.

Na estrada para Jerusalém, os Apóstolos discutem entre si sobre quem dentre eles é o maior. Tiago e João, os filhos de Zebedeu, pedem a Jesus: "Concede-nos que nos sentemos um à tua direita e o outro à tua esquerda na tua glória" (Mc 10,37). Desejam ter os lugares de destaque, deliciar-se com a glória, ser elevados acima da concorrência. Não querem ser meros apóstolos, na condição inteiramente simples de apóstolos. Mas Jesus diz-lhes que "sentar-se à minha direita ou à minha esquerda não me pertence concedê-lo; é para aqueles a quem está reservado" (10,40). E, de fato, quando foi levantado na sua glória sobre a cruz, foram dois ladrões comuns, cujos nomes nem sequer conhecemos, que tiverem os lugares de honra.

CAPÍTULO 8

Cidadãos do Reino

No último capítulo, consideramos a relação entre a minha identidade pessoal e a que tenho como membro de uma comunidade, seja ela a minha família, a minha tribo ou a minha nação. Se a comunidade é sadia, não suprime a minha identidade pessoal: "Eu sou porque nós somos". A Igreja deveria ajudar-nos a florescer, sendo uma comunidade na qual se pode falar com confiança. Mas a Igreja reivindica ser mais do que uma comunidade a que se pertence, a acrescentar ao clube local ou até à nossa nação. É o sacramento da unidade do gênero humano em Cristo. Mas o que significa isso?

Os cristãos usam frequentemente o termo "solidariedade" para expressar o sentido dessa pertença à comunidade humana. João Paulo II afirmou: "Quanto mais globalizado se torna o mercado, tanto mais devemos equilibrá-lo com uma cultura de solidariedade que dê prioridade às necessidades dos mais vulneráveis".[1] Que poderá ser uma "cultura de solidariedade"? "Solidariedade" é uma palavra cujas raízes se encontram na França do início do século XIX e que exprimia a solidariedade do povo francês contra os inimigos, tais como os ingleses. Era uma

---

1 João Paulo II, *Homília para o Jubileu dos Trabalhadores*, 2001.

solidariedade baseada na exclusão, "nós" contra "eles", como o "nós" dos fariseus contra Jesus e o cego de nascença. Há um provérbio árabe que diz: "Eu contra o meu irmão, o meu irmão e eu contra o meu primo, o meu primo, o meu irmão e eu contra o mundo". Mas qual seria o sentido de uma solidariedade que não excluísse ninguém, a ponto de não haver um "outro" contra quem me possa definir? Quando não há um "outro" a odiar, o nosso sentimento de identidade pode sentir-se ameaçado. Quando se deu a queda do comunismo, o Ocidente pôs-se ansiosamente à procura de outro inimigo.

Dizer-se católico é aceitar uma identificação: *kath holon*, de acordo com o todo, com a comunhão universal do Reino. É recusar uma identidade baseada na exclusão. Por isso, há certo paradoxo em compreender ser católico no sentido de não ser, por exemplo, protestante. Como é possível ter uma identidade que não exclua ninguém? Não seria totalmente vazia? Benedict Anderson escreveu um livro acerca do nacionalismo chamado *Comunidades imaginadas*.[2] Pela imaginação mantemos o sentido de pertencer a uma realidade tão grande como uma nação. O sentimento de ser americano nasceu de imagens do Tio Sam puxando pela cauda o Leão britânico. Mas como vamos imaginar sermos membros da humanidade unida em Cristo? O Apocalipse fala-nos dos novos céus e da nova terra, mas são de tal maneira novos que não consigam captar a nossa imaginação.

Algumas pessoas exprimiram uma identificação com a humanidade no seu todo pela rejeição de todas as identidades menores. Tolstoi descreveu o patriotismo como "estúpido e imoral".

---

[2] B. ANDERSON, *Imagined Communities: Reflections on the Origin and Spread of Nationalism*, London, 1983.

Em *Os três guinéus*, Virginia Woolf falou de liberdade em face das "fidelidades irreais": "A liberdade diante das fidelidades irreais significa que devemos nos desembaraçar, em primeiro lugar, do orgulho da nacionalidade; mas também do orgulho religioso, do orgulho da universidade, do orgulho da escola, do orgulho da família, do orgulho do gênero e das fidelidades irreais que brotam deles".[3] Isto sugere que a única maneira de afirmar a participação nessa vastíssima comunidade é negando a identificação com os grupos menores. Tento alcançar uma compreensão da participação na comunidade humana renunciando à identificação com a minha família, o meu país e, até, presumivelmente, com a Ordem dominicana. Mas isto parece duro e destruidor. Se não se pode ser apoiado pelas fidelidades menores, como se será capaz de solidariedade com toda a humanidade? Poder-se-á estar à vontade na aldeia global sem uma casa menor que seja o nosso lar?

Michael Ignatieff, no seu maravilhoso livro *As necessidades dos estranhos*, fala da necessidade de encontrar uma nova linguagem: "Palavras como fraternidade, pertença e comunidade estão tão carregados de nostalgia e de utopia que são quase inúteis como guias para as possibilidades reais da solidariedade na sociedade moderna. A vida moderna mudou as possibilidades da solidariedade cívica, e a nossa linguagem tropeça como um portador sobrecarregado com uma montanha de velhos embrulhos".[4]

Vou sugerir três modos em que se pode expressar um sentimento de pertença à comunidade humana. O primeiro é pela oposição a tudo o que deformar a unidade da humanidade. A confrontação com o sofrimento humano pode precipitar um

---

3 New York, 1938, p. 80; cit. por K. A. Appiah, op. cit., p. 222.
4 M. Ignatieff, *The Needs of Strangers*, London, 1984, p. 138.

sentimento mais profundo de afinidade humana. Em segundo lugar, podemos identificar os falsos ídolos que são adorados na nossa sociedade e que destroem a nossa realização comum: o culto do desejo ilimitado, a absolutização da propriedade privada e a divinização do dinheiro. A recusa da idolatria liberta-nos para adorar o verdadeiro Deus no qual todos, uns com os outros, seremos um. Finalmente, como cristãos, acreditamos que a unidade da comunidade humana está enraizada na partilha da linguagem e que, em última análise, essa linguagem na qual toda a humanidade pode encontrar-se à vontade é Jesus Cristo, o próprio e espaçoso Verbo de Deus. E abrimo-nos a esse Verbo aprendendo a estar atentos não apenas aos Evangelhos, mas também aos outros.

"Não são humanos?"

Uma das maneiras de nos aproximarmos do mistério de Deus é pela demolição das falsas imagens; é a via negativa. Damos pequenos passos para o mistério de Deus descobrindo o que Deus não é. Podemos não ser capazes de dizer o que Deus é e quem Deus é, mas sabemos que Deus não é um ser muito poderoso, o Presidente do Universo, Aquele que manda em tudo quanto existe. Da mesma forma, percebemos o que poderá significar pertencer à humanidade no seu todo, opondo-nos ao que a contradiz. A experiência de desumanidade ou sofrimento escandalosos pode provocar uma consciência mais profunda do que implica para nós ter solidariedade uns com os outros. A nossa fé cristã afirma que, tal como há um só Deus, também a humanidade é convocada à unidade. Mas que espécie de unidade? Genghis Khan apelava ao monoteísmo para justificar a unidade tirânica que impunha no seu império. "No céu há somente um Deus e na terra um só senhor: Genghis Khan, o filho de Deus". Nem todo mundo acharia que o seu império era a melhor realização do plano de Deus para reunir a humanidade na unidade. Uma das maneiras de vir a compreender a solidariedade humana é intensificando a nossa consciência da sua falta.

Tomemos, por exemplo, o encontro dos conquistadores espanhóis com os indígenas da Ilha de São Domingos. Segundo Roger Ruston, "a era moderna é a era dos direitos humanos, e o acontecimento que é tido tradicionalmente como o que lhe deu início ocorreu dezenove anos depois do primeiro desembarque de Colombo, no segundo Domingo do Advento de 1511, numa igreja improvisada na Ilha de Hispaniola, hoje República Dominicana".[5] Os frades dominicanos, que tinham chegado pouco tempo depois de Colombo, estavam profundamente chocados com a brutal escravização do povo indígena, e os irmãos concordaram que, no seu sermão desse domingo, Antônio Montesinos confrontasse os conquistadores espanhóis com o seu pecado. Ele declarou estar falando com a voz de Cristo:

> Esta voz diz que estais em pecado mortal e que vivereis e morrereis nele pela crueldade e tirania com que tratais estas pessoas inocentes. Dizei-me, com que direito, com que justiça são mantidos estes índios em tão cruel e horrível escravidão? Com que autoridade se fizeram as detestáveis guerras contra estes povos que viviam nas suas terras serena e pacificamente, aniquilando enorme número deles com morte e destruição inauditas? Eles não são humanos? Não têm almas racionais? Não tendes obrigação de

5 R. RUSTON, *Human Rights and the Images of God*, London, 2004, p. 66.

os amar como a vós mesmos? Não compreendeis isto? Não o conseguis entender?[6]

Está surpreendido com os conquistadores espanhóis por não terem entendido o que estavam fazendo aos nativos. Mas talvez estes frades só tenham compreendido o que estava acontecendo precisamente por causa da falta de humanidade da parte dos espanhóis. Foi isso que desencadeou a abertura a uma nova compreensão dos seres humanos, independentemente de serem cristãos ou não. Foi por causa do escândalo da incapacidade dos colonos espanhóis de se darem conta dos direitos dos índios que os frades o fizeram pela primeira vez, tal como nunca temos consciência de um órgão interno do nosso corpo enquanto não começa a doer.

Da mesma forma, as enormes chacinas das duas guerras mundiais levaram à criação das Nações Unidas e à Declaração Universal dos Direitos Humanos em 1948. O gigantesco fracasso da civilização ocidental precipitou uma nova percepção do que representa para nós ser membros da comunidade humana. Nunca mais tal loucura! Foi a insensatez desta luta sanguinária por território que desmascarou o absurdo de as nações irem para a guerra para mudar as fronteiras. Ainda estamos descobrindo como lidar com o Holocausto. Só em 2005 foi erigido, no centro de Berlim, o memorial aos que morreram. Este austero e lúgubre monumento aos mortos, no centro de uma cidade dos vivos, impele-nos para um novo sentido do que pode significar para nós sermos irmãos e irmãs uns dos outros. A nossa solidariedade humana nunca mais poderá permitir isto.

---

6 Ibid., p. 67.

O *tsunami* de 26 de dezembro de 2004 provocou uma enorme consciência da nossa ligação às vítimas. Não foi só por causa do grande número de pessoas que morreram. Mais gente morreu em Darfur. Aquela grande onda, movendo-se com incrível velocidade e apanhando as pessoas totalmente desprevenidas, tornou-se instantaneamente o símbolo da nossa vulnerabilidade em face do perigo desconhecido. Acentuou o sentimento de insegurança difusa. A destruição estendeu-se da Indonésia à costa oriental da África, ligando pessoas distantes na partilha do mesmo desastre. Atingiu pessoas em paraísos tropicais, em lugares que nós, ocidentais, sonhamos visitar, mas neste caso era um paraíso destruído. Morreram pessoas de todas as partes do mundo. Provocou uma resposta global em grande escala. Algumas instituições de beneficência chegaram a temer que esta generosidade significasse que se desse menos dinheiro para outras causas e que, por isso, a ajuda à África, por exemplo, viesse a diminuir. Provou-se que isso não aconteceu. A maioria das instituições descobriu que o *tsunami* ocasionou um aumento de generosidade para outras causas. Fez-nos mais profundamente conscientes da nossa interdependência.

O processo de globalização, que teve o seu início no momento em que se deu a descolonização de África, atingiu um novo nível. Vivemos num mundo de comunicação instantânea. Esta manhã recebi *e-mails* de um amigo muçulmano no Cairo e de uma freira dominicana no Zimbábue. Fukuyama anunciou o fim da história e Richard O'Brien acrescentou-lhe "o fim da geografia".[7] Isto é maravilhoso e, para mim, uma fonte diária de prazer. Quase

7 R. O'Brien, *Global Financial Integration: The End of Geography*, London, 1992; citado por Z. Bauman, *Globalization: The Human Consequences*, London, 1998, p. 12.

pode parecer uma antecipação das nossas esperanças escatológicas. Quando Jesus se encontra com a samaritana, promete um tempo em que Deus será adorado não no monte dos samaritanos nem em Jerusalém, "mas em espírito e em verdade". O cristianismo liberta-nos de uma religião de espaços sagrados para a vida da Trindade. "Deus, aquele centro que está em toda parte e cuja circunferência não está em lugar algum."[8] O ciberespaço pode parecer um pouco a realização da promessa cristã.

Para descobrir como não o é, temos de estar conscientes dos pontos fracos da nossa sociedade. Também estamos unidos pelo tráfico de droga, cujos lucros excedem os do petróleo, e pelas redes de criminalidade que ameaçam vir a governar o mundo. Segundo Manuel Castells, "a questão não é saber se as nossas sociedades serão capazes de eliminar as redes da criminalidade, mas se essas redes não acabarão por controlar uma parte substancial da nossa economia, das nossas instituições e da nossa vida diária".[9] Os criminosos podem estar triunfando na Rússia.

Os pobres do planeta estão por todo o lado sendo arrastados para a economia do crime. "Explorados pelas elites criminosas, militares e políticas, os pobres abastecem o nosso mundo com matérias-primas, petróleo, minérios, mão de obra especializada barata, corpos e órgãos corporais, narcóticos e a fantasia do exótico e do assustador. E, em troca, são abastecidos com armas, cigarros, álcool, excedentes de alimentos e ajuda. Isto não tem de ser assim. Nós não temos de ser assim."[10] *Maria cheia de graça* (2004), um filme produzido conjuntamente nos Estados Unidos e na Colômbia, é a história de uma jovem que se torna "mula"

---

8 Cap. 7, n. 2.
9 M. CASTELLS, *End of the Millenium*, Oxford, 1998, p. 354.
10 I. LINDEN, *A New Map of the World*, London, 2003, p. 51.

de droga, fazendo contrabando da Colômbia para os Estados Unidos. Tem de engolir preservativos enchidos com cocaína. Se lhe rebentarem no estômago, morre. Se for apanhada, vai para a cadeia. Se não entregar o seu carregamento, matam-na. Uma das suas companheiras adoece e os traficantes em Nova York abrem-lhe o estômago para recuperar a droga que vale mais do que a vida dela. Mas para Maria é o caminho para a liberdade e a segurança para si e para o filho que lhe vai nascer.

Num mundo assim, que espécie de sinal da nossa comum humanidade pode a Igreja propor? Antes de mais, devemos insistir nas medidas que aliviam o sofrimento da humanidade. Podemos não ser capazes de dizer o que significa para toda a humanidade ser uma só, mas, pelo menos, podemos opor-nos ao que a destrói. Em maio de 2005, 1.500 religiosos e religiosas da Grã-Bretanha reuniram-se para pressionar o Parlamento em apoio da campanha "Fazer Desaparecer a Pobreza". Um sexto dos seres humanos vive em extrema pobreza e um sexto dos religiosos da Grã-Bretanha foram protestar em seu nome. Vinte mil pessoas morrem todos os dias, só porque são demasiado pobres para continuar a viver. Isto não tem de acontecer. Há setenta anos, durante a Grande Depressão, uma percentagem semelhante de pessoas na Europa Ocidental e nos Estados Unidos viveu em extrema pobreza. Muitos disseram que era inevitável. Citaram as palavras de Jesus: "Pobres sempre os haveis de ter convosco". Jesus deve ter lamentado muitas vezes a má interpretação destas palavras! Mas esta pobreza extrema foi virtualmente eliminada no Ocidente. Diziam que não era possível fazê-lo, mas foi.

Há vinte anos, mais de metade dos asiáticos vivia em pobreza extrema; hoje, as economias da China e da Índia estão florescendo e a percentagem foi reduzida para quinze por cento. Durante este mesmo período, o número de africanos em pobreza extrema praticamente duplicou. Isto não tem de ser assim. O primeiro dever dos cristãos é manter viva a consciência do que está acontecendo agora à nossa carne e sangue, o seu sofrimento presente, e que isto é intolerável e desnecessário.[11] A Igreja é a mais global das instituições do Planeta. Onde quer que haja sofrimento, aí está a Igreja. Mais de um quarto do total dos cuidados médicos na África são prestados só pela Igreja Católica. Para nós, como membros do Corpo de Cristo, o sofrimento das pessoas em longínquas regiões não deveria ser só uma estatística; são carne da nossa carne. "Não te escondas da tua própria carne" (Is 58,7).

Mas é difícil manter o sentimento de relação, se não se visitou e não se viu com os próprios olhos. O nosso espírito não sabe que fazer com estatísticas. São de tais dimensões que não se consegue imaginar. Quem pode imaginar 20 mil pessoas morrendo todos os dias? Fica-se anestesiado com todas aquelas imagens de crianças esfomeadas com a barriga inchada estendendo as tigelas vazias. Fica-se esmagado pelo "cansaço de compaixão" e afastamo-nos. A vastidão dos problemas pode fazer-nos sentir impotentes e culpados. Por isso, que fazer para a nossa imaginação ser ativada pela afinidade humana?

"Não terás outros deuses diante de mim"

Deus fez sair os Israelitas da escravidão no Egito para o adorar em liberdade. E a pedra angular da sua liberdade foi o derrube

---

[11] Cf. J. Sachs, *The End of Poverty: How We Can Make it Happen in Our Lifetime*, New York, 2005.

da idolatria. O primeiro mandamento era: "Eu sou o Senhor teu Deus que te fez sair da terra do Egito, da casa da escravidão. Não terás outros deuses diante de mim" (Ex 20,2s). Nas Escrituras, o principal combate não é contra a descrença, mas contra a idolatria. Pertencendo ao único Deus verdadeiro, eles são pertença uns dos outros. Podemos não ser capazes de aguentar um sentimento urgente da unidade da humanidade e do sofrimento dos pobres, mas podemos nomear os ídolos cuja adoração deforma a aldeia global e negar-lhes a nossa adoração. Três desses ídolos são o culto do desejo sem limites, a absolutização da propriedade privada e a deificação do dinheiro. Não há nada de mal no desejo, na propriedade privada e no dinheiro: são todos bens autênticos. Mas, se são tidos por bens absolutos, como na nossa sociedade, tornam-se ídolos cuja adoração é destruidora da família humana, uma tremenda antirreligião triteísta.

Antes de tudo, há o culto do desejo sem limites, o pai desta nossa trindade idolátrica. Para Tomás de Aquino, uma das virtudes cardeais era a temperança. Não parece ser uma virtude muito empolgante, mas é necessária à paz e à felicidade numa vida equilibrada. É uma virtude fundamental porque tem a ver com o que é básico para a sobrevivência humana, o desejo de comida e bebida e a sexualidade. É agradável satisfazer estes desejos, mas, se o nosso desejo por eles se torna excessivo, ameaçarão a nossa sobrevivência. Vimos como os primeiros dominicanos tinham gosto em beber vinho. O salmo 104 diz que Deus nos deu o vinho "para alegrar o coração", e até faz bem à saúde! Mas, se o desejo do vinho se torna ilimitado, a saúde e a felicidade serão destruídas, e o mesmo acontece com a comida e o sexo. A temperança permite-nos continuar a ter prazer na satisfação dos nossos desejos. Podemos experimentar prazer em comer, beber e no sexo, porque os desejos não nos dominaram e não nos fizeram seus escravos.

A temperança ajuda os seres humanos a realizarem-se, cultivando os desejos em grau sadio de acordo com a realidade dos seus corpos humanos. O glutão é alguém cujo desejo de comida perdeu o contato com o seu corpo real. São Tomás não defendia que devêssemos desejar apenas o que chegasse para satisfazer as necessidades corporais mínimas, o combustível suficiente para apenas manter o motor biológico funcionando. É bom para nós sentir prazer no vinho, alegrarmo-nos pelo puro prazer do seu gosto. A temperança far-nos-á parar numa vida de agitação e saborear a satisfação de um desejo. Margaret Atkins, num brilhante artigo sobre a temperança e o comer chocolates, escreveu que "raramente temos espaço para prestar atenção ao que estamos fazendo – comer uma trufa belga, por exemplo –, muito devagar e em silêncio".[12] A temperança opõe-se à violência do desejo, que pode tornar-se devorador e destrutivo. Nas representações medievais do Inferno, Satanás é muitas vezes representado como uma enorme boca que engole tudo o que lhe aparece, com olhos vidrados e cegos. Não tem prazer algum no seu consumo compulsivo.

O nascimento da economia de mercado, o principal motor da globalização, foi acompanhado pelo soltar do desejo relativamente à moderação da temperança. Encorajou-se o desejo a comportar-se sem limites. Em 1714, Bernard de Mandeville publicou

---

[12] M. ATKINS, "Temperateness, Justice and Chocolate", in *Priest and People*, outubro de 2003, p. 382.

A fábula das abelhas,[13] que era representativa deste novo mundo. Nele defendia que a economia floresce se as pessoas desejarem o mais possível. A ganância é boa porque aumenta o consumo e, portanto, desenvolve o mercado. "Vícios privados fazem virtudes públicas." O desejo não deveria ser restringido. "O luxo dava emprego a um milhão de pobres e o odioso orgulho a outro milhão." E, por isso, os ricos tinham o positivo dever público de serem intemperantes para que a economia pudesse continuar a crescer e os pobres fossem beneficiados. Chamaram o efeito de *trickle-down* [gotejamento], e não funciona.

A sociedade de consumo encoraja o desejo sem limites, e a sua dependência típica são as compras [*shopping addiction*]. O desejo torna-se independente das nossas necessidades corporais. Não tem corpo, é desencarnado. O estímulo para o consumismo consiste em fazer com que nunca deixemos de desejar, sempre insatisfeitos e sempre precisando de mais. Nunca se pode alcançar a satisfação, a não ser por um momento. A publicidade está sempre informando-nos sobre novos desejos que nem conhecíamos, fabricando desejos para que o nosso consumo seja ilimitado. O consumismo tem de criar consumidores. Bauman argumenta que se pode ver uma sequência da satisfação da necessidade à promoção do desejo e que estamos agora avançando para um terceiro estádio, ainda menos relacionado com o mundo real, que é o do mundo de fantasia da satisfação de toda e qualquer aspiração:

> Agora é a vez de o desejo ser jogado fora. Deixou de ter utilidade: tendo trazido a dependência do consumidor tal como a temos

[13] F. B. Kaye, *The Fable of the Bees, or Private Vices, Public Benefits, 2 vols With a Commentary Critical, Historical, and Explanatory*, Indianapolis, 1988.

> presentemente, já não consegue regular a marcha. Necessita-se de um estimulante mais potente e, sobretudo, mais versátil para manter a procura do consumidor ao nível da oferta. O "anseio" é esse substituto tão necessário: completa a libertação do princípio do prazer, purgando e eliminando os últimos resíduos do "princípio da realidade": a substância naturalmente gasosa foi finalmente libertada do recipiente.[14]

Vê-se como a cultura do consumismo é, em última análise, destruidora. Separa o desejo das necessidades das nossas vidas corporais, de forma a levantar voo e tornar-se estranho ao que somos e, por último, descola para o irrealismo da fantasia. O consumismo pode gloriar-se da satisfação de necessidades físicas, mas em definitiva é contra o corpo. A temperança, da qual a castidade é uma parte, traz-nos de novo à terra, de novo ao que somos como seres corporais. Convida-nos a olhar criticamente para aquilo que nos dizem que precisamos e a perguntar: "Mas eu quero mesmo isto e por quê?". De novo Atkins: "A publicidade visa quebrar o laço entre os bens e o seu verdadeiro objetivo: o carro já não é para ir trabalhar, mas para seduzir jovens mulheres atraentes ou para fazer corridas em lugares desertos ou para fazer inveja aos colegas. É crucial para o sistema quebrar o laço com a realidade, porque essa é a única maneira de podermos ser constantemente manipulados. A defesa contra o sistema é nunca deixarmos de nos interrogar: 'Para que isto realmente serve?'". Uma vez mais, os cristãos são os que não param de fazer perguntas. Uma sociedade intemperante é destruidora não só das nossas vidas individuais, mas também da sociedade humana e do planeta. Uma voracidade ilimitada e incontestada não

[14] Z. BAUMAN, op. cit., p. 75.

respeita as mínimas necessidades dos outros e acaba por devorar a Terra. Isto leva-nos ao segundo deus da trindade ímpia, que é a absolutização da propriedade privada acima do bem comum.

Tomás de Aquino viveu numa sociedade que era economicamente muito mais simples do que a nossa, mas apresentou uma visão que nos pode ajudar a criticar as premissas que temos por indiscutíveis. Ele defende a ideia da propriedade privada não como um direito absoluto, mas por causa da sua utilidade. Se as pessoas estão individualmente encarregadas das coisas, cuidam delas. Roger Ruston dá o exemplo do esquema da partilha de bicicletas em Amsterdã, na década de 1970, "cuja ideia consistia em que se pegava uma bicicleta, ia-se com ela aonde se tinha de ir e ali se deixava, para que qualquer outra pessoa a utilizasse. Mas, em poucas semanas, tudo o que restava era uma grande quantidade de bicicletas enferrujadas com os pneus furados, espalhadas pelos lugares públicos da cidade".[15]

Mas São Tomás pensava que o direito à propriedade privada não autorizava a fazer tudo o que se quisesse com o que se possui. Possuem-se as coisas em privado para que possam vir a ser úteis ao bem comum. "O homem não deve ter as coisas exteriores como próprias mas como comuns, de maneira a comunicá-las aos outros facilmente nas suas necessidades."[16] Portanto, é útil ao bem comum que haja propriedade privada. Nas situações em que os pobres têm uma necessidade urgente e os ricos têm superabundância, o pobre tem direito aos bens do rico, já que a Criação de Deus é para todos. Dessa forma, pode falar-se de um direito de propriedade privada condicional, não *absoluto*. E

---

15 R. Ruston, op. cit., p. 50.
16 *ST*, II-II, 66, 2.

Tomás cita Santo Ambrósio: "É o pão dos famintos o que guardas para ti, a roupa dos nus que arrecadas, o resgate e a libertação dos pobres o dinheiro que enterras". São Basílio Magno falou dos ricos, que guardam para si mesmos mais do que necessitam, como pessoas que compram todos os lugares no teatro e não deixam entrar mais ninguém para ver o espetáculo. Todos os seres humanos têm direito de acesso aos bens da Criação e, por isso, se alguém retira de outrem aquilo de que necessita para sobreviver, não comete um roubo, porque "o que toma para sustento da sua vida torna-se propriedade sua em virtude da sua necessidade".[17]

Portanto, a propriedade privada é, de fato, boa à medida que serve o bem comum. Para citar Ruston, mais uma vez, "o direito individual às coisas está subordinado ao bem comum, isto é, vem depois dele. As coisas possuídas pelos indivíduos são sempre confiadas a crédito. O verdadeiro objetivo da propriedade privada, na perspectiva da providência divina, é o de pôr os bens da Terra ao alcance daqueles que deles carecem, quando necessário pelo dever da caridade".[18] E caridade aqui não é generosidade mas sim justiça.

O desenvolvimento da economia de mercado traduziu-se numa mudança na compreensão do direito de propriedade privada. Tornou-se, pouco a pouco, um direito inalienável, fosse qual fosse o sofrimento dos pobres. Um momento crucial foi o das vedações da terra comum na Inglaterra dos Tudor. "As vedações têm sido chamadas, com propriedade, uma revolução dos ricos contra os pobres. Os senhores e os nobres estavam subvertendo a ordem social, violando a lei antiga e o costume, por vezes com

17 Ibid., 7.
18 R. Ruston, op. cit., p. 51.

violência, frequentemente pelo constrangimento e pela intimidação. Estavam literalmente roubando dos pobres a sua parte no comum, deitando abaixo as casas que, pela força até aí inquebrantável do costume, os pobres havia muito consideravam suas e dos seus herdeiros."[19] Os ilimitados desejos dos ricos não deveriam ser circunscritos pelo bem comum.

Seria estúpido tentar impor uma compreensão medieval da propriedade privada na nossa complexa economia global, mas é evidente que se perdeu toda a compreensão da relação entre propriedade privada e bem comum. É simplesmente uma loucura que os 400 americanos mais ricos tenham um rendimento anual de 69 bilhões de dólares em comparação com os 59 bilhões de dólares que são o rendimento total dos 161 milhões de habitantes do Botswana, da Nigéria, do Senegal e de Uganda.[20] É simplesmente uma blasfêmia que oito milhões de pessoas morram todos os anos só porque são pobres, enquanto outros são incrivelmente ricos. Isto só se pode imaginar porque deificamos o direito da propriedade privada. Esta idolatria está crucificando o nosso mundo. Ian Linden, o antigo diretor do Instituto Católico para as Relações Internacionais, escreveu que "não se pode evitar a conclusão de que o direito de propriedade privada sem contestação e a riqueza financeira sem restrições estão no cerne do nosso atual dilema ético. Considerar tal estado de coisas 'natural', necessário para a economia de mercado, tem de ser contestado e redefinido no sentido da genuína limitação medieval do direito de possuir o suficiente".[21]

---

[19] K. POLANYI, *The Great Transformation: The Political and Economic Origins of Our Time*, Boston, 1944, p. 35.

[20] J. SACHS, op. cit., p. 305.

[21] Ibid., p. 305.

Uma das extensões mais alarmantes do direito de propriedade privada tem sido o desenvolvimento do conceito de propriedade intelectual. No capítulo 6 mencionei a sua aplicação em relação à fertilidade da terra. Mas o choque mais dramático entre propriedade privada e bem comum tem sido acerca das patentes dos medicamentos antirretrovirais para tratamento de soropositivos.[22] Para milhões de pessoas na África subsaariana são proibitivamente dispendiosos. A impossibilidade de os obter tem ameaçado o futuro de nações inteiras. Os Estados Unidos lutaram pelos direitos das suas companhias farmacêuticas, apesar de essa ação constituir a condenação de dezenas de milhares de pessoas a uma morte prematura. Poderá haver exemplo mais obsceno de como os ídolos que erigimos exigem o sacrifício de sangue humano? Foi, nas palavras de Ian Linden, "uma patente imoralidade". Na reunião da Organização Mundial do Comércio em Doha, em 2001, os países africanos e as ONGs suas aliadas lutaram pela sua sobrevivência e, apesar da enorme resistência dos Estados Unidos da América, conseguiram fazer prevalecer a sua posição, até certo ponto graças aos esforços dos afro-americanos e ativistas da Aids nos Estados Unidos.

O desejo sem limites e a absolutização da propriedade privada produzem a terceira entidade desta trindade idolátrica, "imitando" a procedência do Espírito Santo do Pai e do Filho. Trata-se do dinheiro como um fim em si mesmo. Zygmunt Bauman tem defendido[23] que a sociedade está num processo de profunda transformação. Estamos saindo de uma forma anterior de capitalismo, modelada pela Companhia de Automóveis Ford. De fato,

---

[22] Cf. I. Linden, op. cit., pp. 135-138.
[23] Z. Bauman, op. cit., pp. 54ss.

ela foi chamada de *fordismo*. Estava baseada na produção de bens pesados nos centros industriais: carros, aço, barcos etc. Os pobres vinham a esses centros procurar trabalho, em lugares como Belfast, Manchester, Lille ou Pittsburgh. Os produtos eram exportados desses centros para todo o mundo. Isto implicava um compromisso recíproco de capital e trabalho. Travaram grandes batalhas mas, como um casal de velhotes resmungões, permaneciam casados um com o outro. Os trabalhadores precisavam dos salários, e as fábricas precisavam de uma mão de obra treinada e estável. Quando Ford duplicou os salários dos seus operários, foi porque tinha de os manter. Dinheiro e trabalho dependiam um do outro. Mas estamos entrando em um novo mundo, o qual Bauman chama de a "modernidade líquida". O que se move pela internet não são tanto objetos pesados, mas sinais e símbolos, informação, logotipos e nomes de marcas. É, sobretudo, dinheiro que circula sem impedimentos. Se os trabalhadores levantam problemas e pedem aumentos de salários, o dinheiro vai para outro lado. O papel principal dos governos é estar a serviço da livre circulação de dinheiro, derrubar quaisquer obstáculos ao seu fluxo e erguer limites para impedir ao trabalho que o siga e segure. Bauman escreve que "breves encontros substituem compromissos duradouros. Não se planta um limoeiro para espremer um limão".[24] O dinheiro torna-se mais fluido, menos dependente de coisas substanciais como propriedade ou terra. Tem de estar livre para viajar, onipresente, à imitação de Deus.

São Tomás de Aquino raramente acusou os que se lhe opunham de serem loucos. Tinha demasiado respeito pela razão humana, mesmo pela razão daqueles de quem discordava. Uma

---

[24] Z. BAUMAN, op. cit., p. 122.

exceção, porém, foi quando afirmou que aqueles que acreditavam que tudo obedece ao dinheiro eram estúpidos.[25] Foi nesta estupidez que a Modernidade caiu. "Insensato", chama Deus ao homem que construiu celeiros novos para as suas colheitas. O dinheiro tem de ser obedecido. Como Deus, é puro ser. Tudo pode ser transformado em dinheiro e vice-versa. É pura maleabilidade e, nos seus termos, tudo se pode compreender. O dinheiro está ficando desmaterializado, separado da sua anterior relação com as barras de ouro. Jeremy Rifkin, presidente da Fundação de Tendências Econômicas em Washington, afirma que, "na nova economia do ciberespaço, o dinheiro torna-se cada vez menos físico. Todos os dias mais de 1,9 bilhão de dólares passam através das redes eletrônicas na cidade de Nova York".

Portanto, o dinheiro tornou-se o sentido de tudo, o objetivo último do esforço humano, o símbolo universal, o ponto de referência final. Como cristãos, devemos recusar obedecer-lhe, o que significa que devemos perguntar para que serve o dinheiro. A pessoa justa, segundo São Tomás, é aquela que quer a quantia de dinheiro certa. Quem é avarento quer sempre mais. Margaret Atkins escreve que "São Tomás pergunta por que é que acontece isto? É porque essa pessoa se engana, simplesmente, acerca do dinheiro e esquece que a sua finalidade é ser um meio para uma outra coisa. Quando se considera o dinheiro como um fim e não como um meio, não há limites a quanto se pode querer. Para nos tornarmos sovinas, basta esquecermo-nos de perguntar: por quê?"[26] Continuemos a fazer perguntas! Enfrentados com esse domínio do dinheiro, perguntamos: Mas por quê? Por que

---

25 TOMÁS DE AQUINO, *ST*, I-II, 2, 1 ad 1.
26 M. ATKINS, op. cit., p. 382.

devemos dobrar o joelho perante as exigências do dinheiro? Por que temos de nos submeter a ídolos de prata e ouro? O dinheiro serve para servir a humanidade ou somos seus escravos? Como diz Timão no *Timão de Atenas* de Shakespeare:

> Este escravo amarelo
> Vai coser e descoser religiões, abençoar os malditos,
> Tornar a encanecida lepra adorada, colocar ladrões
> E dar-lhes título, reverência e aprovação
> Sentados entre os senadores.[27]

O dom da Palavra

Tentamos uma apreensão imaginativa da afinidade da humanidade pela via negativa. Vimos como as experiências de sofrimento, desde a crueldade dos conquistadores espanhóis para com o povo indígena de Hispaniola até o *tsunami* de 2004, podem cristalizar um sentido mais profundo de solidariedade humana. Os cristãos também podem mostrar fidelidade à humanidade, trabalhando para acabar com o escândalo da pobreza. Devemos recusar a adoração dos falsos ídolos do mercado, que surgem para justificar e tornar inevitáveis as grandes desigualdades da nossa aldeia global. Mas haverá um modo mais positivo para podermos compreender a nossa participação no todo da humanidade?

Citei a referência de Virgínia Woolf à "liberdade em face das fidelidades irreais". Ela acreditava que deveríamos nos libertar da ligação às pequenas identidades que nos vêm das nossas famílias,

---

[27] W. SHAKESPEARE, *Timão de Atenas*, IV, 3.

das nossas universidades ou dos nossos países. A única maneira de estar aberto a toda a humanidade seria não privilegiando ninguém. Eu só posso pertencer à humanidade transcendendo todas as ligações menores. Mas isto parece desumano e, literalmente, sem sangue. Tomás de Aquino reconhece que temos a obrigação de amar mais os que nos estão mais próximos, segundo a *ordo caritatis*, a ordenação dos nossos amores. A graça aperfeiçoa a natureza e é natural amar mais a sua mãe do que uma mulher que nunca se viu. J. S. Haldane brincava dizendo que daria a vida por dois dos seus irmãos de sangue ou por oito dos seus primos.

Charles de Gaulle queixou-se de como era difícil governar um país que tinha 365 tipos de queijo – o número exato varia. O que é maravilhoso não é que haja tantas espécies diferentes de queijos em França. Poderíamos imaginar um país com imensos queijos de má qualidade. Mas a França é admirável porque mantém uma surpreendente superabundância de queijos maravilhosos, do Couronne Lochoise ao Bleu de Severac! A universalidade que procuramos não abafa a particularidade, mas alegra-se com ela e a realça.

Não amamos os seres humanos em geral. Lembremos uma vez mais as palavras do pastor em *Gilead*: "Nunca pude agradecer suficientemente a Deus o esplendor que escondeu do mundo – com exceção da tua mãe, evidentemente – e me revelou na tua face docemente normal".[28] Deus não se regozija conosco em geral, mas na nossa particularidade. Edmund Burke escreveu: "Ter estima pela subdivisão, amar o pequeno pelotão a que pertencemos na sociedade é o primeiro princípio (o germe, poderia

---

[28] Cf. capítulo 3, nota 32.

dizer-se) dos afetos públicos. É o primeiro elo na série pela qual avançamos para o amor à pátria e à humanidade".[29]

A justiça, segundo São Tomás de Aquino, consiste em dar às pessoas o que lhes é devido. Mas não se trata de direitos, numa visão minimalista, de uma justiça abstrata para pessoas abstratas, que são apenas outros exemplares da espécie *homo sapiens*. Uma verdadeira justiça reconhece o que lhes é devido para que se realizem, tal como damos aos nossos amigos o que lhes é devido porque sabemos aquilo de que precisam para se realizar. O Rei Lear é despojado de tudo o que lhe é devido em virtude da sua dignidade real. As suas necessidades estão reduzidas às da sobrevivência biológica. Que mais precisa? Ele grita: "Não discutam a necessidade".[30] Michael Ignatieff afirma que "dar-lhe unicamente aquilo de que tem necessidade como um pobre e desprotegido animal bifurcado é desonrá-lo [...]. Tratar as pessoas igualmente é negar o que é devido à sua humanidade [...]. Quando os homens se confrontam uns aos outros como homens, como universais abstratos, um com poder, o outro sem nenhum, é certo que o primeiro se vai comportar como um lobo para a sua própria espécie". A justiça requer imaginação, a habilidade para ver a dignidade singular dos outros, para se alegrar com a sua beleza e ter a intuição das suas necessidades.

A amizade ensina-nos a alegrarmo-nos com a diferença. Os cientistas discutem há muito sobre a razão das diferenças das raças. Por que será que africanos, asiáticos, caucasianos e outras raças têm aparências diferentes? Há evidentes vantagens ambientais em algumas diferenças tal como a pigmentação da pele.

---

[29] Citado por K. A. APPIAH, op. cit., p. 241.

[30] W. SHAKESPEARE, *Rei Lear*, II, 4. Cf. M. IGNATIEFF, op. cit.

Mas acredita-se cada vez mais que um outro fator é estético. As diferenças são o resultado de preferência sexual.[31] Os diferentes grupos têm diferentes ideias sobre o que é belo e selecionam os companheiros nessa base. Temos aparências diferentes uns dos outros porque a humanidade foi abençoada com uma grande variedade de ideias de beleza. E, por isso, aprender a amizade pode incluir aprender a apreciar outras formas de beleza. Devo confessar que quando viajo pelo mundo fico constantemente pasmado com a incomparável beleza das pessoas onde quer que eu esteja, e julgo-as as mais encantadoras do mundo até que eu me vá embora para o próximo continente.

Nicholas Lash declarou que, "se tivesse de encontrar uma frase única pela qual exprimisse o coração e o centro da relação entre o mundo e Deus, de acordo com a história cristã, poderia muito bem escolher a afirmação de que fomos feitos capazes de amizade. Capazes de resistir à degradação da relação para laços de posse e exploração, domínio e violência e desinteresse".[32] A solidariedade humana é a realização da nossa capacidade de amizade que ultrapassa todas as fronteiras. Já é difícil imaginar uma amizade que envolvesse toda uma aldeia, então, que poderá significar pensar em toda a humanidade unida pela amizade? O que está em jogo não é ter sentimentos amigos e agradáveis a respeito de todos os seres humanos. É apreender uma linguagem purificada de tudo o que se opõe à amizade: difamação, desprezo, violência. Cristo, o Verbo que se fez carne, é a linguagem da amizade de Deus que temos de saber falar.

---

31 J. A. Coyne, "Legends of Linnaeus" – Recensão a V. Sarich e F. Miele, *Race: The Reality of Human Differences*, in *Times Literary Supplement* de 25 de fevereiro de 2005.

32 N. Lash, *The Beginning and the End of Religion*, Cambridge, 1996, p. 212.

Herbert McCabe defende que a unidade dos seres humanos é muito diferente da unidade das outras espécies animais. Tanto os gatos como as vacas têm a sua unidade biológica, o que significa que estão aptos a se fecundar entre si. Os seres humanos também têm essa unidade, pois também podemos acasalar entre nós. Mas somos animais linguísticos, o que significa que somos chamados a uma unidade mais profunda. A unidade humana está baseada na capacidade de falar uns com os outros. A linguagem é a abertura para uma nova espécie de comunhão.

Os gatos têm entre si um mundo comum de sentido, que é determinado pelas suas naturezas felinas. Veem os ratos como refeições e os colos humanos como camas confortáveis. Vivem em um mundo de gatos, determinado pela sua biologia felina. Os seres humanos vivem em um mundo que não é simplesmente determinado pelos nossos corpos. Podemos inventar novas maneiras de falar que transformam a maneira de ver as coisas e abrem novas possibilidades de relação. "Podemos comunicar em meios que nós próprios inventamos, em linguagem; os meios de comunicação dos outros animais são geneticamente determinados."[33] Os seres humanos podem arranjar maneiras de mudar o significado de ser humano, enquanto os gatos não têm como mudar o significado de ser gato. Se considerarmos as mudanças ocorridas na sociedade, podemos ver que, por vezes, a nossa criatividade linguística abriu modos novos e mais profundos de conviver e, por vezes, descolamo-nos para fantasias e pusemos em perigo a comunidade humana. Muitas vezes, há um pouco de ambos.

O inglês que falo hoje é muito diferente do de meu avô, quarenta anos atrás. A linguagem evoluiu e exprime uma compreensão

[33] H. McCabe, *Law, Love and Language*, p. 77.

bastante diferente do que um ser humano significa. A linguagem transmite valores, uma compreensão das relações, o que significa viver, amar e morrer. O inglês moderno, por exemplo, foi largamente democratizado e transmite um sentido mais profundo da igualdade de todos os seres humanos. A linguagem da deferência foi-se. Há quarenta anos, o inglês estava marcado por toda a espécie de preconceitos de classe, pela maneira como os homens se referiam às mulheres e como falávamos acerca dos estrangeiros. Agora, enriqueceu-se de maneiras que eram inimagináveis há quarenta anos. Pessoas de todas as partes do mundo estão ampliando a língua inglesa, dando-nos novas metáforas e um vocabulário mais rico. Ao mesmo tempo, o inglês traz as cicatrizes do consumismo e da adoração do dinheiro. Foi deformado pelos ídolos do nosso tempo. Pode-se dizer que o inglês se ampliou, tornando-se uma língua global – indianos, africanos, caribenhos e americanos estão constantemente ampliando as suas possibilidades –, mas é também constrangido pela cultura global em que estamos. Enriqueceu-se por se tornar multicultural, mas empobreceu-se com a cultura do mercado.

A nossa vocação humana consiste em continuar a procurar novos e mais profundos modos de estarmos juntos, novas maneiras de falar que realizem mais profundamente a nossa aptidão para a comunhão. A ética ocupa-se do desenvolvimento de formas cada vez menos banais de relacionamento. A criatividade humana é tal que nenhuma interpretação do mundo é definitiva; por detrás da linguagem que criamos, chegamos sempre a “um futuro que, precisamente porque a sua linguagem ainda não existe, só pode ser percebido indistintamente. Isto significa que toda a linguagem é afinal provisória ou que, pelo menos, pode ser vista em retrospectiva que foi provisória".[34]

A solidariedade humana é, portanto, mais do que o ultrapassar da desigualdade. É criar um mundo comum de sentido. Isto não se consegue se falarmos todos a mesma língua; por exemplo, se todo mundo aprender a falar inglês. Isso nos daria uma unidade linguística, mas um deserto cultural. A um nível muito mais profundo, somos chamados a uma comunhão na qual poderemos partilhar tudo o que somos e, de fato, vir a ser tudo o que estamos destinados a ser. Imagine-se falarmos uns com os outros de uma maneira liberta de qualquer domínio, na qual não há desprezo por ninguém, pura comunhão.

Isto pode parecer uma utopia louca, mas McCabe defende que essa comunhão é Jesus Cristo. Ele é a Palavra na qual nos faremos uns com os outros e, por isso, seremos plenamente humanos. Portanto, a solidariedade humana é algo que nos esforçamos por construir, combatendo a injustiça. Mas isso é a nossa maneira de dizer sim ao dom de Deus, de uma comunhão uns com os outros em Cristo que excede tudo o que se possa alguma vez imaginar. "Há duas coisas fundamentais a dizer a respeito de Jesus: uma é que Ele é a palavra de Javé, a autocomunicação de Deus, a outra é que Ele é o sentido da história humana [...]. Jesus, a comunicação do Pai, é a humanidade que atinge o seu próprio sentido; é por causa dele que a humanidade faz sentido".[35] Jesus Cristo é aquele que suportou no seu corpo toda a violência que os seres humanos inventam uns contra os outros, todo o corte de comunicação, todo o ódio que alguma vez tivemos uns pelos

---

34 Ibid., p. 90.
35 Ibid., pp. 126s.

outros. Isso matou-o, mas o Pai elevou a Palavra à vida e quebrou o silêncio do túmulo. A Ressurreição é o triunfo do sentido sobre tudo aquilo que o procura destruir. É a vitória da comunhão sobre tudo o que nos separa uns dos outros. O Senhor ressuscitado aparece e diz aos discípulos: "A paz esteja convosco".

Pense-se na diferença entre comer um hambúrguer e participar da Eucaristia. Os sociólogos falam de um "consumo sacramental" do hambúrguer nas cadeias de *fast food*. Referem-se ao fato de o hambúrguer ser usado como o sacramento de pertença ao mundo global dos consumidores. Como escreveu Peter Berger: "Para parafrasear Freud, por vezes um hambúrguer é apenas um hambúrguer. Mas em outros casos, especialmente quando tem lugar debaixo do símbolo dourado de um restaurante McDonald, é o sinal visível de uma participação real ou imaginária na modernidade global".[36] Comer um hambúrguer pode até ter todas as rubricas de uma cerimônia eclesiástica. No Japão, no início, houve um verdadeiro fascínio pelo ritual de comer com as mãos, estando em pé, em um protesto visível contra a etiqueta japonesa à mesa. Aqui, o hambúrguer é um sinal de comunhão no atual mercado global, com a sua maravilhosa interconexão, com os extraordinários encontros com estrangeiros, mas também com a sua pobreza cultural e o empobrecimento de milhões.

Tomar parte na Eucaristia é partilhar o sacramento da pura comunhão em Cristo, no qual toda violência e rivalidade têm um termo, assumidas e destruídas na sua Morte e Ressurreição. Em 1994, celebrei a Festa de Todos os Santos na nossa igreja de Kigali, em Ruanda. As pessoas vinham com algum nervosismo à

---

[36] P. BERGER e S. HUNTINGTON (ed.), *Many Globalizations: Cultural Diversity in the Contemporary World*, Oxford, 2002, p. 7.

igreja, porque muitas centenas de milhares tinham morrido em igrejas durante os massacres, mas, aqui, os dois grupos étnicos podiam encontrar-se em segurança, talvez ainda com algum receio. Os irmãos dominicanos ainda estavam se recuperando do último assalto ao convento, feito por soldados. Uma vez mais tínhamos perdido tudo, e eles tinham sido ameaçados de morte. As irmãs tinham sido expulsas de Biamba, depois de terem passado semanas entre os dois exércitos, com as granadas de um e de outro lado passando por cima das suas cabeças. Todos estavam atordoados por um sofrimento que mal se conseguia começar a exprimir. Só os irmãos tinham perdido perto de 500 membros das suas famílias. A Eucaristia foi o sinal de uma paz que quase parecia impossível de imaginar. Por detrás de nós, havia um mosaico luminoso de Maria e Domingos aos pés da cruz. Só o Senhor crucificado e ressuscitado nos reúne a todos na unidade. Ele tinha suportado no seu Corpo a violência que os seres humanos impõem uns aos outros e tinha ressurgido dentre os mortos.

Não há linguagem universal de pura comunhão a não ser Cristo, e ainda não sabemos completamente falar a Palavra que Ele é. Falamos as nossas diferentes línguas e é justo que nos alegremos nelas e lutemos pela sua sobrevivência. Mas podemos deixar a Palavra que é Cristo penetrar e purificar as nossas línguas de todas as maneiras pelas quais o Evangelho nos desafia a falarmos com estrangeiros e encontrar as palavras que conduzem à amizade. Isto significa que devo aprender a estar atento ao modo como os outros falam de si. Toda a linguagem é não só um meio de comunicação, mas também de hostilidade. Inclui e exclui. Exprime contentamento naqueles a quem pertenço e rejeição dos outros. Também exprimimos quem somos ao dizer o que não somos. Ser inglês no século XVIII era *não* ser católico. No século XIX, era *não* ser francês. Durante a maior parte do século XX, era *não* ser alemão. Os encontros com estrangeiros podem modificar a nossa maneira de falar deles e, por conseguinte, como nos compreendemos a nós mesmos. Purifica a nossa linguagem do desprezo e conduzi-la à plenitude de Cristo.

Kwame Anthony Appiah acredita que nos fazemos cosmopolitas, cidadãos do cosmo, porque somos capazes de compreender as histórias dos povos. É simplesmente falso que estejamos fechados em pequenas prisões culturais e consideremos os estrangeiros ininteligíveis. Posso ler Homero ou Gabriel García Márquez ou Murasaki Shikibu, o mais antigo romancista do mundo, e entrar em outros mundos. Encontro-me nas suas narrativas. "Para as histórias – tanto os poemas épicos como as formas modernas de romances e filmes, por exemplo – é necessário ter a capacidade de seguir uma narrativa e de invocar um mundo, e verifica-se que há pessoas em toda parte mais do que desejosas de o fazer."[37] Quanto mais diferentes são os mundos que descrevem tanto mais fascinantes são as suas histórias. Encanto-me com Tolstoi e Isabel Allende, porque são tão russo um, tão chilena a outra. O ser estrangeiro é um convite e não uma barreira.

Como cristão posso também entrar pela imaginação nas histórias de outras tradições religiosas. Posso ler acerca de encontros islâmicos ou judeus ou sufis com Deus e encontrar-me nas suas histórias. Estas instruem-me a respeito de Deus, mas também a respeito de Cristo. Se acredito que Cristo é verdadeiramente a palavra de amizade na qual a humanidade é reconciliada, *devo* ser

---

37 K. A. APPIAH, op. cit., p. 258.

discípulo de outras religiões para delas poder aprender novas palavras da amizade universal que Cristo é. O diálogo inter-religioso não é uma questão de ser simpático para com os vizinhos por causa da paz: deveria fazer parte da minha procura religiosa, precisamente enquanto cristão. Um amigo muçulmano pode abrir-me a mente, alargar o meu vocabulário para que me aproxime de Cristo em quem Deus está reconciliando consigo todas as coisas. O diálogo inter-religioso não é, portanto, para desenvolver uma vaga espiritualidade universal insípida, com um pouco de cada religião misturado no mesmo caldeirão. Quando estou atento à maneira como os muçulmanos falam da sua fé, desejo ser tocado pela intensidade das suas convicções, a especificidade da sua fé, a sua diferença, porque isso será o que me vai ampliar e abrir. Um diálogo inter-religioso, no qual se tenha de "pôr no congelador" as mais profundas convicções para assegurar um fácil intercâmbio de generalidades espirituais, seria uma perda de tempo.

Começamos o capítulo anterior com os três níveis de narrativa: "a minha história", "a nossa história" e "a História". Quando pudermos contar a história da humanidade, teremos chegado ao Reino e estaremos plenamente unidos uns com os outros. Por ora, não podemos contar essa história completamente. Como cristãos, acreditamos que nos é dada sacramentalmente na história da Vida, Morte e Ressurreição de Cristo. Em cada ano litúrgico, reconstituímos essa história e é o sinal da amizade definitiva que atingiremos em Deus. Por ora, só temos o sinal do que está para vir. Não temos o itinerário. Não temos informação qualificada do que se segue. Mas podemos avançar no caminho para essa história final; podemos preparar-nos para o seu dom, começando a falar de maneiras que deem corpo à amplitude da

Palavra de Deus. Agora aprendemos a falar aos outros e uns dos outros de modo a possibilitar a amizade. Os homens têm de escutar como as mulheres falam de si mesmas, visto que, como Mary Daly se queixou em nome das mulheres, "o poder de nomear nos foi roubado".[38] Devemos escutar pessoas que são literalmente estrangeiras, mas também os outros à nossa porta. Os *straights* (heterossexuais) devem escutar as histórias que os *gays* contam, e os cristãos as histórias dos judeus ou dos budistas.

No mundo em que a nação-Estado tinha todo o poder, o papel da Igreja era o de nos convocar do nacionalismo para a identidade global, porque a Igreja era a única instituição global. Era um desafio e uma alternativa cultural aos poderes dominantes. Mas, na nossa nova aldeia global, em que a nação-Estado é muito mais fraca e proliferam as instituições globais ou pelo menos internacionais, o papel da Igreja talvez mude. Em face da cultura consumista corrosiva que está se alastrando por todo o mundo e eliminando as diferenças, oferecendo cada vez mais opções entre produtos idênticos, talvez a Igreja possa ser a alternativa cultural, valorizando o que é pequeno e está ameaçado. Como escreveu Nicholas Boyle: "As pequenas narrativas das vítimas do grande processo, as histórias que o grande novo mundo está espremendo ou ignorando, serão contadas na pequena escala, cheias de pormenores que o novo mundo desprezará como superficiais ou sem interesse. Em termos de estrutura de Igreja, as pequenas narrativas serão contadas no âmbito diocesano, paroquial ou de base".[39]

---

[38] Citado por M. C. HILKERT OP, *Naming Grace: The Preaching and the Sacramental Grace*, New York, 1997, p. 178.

[39] N. BOYLE, *Who Are We Now? Christian Humanism and the Global Market from Hegel to Heaney*, Edinburg, 1998, p. 92.

Portanto, a Igreja é chamada a ser o sinal da unidade da humanidade de muitas maneiras. Os Papas têm-nos sucessivamente chamado a nos opormos às estruturas de injustiça que aprisionam boa parte da humanidade na pobreza. Devemos pôr de lado a adoração dos falsos ídolos que governam a aldeia global – o desejo sem limites, a absolutização da propriedade privada e o dinheiro. Mas talvez o nosso mais profundo desafio seja purificar a maneira como falamos dos outros, dos estrangeiros, para que a nossa linguagem se amplie, se abra e se aproxime da larga amplitude e da hospitalidade da Palavra de Deus. Então, as pessoas serão capazes de captar algum sinal do mistério de Deus, cujo centro não está em parte alguma e cuja circunferência está em toda parte e para Quem ninguém permanece à margem.

CAPÍTULO 9

O choque das raízes

O cristianismo está gravemente ferido na sua capacidade de dar testemunho em favor da futura unidade da humanidade, tanto por causa das divisões entre cristãos como por causa das divisões dentro das Igrejas. Não vou escrever a respeito das primeiras. Isso é assunto para o diálogo entre as Igrejas cristãs e não tenho nenhum tipo de qualificação nesse domínio. Por isso, nos dois próximos capítulos, desejo considerar a maneira como se curam as divisões dentro da Igreja Católica. Espero que o que vou dizer possa ter alguma utilidade para os membros de outras Igrejas.

Recentemente, fui jantar com um amigo, a mulher e os filhos. Ele deixou o sacerdócio há uns vinte anos. Durante toda a refeição, atacou com irritação o Papa, queixou-se do Vaticano, da Opus Dei e de todos os alvos de costume. Depois, quando estávamos só os dois tomando café, lamentou não ter sido capaz de transmitir aos filhos o seu amor pela Igreja. Por que seria? A Igreja está polarizada em muitos países, como por exemplo na Áustria, na Holanda, em algumas partes da América Latina e, sobretudo, nos Estados Unidos. Um dos sintomas disto é uma ira generalizada contra os católicos com ideias e posições diferentes. Como poderão os jovens encontrar o seu lugar em uma comunidade que está tão zangada? Quem se sentirá atraído a uma Igreja na qual se dedica tanta energia a ser agressivo para com os outros membros? Vimos que a cólera pode ser fecunda, pelo fato de ser uma das belas filhas da esperança, segundo afirmou Agostinho. Mas também pode ser simplesmente destrutiva.

Esta polarização contradiz diretamente a natureza da Igreja, que é a de atrair o Povo de Deus para a unidade, de maneira a ser um sinal do Reino. Um jovem teólogo americano escreveu que "a polarização é um luxo que a Igreja não pode continuar a cultivar e nem mesmo tolerar [...]. A polarização asfixiou a capacidade da Igreja de ser autenticamente evangélica ou missionária".[1] Por isso, nestes dois capítulos, tenho a intenção de explorar como poderemos ultrapassar estas divisões e ampliar a Igreja para que seja um espaçoso lar para o Povo de Deus.

Antes de mais, temos de olhar brevemente para a natureza desta polarização. É vista habitualmente em termos da divisão entre esquerda e direita, entre liberais e conservadores, progressistas e tradicionalistas. Isto não é inteiramente correto. A sociedade ocidental – e cada vez mais todo o mundo – estão profundamente marcados por esta polarização e, como somos membros desta sociedade, ela acaba por matizar também a maneira de os cristãos verem as divisões dentro da Igreja. Mas esta espécie de dicotomia é também profundamente contrária à nossa fé, e somos chamados a transcendê-la.

A polaridade esquerda/direita tem a sua raiz no Iluminismo. Os seus pensadores consideravam-se iluminados, porque se tinham libertado da tradição e, sobretudo, das tradições da Igreja.

---

1 Carta pessoal.

O sol da razão tinha-se levantado e todos os velhos dogmas podiam agora ser jogados fora. E a Igreja pagava-lhes na mesma moeda, ao definir-se acima e contra o progresso e as suas horríveis manifestações: a democracia, a liberdade de consciência, o individualismo etc. Esta foi a grande batalha do século XIX: a Igreja contra o liberalismo. A Igreja aceitou o terreno de luta, tal como a oposição o definia, e as categorias que eram alheias à sua própria tradição e, por isso, a Igreja não podia deixar de perder. No século XX, teve de retratar muitas das posições antiliberais que tinha adotado no século anterior. O erro foi ter aceitado o quadro mental dos seus opositores, em vez de contestar as categorias nas quais outras pessoas tinham situado a Igreja.

Pode haver tensões dentro da Igreja entre católicos que são liberais e outros que são conservadores, porque a maioria das pessoas na nossa sociedade é uma coisa ou outra. Estamos marcados pela cultura da nossa sociedade. Mas não pode ser o âmago real da divisão, porque a fé católica transcende essa polaridade. São Paulo foi talvez o pensador cristão mais criativo que já existiu, mas considerava-se como um transmissor da tradição que tinha recebido. "Tenho de vos louvar por vos lembrardes de mim em todas as coisas e por manterdes as tradições tais como vo-las transmiti" (1Cor 11,2). Ser cristão é receber a Boa-Nova que nos foi transmitida por aqueles que vieram antes. Para um cristão, a tradição é a fonte constante da novidade e da vitalidade. A velha sabedoria renova-nos. Quando se fala de "tradição", geralmente se está referindo ao que foi ensinado vinte anos antes. Mas a renovação ocorre pelo retorno à extraordinária diversidade das tradições, tal como o Concílio Vaticano II foi em parte um retorno ao que precedeu o Concílio de Trento, à Escritura e às tradições dos primeiros séculos.

Como caracterizaríamos as divisões que estão fraturando hoje a Igreja e por que elas provocam tanta ira entre as pessoas? É difícil fazê-lo com justiça e objetividade, porque todos nós, incluindo eu, estamos apanhados pela turbulência. Nenhum de nós pode ser inteiramente imparcial. Mas temos de tentar descrever a situação de maneira que todos reconheçam e possam dizer mais ou menos: "Sim. É nisso que me empenho, é por isso que luto". Devemos recusar falar da Igreja como se houvesse "os bons" e "os maus". Esta tarefa é profética. Muitas vezes, no passado, olhamos como profetas da Igreja aqueles que se levantaram contra as autoridades eclesiásticas e denunciaram as suas faltas. A profecia tem sido vista, muitas vezes, como denúncia dos erros dos outros. Hoje, a contestação profética é encontrar os caminhos do futuro, para lá da divisão. Devemos chamar-nos uns aos outros do exílio. Fazê-lo é perigoso, porque os que estão nos dois extremos nos denunciarão como acomodatícios ou atraiçoando a pureza da causa.

A primeira dificuldade está em encontrar nomes para os "partidos" que estão dividindo a Igreja. Já sugeri que pensar em termos de progressistas e tradicionalistas ou liberais e conservadores não ajuda muito. Estes dois partidos também foram etiquetados de agostinianos e tomistas. Mas também penso que isso não traduz o que está em questão. Afinal, os dominicanos têm a Regra de Santo Agostinho e dão muito valor a São Tomás de Aquino. As teologias daqueles que são os dois maiores teólogos da Cristandade Ocidental são demasiado complexas para serem conotadas com qualquer partido. Tem sido dito que a oposição é entre teologias que são, respectivamente, "correlacional" e "epifânica", mas, quando palavras como estas aparecem, é-se tentado a avançar rapidamente para o capítulo seguinte!

Qualquer terminologia ameaça provocar discórdia e, portanto, subverter a conversa ainda antes de ela ter começado – mas temos de começar! Assim, com alguma hesitação, falarei de católicos do Reino e de católicos da Comunhão. Alguns católicos veem a nossa Igreja, primariamente, como o Povo de Deus em peregrinação para o Reino. Outros veem-nos, sobretudo, como membros da instituição da Igreja, a Comunhão dos crentes. A maioria dentre nós reencontra-se em ambos os modelos, mas tende mais para uma ou para a outra das compreensões da Igreja. Vou defender que, como católicos, necessitamos dos dois tipos de identidade e que a tensão entre eles é frutuosa e dinâmica.

Em 1963, durante a segunda sessão do Concílio, Karl Rahner (jesuíta), Edward Schillebeeckx (dominicano) e Hans Küng (sacerdote diocesano) encontraram-se para planejar a fundação de uma revista que fizesse avançar a agenda do Concílio.[2] Foi chamada, precisamente, *Concilium*. Congregou teólogos entusiasmados com a adoção da modernidade por parte do Concílio. O seu primeiro número apareceu em 1965. O tema central foi a Encarnação. Em Jesus Cristo, Deus tinha abraçado toda a humanidade. O Cristo que eles mais estimavam tinha derrubado as separações entre os seres humanos, tocado nos leprosos, acolhido os estrangeiros e reunido a todos nós no Povo de Deus. Era uma teologia voltada para fora, que via os sinais do Espírito Santo atuando em todos os seres humanos. Schillebeeckx falou frequentemente do nosso *Deus Humanissimus*, o nosso Deus muito humano. Eram católicos que se tinham entusiasmado com o

---

2 H. KÜNG, *My Struggle for Freedom*, London, 2003, pp. 386ss.

desejo do Papa João XXIII de abrir as janelas da Igreja e deixar entrar ar fresco. O teste da autenticidade desta tradição estava em ser, simultaneamente, enraizada na experiência e libertadora. Não há revelação sem libertação. Havia o desenvolvimento de várias espécies de teologia da libertação, como a "opção pelos pobres" na América Latina, a teologia feminista sobretudo nos Estados Unidos e a teologia inculturada na Ásia. Era esta a tradição teológica que se respirava durante os meus tempos de estudante em Oxford e Paris. Tudo parecia possível. Parecia que estávamos sempre a caminho de qualquer coisa, manifestando-nos contra a guerra no Vietnã, contra as armas nucleares, contra os maus-tratos aos imigrantes ilegais. Um tempo excitante!

Depois, há os católicos da Comunhão. Também eles podem ser representados por uma revista: a *Communio*. Apareceu em 1974, quando começaram a vir de cima as preocupações acerca dos caminhos da Igreja depois do Concílio. O editorial de abertura fazia remontar a origem da revista a uma reunião da Comissão Teológica Internacional em 1970. Alguns dos membros da Comissão "sentiam que havia uma necessidade real de uma publicação que comunicasse um sentido da comunhão que é a vida interna da Igreja".[3] Esta é a sua preocupação essencial. Este periódico olhava sobretudo para Hans Urs von Balthasar como seu *guru*. Muitos dos seus colaboradores, como Joseph Ratzinger e Henri de Lubac, tinham anteriormente publicado na revista *Concilium*. Ratzinger tinha ficado chocado com as revoltas de estudantes, em 1968, em Tubinga. Isso abalou a sua confiança na modernidade, que o Concílio tinha abraçado com tanto entusiasmo. A *Communio* acreditava que se devia permanecer

3 Primavera de 1974, p. 4.

firme na proclamação da nossa fé. A sua verdade e beleza têm autoridade para atrair as pessoas. Se se adota a linguagem da modernidade de maneira insuficientemente crítica, é provável perder-se a identidade e ser-se absorvido sem deixar rastro. A doutrina central não é tanto a Encarnação, mas a Cruz. Devemos ter a ousadia de permanecer firmes perante o escândalo do Senhor crucificado. No coração da vida da Igreja há adoração e doxologia.

Hoje em dia, quando se vai a um encontro de jovens católicos, encontramo-nos com grupos reunidos em devota adoração silenciosa. Muitos dos jovens cresceram sem receber nenhuma clara identidade cristã ou católica e, por isso, identificam-se com uma compreensão da Igreja que sublinhe o que é específico na nossa herança, aceitam as formas tradicionais de devoção, as maneiras de falar e de rezar. Não nos devemos deixar assimilar pelo mundo. Devemos não ter medo de sublinhar o que é distintivo na nossa fé, de outro modo vamos desaparecer. Têm sido chamados os "católicos de identidade".

Estas duas etiquetas são muito vagas, mas ambas representam tendências básicas. Alguns de nós poderão identificar-se com aspectos de uma ou de outra. Eu faço-o! Uma teologia tende a pôr a Cruz no centro, a outra a Encarnação; uma vê a verdade como um apelo ao agrupamento das forças, a outra, como uma libertação. Uma centra-se na adoração e na doxologia, a outra, na práxis e na experiência. Uma vê Cristo como Aquele que reúne em comunidade, a outra como Aquele que derruba as fronteiras. Uma teologia proclama que "*Ubi ecclesia, ibi Christus* – Onde está a Igreja, aí está Cristo"; e a outra tende a responder: "*Ubi Christus, ibi ecclesia* – Onde está Cristo, aí deveria estar a Igreja".

Nas palavras de John McDade, "onde os pobres estão sofrendo, aí deve a Igreja estar (assim como a sua teologia)".[4]

É essencial que se perceba que *não* é, como alguns católicos do Reino acham, um conflito entre os que são fiéis ao Concílio e os que gostariam de voltar à Igreja pré-conciliar. Um retorno a antes do Concílio é impensável e desejado apenas por uns poucos, suficientemente idosos para se lembrar dessa Igreja. A ruptura é entre duas diferentes concepções do Concílio e sobre como levar adiante o seu trabalho. Também é crucial compreender que esta divisão *não* é, como alguns católicos de Comunhão tendem a pensar, entre os que são fiéis à tradição e os que desejam render-se ao mundo moderno. Qualquer das caricaturas é desonesta e, pelo menos, ignorante.

Como se pode curar esta divisão e, assim, dar um melhor testemunho de unidade da humanidade em Cristo? Eu iria sugerir que o primeiro passo está em reconhecer que, por detrás de cada uma das visões, está o desejo de uma casa a que se pertença. Mas cada um dos partidos é movido por uma concepção diferente de exílio. Não se pode ultrapassar a polarização se não se reconhecer a casa que cada um dos partidos deseja construir. Temos de compreender que os que pensam de maneira diferente de nós também sofrem de uma espécie de luto, de um sentimento de perda. Não se trata do exílio de que falei no último capítulo, o exílio do Reino: é o sentimento mais imediato de perda da Igreja como sua casa.

Deixem-me utilizar uma analogia. Referi-me, no capítulo 5, a *Root Shock* de Mindy Thompson Fullilove, acerca da destruição

---

4 J. McDade sj, "Theology in the Post-Conciliar Era", in A. Hastings (ed.), *Modern Catholicism: Vatican II and After*, London, 1991, p. 442.

dos bairros negros americanos. Em anos recentes, o planejamento urbano destruiu milhares de comunidades negras na América e dispersou milhões de pessoas. Fizeram-se passar autoestradas através dessas comunidades, destruindo-as. Ruas inteiras foram arrasadas para a urbanização, e bairros completamente dispersos. As pequenas lojas desapareceram e foram substituídas por supermercados. As comunidades irlandesas, polonesas e italianas sofreram de maneira semelhante a destruição, não só das suas casas, mas também do lar, de um lugar a que se pertence.

Isto produz o que Thompson Fullilove chama "o choque das raízes":

> Choque das raízes é a reação traumática de *stress*, causada pela destruição de todo ou de parte do nosso ecossistema emocional [...]. O choque das raízes mina a confiança, aumenta a ansiedade relativa a perder de vista os que se amam, desestabiliza as relações, destrói os recursos financeiros, emocionais e sociais, e aumenta o risco de todas as doenças relacionadas com o *stress*, da depressão ao ataque cardíaco. O choque das raízes torna as pessoas resmungonas crônicas, a vociferar queixas típicas de que o seu mundo lhes foi tirado. O lar é onde as pessoas se sentem seguras no escuro.[5]

Ela dá-nos uma maravilhosa descrição do bairro Hill, em Pittsburgh, antes de ser destruído. "Interações de toda a espécie mantinham o bairro funcionando, asseguravam que todo mundo comia, tinha roupa para se vestir e se comportava decentemente. Os rapazes na rua aceitavam os conselhos dos mais velhos; os músicos e dançarinos ensinavam-nos a melhorar as suas artes; os chulos ensinavam-lhes uma maneira fácil de fazer dinheiro;

---

5 M. T. FULLILOVE, op. cit., p. 11.

os tipos decentes insistiam com eles para que andassem na linha – 'Mesmo se me vires fazê-lo, não o faças'."[6] Os bairros não eram só locais onde se vivia uns com os outros. Transmitiam sabedoria, o conhecimento de como se resolvem conflitos, de como se lida com as diferenças. Ela escreve que "a maneira de viver evolui com o tempo, quando qualquer esforço para a resolução de problemas se torna parte da memória coletiva e a base coletiva para a solução de problemas".[7]

O desenvolvimento urbano fez desaparecer tudo isso e deixou as pessoas solitárias e exiladas. Não havia nenhuma outra comunidade em que pessoas de diferentes gerações e opiniões pudessem conviver e conhecer-se uns aos outros. Uma vez dispersos, cada um tem de escolher as pessoas com quem passa o seu tempo e que tendem a ser pessoas como nós próprios. Zygmunt Bauman descreveu como a mobilidade da sociedade moderna nos conduz a comunidades feitas de gente que pensa da mesma maneira. Há "o impulso de nos retirarmos da complexidade carregada de riscos para o abrigo da uniformidade".[8] Com a perda das comunidades tradicionais, tornamo-nos inseguros e ansiosos e procuramos as pessoas que pensam como nós. As velhas comunidades significavam que se tinha de conviver e negociar compromissos com pessoas radicalmente diferentes. Estava-se com os outros durante longos períodos e, portanto, não lhes podia escapar. Quando a comunidade desaparece, inventa-se a identidade. Quando já não é fácil a inserção, temos de descobrir quem somos. Nasce a "política de identidade". Eu vi

6 Ibid., p. 32.
7 Ibid.
8 Z. BAUMAN, op. cit., p. 179.

isso em Ruanda. Muitos nem sabiam se eram hutu ou tutsi até a comunidade cair por terra, mas, nesse momento, tiveram que fazer a sua opção às pressas.

A tentação é de robustecer a comunidade, purificando-a. Richard Sennett escreveu:

> A imagem da comunidade é purificada de tudo o que possa transmitir um sentido de diferença, e ainda mais de conflito, no que "nós" somos. Desta forma, o mito da solidariedade comunitária é um ritual de purificação [...]. O que é específico nesta partilha mítica em comunidades é que as pessoas sentem que são umas das outras e partilham umas com as outras *porque são o mesmo* [...]. O sentimento de "nós", que exprime o desejo de ser semelhantes, é uma maneira de os homens evitarem a necessidade de olhar uns para os outros com profundidade.[9]

Esta purificação pode tomar a forma extrema da limpeza étnica. Frequentemente, toma a forma da expulsão dos que não se conformam, a quinta coluna escondida no seio da comunidade, subvertendo a sua pureza e enfraquecendo a sua coesão.

A minha tese é de que estamos *todos* na Igreja sofrendo do choque das raízes. Isto criou cólera e busca de identidade, que é oferecida pela companhia de pessoas da mesma mentalidade. O Concílio Vaticano II abriu-se à modernidade e a Igreja procurou nela encontrar o seu lar. Mas as pessoas de ambos os partidos concordam que escolhemos um momento desastroso para o fazer. George Weigel, que pode ser situado no partido da Comunhão, escreveu que "o Vaticano II abriu, de fato, as janelas

---

9 R. SENNETT, "The Myth of Purified Community", *The Uses of Disorder: Personal Identity and the City Style*, London, 1996, pp. 36ss; citado por Z. BAUMAN, op. cit.

para o mundo, mas precisamente no momento em que o mundo moderno 'se precipitava em um túnel escuro cheio de fumaças venenosas'".[10] Curiosamente, Edward Schillebeeckx, que é firmemente do partido do Reino, escreveu que, "depois de dois séculos de resistência, os católicos aderiram ao mundo moderno precisamente no momento em que o mundo moderno começou a desconfiar de si".[11] A minha tese é a de que a maioria dos católicos está sofrendo com esta perda do lar, este choque das raízes, quer sejam primariamente do campo do Reino ou da Comunhão. E só podemos reconstruir o lar mais espaçoso para o Povo de Deus se compreendermos o exílio que os outros experimentam. Só reconstruiremos a Igreja como a nossa casa comum se tivermos imaginação para entender o sentimento de exílio dos outros e trabalharmos para construir uma comunidade na qual possam sentir que também é sua.

As primeiras páginas da *Communio* punham a restauração do lar no coração do seu programa. Lembremos a aspiração que deu origem à revista: "A necessidade de uma publicação que comunique o sentido de comunhão que é a vida interior da Igreja". Muito do que veio depois do Concílio foi vivido como planificação urbana, como a destruição do nosso bairro. Os teólogos que escreviam na *Concilium* eram vistos como se estivessem construindo autoestradas através das comunidades, demolindo as pequenas lojas e as instituições que as pessoas amavam. Religiosos rasgaram os seus hábitos; igrejas foram viradas do avesso; os velhos cânticos e devoções desapareceram. Lembro-me de um jovem

---

[10] C. J. Ruddy, "Tomorrow's Catholics", in *The Christian Century*, 25 de janeiro de 2003, pp. 24-32.

[11] D. Tracy, "The Uneasy Alliance Reconceived Catholic Theological Method, Modernity, and Postmodernity", in *Theological Studies*, Set. de 1989, 50/3.

frade, hoje uma figura venerável, derrubando dos seus pedestais, com grande prazer, as velhas estátuas da capela do nosso noviciado.

Ao mesmo tempo, ocorria o "terremoto" da sociedade civil: a destruição da família, a subida do número de gravidezes nas adolescentes, o alastrar da droga, o crescimento da pobreza nos centros das cidades e a secularização. Havia uma dupla destruição do lar familiar, tanto na Igreja como na sociedade. Percebe-se por isso este forte desejo de restaurar o lar eclesial, de reconstruir a sua lareira. Isso significava recuperar os sinais da identidade católica. Em vez de aderir ao mundo moderno e perder a nossa cultura, a nossa maneira de pensar e de ser, precisávamos restaurar uma linguagem teológica que fosse propriamente católica: maneiras católicas de pensar, de rezar e de falar, marcadores católicos de identidade que possam resistir às ameaças de aniquilamento. Era o momento de reconectarmo-nos com nossas raízes, com os afro-americanos reivindicando a herança africana, os americanos irlandeses aprendendo o gaélico que seus pais não lhes transmitiram e os católicos voltando à Bênção do Santíssimo e à velha sabedoria.

Isto atrai, naturalmente, os jovens que nunca conheceram a Igreja pré-conciliar e sonham com uma pátria perdida. Muitos ingleses sonham com ir viver em uma aldeia tradicional inglesa, com as suas tabernas e igrejas medievais e com os seus amplos campos. Pagam avultadas somas por casas na região dos Cotswolds. Podem não ser capazes de dizer quando uma vaca está de frente ou de costas, mas tudo isso evoca o desejo humano do retorno a um lar idílico, a um paraíso perdido. Seria errado, no entanto, ver nos católicos de Comunhão apenas uns saudosistas idealizando o passado. Hans Urs von Balthasar e Henri de Lubac, por exemplo, foram teólogos profundamente criativos e muitos dos "novos movimentos" que se identificam com a tradição da Comunhão são grandemente inovadores e estão explorando novas maneiras de os leigos viverem a sua fé.

Entretanto, os católicos do Reino estão passando por um choque das raízes simétrico. A experiência intensa da colegialidade do Concílio acabou e os Padres conciliares foram dispersos. Agora tudo parece ter voltado ao que era antes. A peregrinação do Povo de Deus para o Reino estacou, parada. O Vaticano parece ter retomado as rédeas do poder. A Igreja não está se tornando o lar que sonhamos. E, tal como os católicos da Comunhão, encontramos na sociedade civil um choque das raízes em tudo semelhante. Os sonhos utópicos da década de 1960 não foram realizados. Não estamos a caminho de um mundo justo e igualitário no qual seria eliminada a pobreza. A desilusão foi particularmente dura para os teólogos latino-americanos da teologia da libertação. Cuba não era o paraíso que se tinha desejado. O capitalismo triunfava e o fosso entre ricos e pobres crescia. O sonho do socialismo revelara-se um pesadelo. Em 1989, caiu o Muro de Berlim. Soube-se dos massacres na China de Mao Tsé-Tung e da crueldade tresloucada da Revolução Cultural.

Ambos os grupos experimentaram, portanto, um choque das raízes, um sentimento de alienação e exílio. Cada um dos partidos se considera como marginalizado pela cultura dominante. Os católicos da Comunhão consideraram-se como resistentes em face da cultura destruidora do relativismo libertário, à qual os católicos do Reino parecem ter sucumbido. E os católicos do Reino consideraram-se como resistentes ao fundamentalismo destruidor e à conformidade com os costumes deste mundo, aos quais acreditam que os católicos da Comunhão se submetiam. Com um pouco mais de imaginação, cada um podia ter observado o outro e reconhecido nele a sua imagem simétrica e, dessa forma, tido mais compreensão e simpatia.

Como Bauman observou, vê-se a substituição da comunidade pela identidade. Os católicos, muitas vezes, vieram a sentir-se mais à vontade com os protestantes da mesma tendência do que com outros católicos. Os católicos da Comunhão, surpreendentemente, começaram a sentir afinidade com os protestantes evangélicos e, os católicos liberais, com os protestantes liberais. Em uma sociedade que está progressivamente polarizando-se entre esquerda e direita, é cada vez mais tentador ver a pertença a um partido como fundamental para o sentido de identidade. As agências que organizam encontros para pessoas solitárias têm como primeira pergunta: "Em que partido político vota?". Assim, os católicos começaram a considerar-se como progressistas ou tradicionalistas, como liberais ou conservadores, todos termos que são essencialmente não católicos. Uma vez arruinada a complexa ecologia da Igreja e destruída a nossa vizinhança cultural, são outras pessoas que começam a dizer-nos quem realmente somos. É por isso que fico profundamente ressentido quando me perguntam se sou liberal ou conservador. É a pergunta errada. É como perguntar a um homem quando deixou de bater na sua mulher.

Muitos católicos sentem a cólera que vem do choque das raízes. Recordemos as palavras de Thompson Fullilove: "O choque das raízes torna as pessoas resmungonas crônicas, a vociferar queixas típicas de que o seu mundo lhes foi tirado". É essa espécie de cólera que se encontra em reuniões de católicos em algumas partes do mundo, uma cólera que projetamos contra o outro lado. Cada um dos lados censura o outro pela demolição da casa da família, mas não faz nada para a reconstruir.

No final de *Root Shock*, a autora escreve lindamente: "Todos fomos expulsos de casa, mas nenhum de nós alcançou segurança. Poderíamos optar por continuar a proceder às cegas. Mas também poderíamos reconhecer que podemos aproveitar a caminhada para criar a meta dos nossos sonhos, na comunidade de todos nós. Demos ouvidos ao sino; é por nós que está dobrando. É tempo de ir para casa".[12] Também é por nós, católicos, que os sinos dobram. Como poderemos todos, uns e outros, regressar à casa comum?

A Comunhão Anglicana também está, neste tempo, sofrendo de profundas feridas. Em fevereiro de 2005, houve um encontro dos 38 Primazes da Igreja Anglicana para tentar sarar as suas divisões, especialmente acerca da ordenação do clero ativamente homossexual. Mas a tensão mais profunda que tinham de enfrentar era precisamente como a nossa: como manter a comunhão? Rowan Williams, o Arcebispo de Cantuária, pregando nas Vésperas, na conclusão do encontro, disse:

> Portanto, o que se requer de nós que fomos chamados a esta convivência? É-nos requerido, antes de mais nada, saber que foi Cristo que estabeleceu a paz. Em outras palavras, não devemos angustiar-nos. Poderá ser um conselho fatal para qualquer Igreja e, neste momento, particularmente para a Comunhão Anglicana, mas apesar disso é o que Cristo nos diz. Ele fez a paz, e a nossa

---

[12] Op. cit., p. 239.

vida repousa sobre o que Ele fez, e sobre mais nada. Por isso, os nossos esforços para fazer a paz e para dar testemunho da paz no mundo, assim como na Igreja, não devem ser caracterizados por empenhamentos ansiosos, por ativismo desesperado, pela paixão de ter tudo arrumado e certo, já. Ele fez a paz pelo sangue da sua Cruz e nós vivemos na plenitude do que Ele fez e aquecemo-nos na coluna de fogo que colocou no meio de nós, entre a Terra e o Céu, pela sua oração e o seu sacrifício.[13]

Volto mais uma vez à Última Ceia, esse sinal que tem orientado tantas destas reflexões. É o momento em que Jesus nos dá a Nova Aliança. E que nos diz sobre o nosso lar na Igreja? Como pode ser o sinal de um lar em que cada um, independentemente das suas simpatias ou compromissos, possa estar à vontade?

A narrativa de Marcos acerca do que aconteceu diz o seguinte:

> Enquanto comiam, tomou um pão e, depois de pronunciar a bênção, partiu-o e entregou-o aos discípulos dizendo: "Tomai: isto é o meu corpo". Depois, tomou o cálice, deu graças e o entregou-lhes. Todos beberam dele. E Ele disse-lhes: "Isto é o meu sangue da aliança, que vai ser derramado por todos. Em verdade vos digo: não voltarei a beber do fruto da videira até o dia em que o beba, novo, no Reino de Deus" (Mc 14,22-25).

A ligeira diferença nas palavras sobre o pão e a taça são a chave deste texto. O pão é dado apenas aos discípulos. A taça também, mas o Sangue é derramado pela *multidão*, e não será bebido de novo por Jesus até o evento do Reino. O pão é dado à pequena comunidade do cenáculo. Os seus discípulos partilham-no juntos.

---

13 Do *website* do Arcebispo de Cantuária.

A taça visa à comunidade maior da multidão, o que é traduzido nas nossas preces eucarísticas – talvez com maior exatidão – por "todos". Aponta para o Reino, para o qual todos são chamados. A narrativa de Mateus tem exatamente o mesmo contraste entre o pão e a taça. Lucas fala de duas taças, e as palavras que acompanham a primeira fazem referência ao Reino. No Evangelho de João não há, como se sabe, uma narrativa da instituição da Nova Aliança, nesta última noite, mas uma espécie de tensão semelhante. É a reunião do círculo dos mais íntimos discípulos de Jesus, aqueles a quem já não chama servos mas amigos. É um momento íntimo de comunhão. E, no entanto, mesmo no fim, Jesus ora, "não apenas por estes, mas também por aqueles que hão de crer em mim, por meio da sua palavra, para que todos sejam um só; como Tu, ó Pai, estás em mim e Eu em ti" (17,20s). Antes, Jesus tinha referido uma comunidade mais vasta: "Tenho ainda outras ovelhas que não são deste redil. Também estas Eu preciso trazê-las e elas hão de ouvir a minha voz" (10,16).

Esta celebração da nova Aliança, o dom do nosso lar, contém, pois, uma tensão entre o juntar estes discípulos, os amigos íntimos de Jesus, na comunhão e o chegar a todos na plenitude do Reino. O pão é "para vós" e a taça é "para vós e para todos". Esta tensão é uma parte intrínseca da Última Ceia e de qualquer Eucaristia. Sugiro que a tendência dos católicos da Comunhão é a de privilegiar a primeira, a bênção do pão. Jesus é quem funda a Igreja, que nos reúne a todos, juntos à volta do altar em comunhão íntima. Isto, como foi dito no primeiro número da *Communio,* é a vida interior da Igreja. É o nosso lar.

O partido do Reino privilegia o segundo momento, a bênção da taça que se estende para a plenitude do Reino, no qual a humanidade inteira é chamada à unidade. Evoca o Cristo que ultrapassa todos os limites, toca nos leprosos e se abre aos samaritanos, transgride a Lei e rompe as barreiras. Evoca a Igreja voltada para fora, para tudo o que é humano e que procura os sinais do Espírito atuando no mundo. Para tal visão da Igreja, o empenhamento na libertação dos pobres e a luta pela justiça são centrais. A denominação católica habitual para a Eucaristia, "a Missa", vem das últimas palavras da Eucaristia em latim: *Ite, missa est.* Os liturgistas não conseguem chegar a um acordo sobre a origem e a tradução destas palavras – de fato, os liturgistas raramente estão de acordo sobre coisa alguma! As palavras dão a entender o envio de algo, no feminino. Alguma coisa é enviada? Ela é enviada? São Tomás sugere que é o sacrifício – *hóstia* – que nos é enviado por Deus e reenviado por nós a Deus. Habilidoso mas, desta vez, pouco convincente![14] Qualquer que seja a sua origem, é significativo que o sacramento da Nova Aliança receba o seu nome da dispersão que tem lugar na conclusão. Reunimo-nos apenas para sermos enviados e dispersos.

Esta tensão é o dinamismo necessário da Última Ceia e da vida da Igreja, e foi assim desde o princípio. Foi provavelmente, pelo menos no início, a tensão entre Pedro e Paulo. Pedro tinha sido chamado por Jesus para pertencer a uma comunidade que, na sua origem, era judaica. Uma ou outra vez, Jesus pode ter tido aberturas para com os estrangeiros, mas o círculo íntimo – os Apóstolos – era formado por judeus e eles foram enviados "às ovelhas perdidas da casa de Israel". Esta era uma percepção da comunidade que, para muitos dos primeiros discípulos, seria inimaginável questionar. Mas a Igreja tinha sido fundada havia

[14] Tomás de Aquino, *ST*, III, 83, 4 ad 9.

muito pouco tempo quando a abertura de Paulo aos gentios parecia subverter o âmago da sua própria identidade.

Como pôde a Igreja sobreviver a esta transformação e, apesar disso, permanecer a comunidade fundada por Jesus na noite antes da sua morte? Como pôde ser fiel tanto ao pão partilhado como à taça derramada? No cerne da Última Ceia havia uma força centrífuga e outra centrípeta cujo equilíbrio tem de ser mantido para que a Igreja evite, por um lado, ser apenas mais uma seita judaica e, por outro, perder a continuidade com o seu fundador. É quase impossível para nós imaginar o quanto aqueles anos devem ter tido de turbulento e de criativo. Foi o drama da adolescência da Igreja e, como todas as adolescências, foi maravilhoso e assustador! Pedro e Paulo enfrentaram-se em Antioquia, mas morreram juntos em Roma como gêmeos fundadores daquela sé. A Igreja prosperou porque conseguiu, por uma unha negra, agarrar-se a esta tensão dinâmica.

No capítulo anterior, vimos como o sofrimento dos indígenas de Hispaniola (São Domingos) provocou uma nova compreensão dos direitos humanos. Estas pessoas eram os portadores de direitos humanos – afirmavam Bartolomeu de Las Casas e Francisco de Vitoria –, independentemente de serem ou não cristãos e mesmo se, como os astecas mexicanos, realizavam ações, como sacrifícios humanos, que os cristãos consideravam moralmente repugnantes. Tinham esses direitos porque eram seres humanos e, portanto, feitos à imagem de Deus. Mas o encontro com estes estrangeiros, que nunca até aí tinham ouvido o Evangelho, foi também um repto para a autocompreensão da Igreja. Foi o princípio do fim da "Igreja europeia", a velha Cristandade. Aceitar estes estrangeiros como cristãos desafiava a compreensão da espécie de comunidade que a Igreja é. Este é o drama que ainda hoje estamos vivendo, com a Igreja tornando-se, pela primeira vez, verdadeiramente global, a instituição mais profundamente global que existe. No Conselho Geral dos dominicanos há catorze frades. Quando eu era mestre-geral, eles provinham, em determinado momento, de catorze países e dos cinco continentes. Isto exige uma morte e renascimento da Igreja, a perda de uma antiga identidade eurocêntrica, ao mesmo tempo em que rastejamos para um pouco mais perto do vasto mundo do Reino. Como podemos fazê-lo permanecendo a mesma comunidade, os herdeiros daquele pequeno grupo de discípulos que Jesus juntou no cenáculo antes de morrer?

Esta dinâmica está no coração do ser católico romano. Estou certo de que as outras Igrejas cristãs também encontram uma tensão semelhante no coração das suas vidas. Ser romano é ser de uma comunidade singular. Somos os herdeiros de uma tradição singular ou, antes, de uma rede de tradições. Herdamos maneiras de falar e de pensar, rezar e governar, viver e morrer. Estamos juntos, ligados a esta comunidade singular pela comunhão com a Sé de Roma. Mas também somos católicos, o que significa que tendemos à universalidade, desejosos de nos abrirmos à inimaginável diversidade de sabedoria e culturas humanas. O que quer dizer que estamos sempre impacientes com qualquer identidade que pareça fechada, acabada e definida. Estamos a caminho do Reino e é lá que vamos descobrir o segredo da nossa identidade escondida em Cristo. Esta tensão da nossa identidade simultaneamente conhecida e escondida aparece na Primeira Carta de São João: "Caríssimos, *agora* somos filhos de Deus e *ainda não* se manifestou o que havemos de ser, mas sabemos que quando se manifestar seremos semelhantes a Ele, porque o veremos como Ele é" (3,2s).

O desafio é o de manter esta tensão com dinamismo e com vida. Se nos tornamos só romanos, seremos apenas uma seita, um grupo introvertido de pessoas com a sua linguagem própria, a Igreja de tipo fortaleza, segura da sua identidade, mas fechada. Não seríamos sinal do Reino. Seria como se os Apóstolos se tivessem instalado em Jerusalém e recusado pregar o Evangelho a todo o mundo. De fato, foi isto que tentaram fazer, como a Igreja frequentemente faz, mas a perseguição desfez a comunidade de Jerusalém e espalhou os primeiros cristãos por todo o Império. Saulo ia de casa em casa à procura dos cristãos, forçando-os a fugir e, assim, profeticamente, já promovia a difusão da fé que desejava esmagar. Se hoje tentarmos refugiar-nos dentro das muralhas de uma Igreja-pequena fortaleza, podemos estar certos de que Deus a deitará abaixo.

Mas, se nos tornarmos apenas católicos e perdermos aquele enraizamento na singularidade da nossa comunidade, com as suas maneiras herdadas de pensar e de falar, estaremos correndo o risco de ser apenas um movimento vago, a gente de Jesus, arrastando-nos caoticamente sem uma direção perceptível. Uma Igreja assim também não seria um sinal credível do Reino. Isto significa que a Igreja só pode ser um sinal do Reino se for um "nós" identificável, mas um "nós" sempre se rasgando e se abrindo, esticando-se para o "todos".

Não pode haver vitória de nenhum dos partidos, Reino ou Comunhão, porque isso seria a derrota da Igreja. O desafio é de manter em vida a tensão dinâmica entre a taça e o pão, entre a reunião em comunidade e a abertura a toda a humanidade, entre a nossa identidade como dada e desconhecida. Esta é a respiração da Igreja, a sua inspiração e expiração. A história da salvação diz-nos como a humanidade se mantém viva pelo ritmo da respiração de Deus dentro de nós. Deus soprou para o barro e deu vida a Adão. Cristo expirou na cruz e redimiu a queda de Adão e Eva. No Domingo de Páscoa, Jesus apareceu no meio dos apóstolos no cenáculo e disse-lhes: "A paz esteja convosco. Como o Pai me enviou, também Eu vos envio a vós". E quando tinha dito isto, soprou sobre eles e disse: "Recebei o Espírito Santo" (Jo 20,21). Esta passagem inspira-se na narrativa da criação de Adão na LXX, a tradução grega do Antigo Testamento. Os nossos pulmões enchem-se e esvaziam-se e voltam a encher-se. O sopro de Deus dá o oxigênio ao nosso sangue.

O Papa João Paulo II insistiu, muitas vezes, que a Igreja devia aprender a respirar com os seus dois pulmões, o Oriente e o Ocidente. De fato, devemos. Também devemos aprender a respirar para dentro e para fora, e dar oxigênio ao sangue da Igreja. Precisamos inalar o sopro com os católicos da Comunhão e expelir o sopro com os católicos do Reino, se quisermos que os nossos pulmões funcionem bem e o Corpo de Cristo permaneça vivo. Estas ações parecem estar em concorrência ou mesmo em conflito. Uma parece ser a negação da outra. Mas não é assim, porque é do ritmo da respiração que vivemos. As tensões dentro da Igreja não nos fizeram parar de respirar mas, por vezes, deram ao Corpo de Cristo ataques de asma. Como reaprender a respirar facilmente? Esse é o assunto do próximo capítulo.

Capítulo 10

A criação de pandas

Como poderemos curar as feridas do Corpo de Cristo? Como poderemos aprender a respirar de novo ao ritmo da Eucaristia, reunindo as pessoas em comunidade para a partilha do Pão e em tensão para fora, para a plenitude do Reino?

No seu sermão no encontro dos Primazes da Comunhão Anglicana, Rowan Williams lembrou-nos de que a Igreja é um santuário. Disse ele:

> Um santuário. Mas lembrem-se dos dois sentidos da palavra santuário, na prática comum. Um santuário, sim, um templo para Deus; mas um santuário – um lugar de refúgio, um lugar de asilo, para usar uma palavra muito atual. Um lugar onde aqueles que precisam de um lar e não têm nenhum o podem encontrar. De modo que, ser construída por Deus como um santuário, um templo vivo, não significa ser construída para ser um determinado espaço sagrado fechado. É para ser construída num templo cujas portas estão sempre abertas, onde Deus pode ser encontrado e a paz de Deus tem impacto. A respeito de tudo isto, que conversão profunda nos é exigida? Como nos damos tão prontamente a lutas angustiadas, como se Cristo não tivesse morrido e sido ressuscitado! Como é desajeitada a nossa maneira de nos sentar para

rezarmos juntos e adorarmos juntos! Como é fácil para nós fecharmos as portas! Mas somos chamados a ser um reino de sacerdotes e a construir um templo, onde o mundo possa ser convidado, possa ver, possa ser transfigurado.

O arcebispo insiste que a reconstrução desta casa exige uma profunda conversão. Gostaria de explorar, neste capítulo, o modo como esta conversão tem de tocar na maneira de falarmos uns com os outros dentro da Igreja, para sarar a divisão. As palavras podem dar vida ou morte, podem ferir ou curar. No princípio, era a Palavra de Deus, e a Palavra fez-se carne entre nós. No coração da espiritualidade cristã está o uso das palavras. Deus confiou a Adão o encargo de pôr um nome aos animais. Era partilhar o ato divino da Criação de Deus, dizer palavras que trazem as coisas à existência. É um dos atos mais moralmente responsáveis de qualquer ser humano. Como Emily Dickinson disse:

Pudesse um lábio mortal adivinhar
A carga inexplorada
De uma sílaba entregada
Ruiria sob o peso.[1]

Comecemos com as palavras que não dizemos, os silêncios que ferem a Igreja. Por que dizemos tão pouco uns aos outros? Este silêncio tem caracterizado as nossas palavras desde o início. Quando Deus veio à procura de Adão e Eva, depois do seu pecado, eles esconderam-se porque não queriam falar. Vimos o silêncio das mulheres no túmulo. Tem sido dito que o silêncio na Igreja foi intensificado depois da Guerra dos Trinta Anos, no século XVII.

---

1 E. DICKINSON, op. cit., p. 602.

É quase impossível imaginarmos o horror verdadeiramente brutal dessa guerra, na qual os cristãos se voltaram uns contra os outros com uma ferocidade sem precedentes. Um dos frutos amargos dessa laceração do Corpo de Cristo foi um silêncio mais profundo. Havia coisas que já não se podiam debater quer entre as Igrejas cristãs quer dentro das Igrejas. Brotou um novo dogmatismo. Havia menos debate do que na Igreja medieval, na qual se podia virtualmente argumentar em favor de qualquer proposição, por mais louca que fosse. Stephen Toulmin, da Universidade da Carolina do Sul, argumenta que,

> a partir daí, os apóstatas deixaram de encontrar piedade. Os compromissos teológicos tornaram-se mais rigorosos e exigentes. Houve menos possibilidade de debate doutrinal crítico, e não mais. Pela primeira vez, a necessidade de cerrar fileiras e defender o catolicismo contra os heréticos protestantes foi uma ocasião para elevar doutrinas-chave acima do alcance da reconsideração, mesmo pelos crentes mais leais e convictos. A distinção entre "doutrinas" e "dogmas" foi inventada pelo Concílio de Trento. O catolicismo da Contrarreforma, portanto, foi a tal ponto dogmático que o cristianismo anterior à Reforma – por exemplo, o de um São Tomás – nunca poderia ter atingido.[2]

Desse modo, a grande ferida do cristianismo do século XVII debilitou a capacidade de debate dentro da Igreja. Em face do inimigo, tivemos de acatar a linha do partido e manter-nos fiéis às formulações exatas das posições dogmáticas. Todo aquele que levantasse questões ou conservasse algumas dúvidas estava a subverter a causa comum. Eram a quinta coluna, estavam

---

[2] S. TOULMIN, *Cosmopolis: The Hidden Agenda of Modernity*, Chicago, 1990, p. 19.

do lado do inimigo, eram criptoprotestantes. E Toulmin mostra que se encontrava igualmente a mesma espécie de dogmatismo nas Igrejas protestantes. Não era específico dos católicos. Era o começo da Idade Moderna. Por isso, há certa beleza em, procurando compreender um caminho para lá das divisões dentro da Igreja Católica romana, eu ter recorrido por duas vezes às palavras do Arcebispo de Cantuária, o chefe de uma Igreja separada da nossa, desde esse lamentável momento.

Ainda não ultrapassamos esse silêncio. Em "Chamados a ser católicos" – a declaração inaugural constitutiva da Iniciativa Católica pelo Terreno Comum (nos Estados Unidos) – somos acautelados de que, "no vasto leque de pontos de vista no interior da Igreja, as propostas são submetidas a testes de verificação ideológica. Ideias, periódicos e líderes são pressionados a se alinharem com campos preexistentes e são vistos com suspeição quando se afastam destas expectativas".[3] A destruição da casa comum do cristianismo na Europa levou-nos, há séculos, a uma espécie de política de identidade – e, por isso, não se deve projetar uma imagem demasiado acolhedora da Igreja anterior ao Vaticano II – e isto tem-se intensificado. Tem de se dizer o que está correto para se pertencer. "Ela é segura?", poderão perguntar os católicos de Comunhão. "Ele é aberto?", perguntarão por sua vez os católicos do Reino. "É um dos nossos?" Isto lembra-me de um texto de Santo Agostinho: "As nuvens do céu proclamam pelo mundo afora que a casa de Deus está sendo construída. Mas estas rãs sentadas no seu charco grasnam: 'Só nós somos cristãos'".[4]

---

3 Do *website* de Catholic Common Ground.

4 AGOSTINHO, *Enarratio in Psalmum XCV*, in *Augustini Opera Omnia*, Vol. IV, Migne, p. 1234.

O Concílio Vaticano II tentou quebrar este silêncio. João XXIII desejava um concílio pastoral e não dogmático. Comentou em relação a um documento proposto que havia nele dezessete centímetros de condenações! E consta que ele apenas terá feito uma declaração infalível. Diz-se que, quando visitou a casa-geral dos dominicanos, em Santa Sabina, e foi ao terraço do Mestre da Ordem, teria dito: "Esta é a melhor vista de Roma e isto é infalível!". Mas o Concílio deixou imensas coisas por dizer ou, pelo menos, por resolver. Talvez fosse necessário e inevitável, do contrário o Concílio nunca mais teria terminado. Mas, desde então, temos estado preocupados com o que o Concílio não disse.

O silêncio aumentou em 1968, com a contestação à *Humanae vitae*. Padres que exprimiram o seu desacordo foram silenciados. Milhões de leigos optaram simplesmente pelo silêncio. Houve áreas da sua vida de que deixaram de falar, mesmo no confessionário. A expansão do nosso diálogo comum recuou um bocado. Houve uma disjunção mais profunda entre o que se dizia em voz alta e o que se pensava em silêncio. E depois outras questões, como a da ordenação das mulheres, que foi declarada encerrada, o que provocou ainda mais discussão.

É importante ver que este silêncio não é um problema apenas dos católicos ou só cristão: é uma característica de um mundo que sofre há bastante tempo de uma crise de desenraizamento, dos traumas do choque das raízes. Por todos os lados, exercem-se pressões para a construção de comunidades dos que pensam da mesma maneira. Uma das suas manifestações é a subida do politicamente correto. Isto levanta problemas realmente difíceis que não temos tempo de aprofundar. Fiquei admiradíssimo com as notícias da indignação que acolheu um recente discurso do presidente da Universidade de Harvard. Pode ter sido noticiado sem exatidão pelos jornais britânicos ou, talvez, tenha dito qualquer coisa de terrível, mas os relatos que eu li davam a entender que ele não teria feito mais do que afirmar que homens e mulheres podem distinguir-se em áreas diferentes e tenderiam a ter também diferentes aptidões mentais. No entanto, essa afirmação não podia ter sido feita, sobretudo numa universidade, mesmo que aparentemente não defenda espécie alguma de desigualdade entre homens e mulheres. Frequentemente, a discussão é proibida, não por causa do que é dito, mas por causa do que se possa julgar que se quer dizer ou que possa ser utilizado para defender uma posição de fato inaceitável. Muitas vezes, a questão do politicamente correto é não o que se diz, mas "a mensagem que poderia passar". Não se deve dar "o sinal errado". Isto traduz uma profunda desconfiança da inteligência das pessoas e uma compreensão da linguagem em termos de *sound bites*, em vez de uma ferramenta delicada com a qual se procura o entendimento.

Evidentemente, há coisas que não se dizem: qualquer coisa que destrua a reputação pública de uma pessoa, a negação da dignidade fundamental de qualquer grupo – as mulheres ou qualquer comunidade étnica ou os pobres –, a negação de qualquer evento escandaloso como o Holocausto. Nem tudo pode ser dito. Mas, sem dúvida, a Igreja tem de tornar-se um espaço de uma liberdade provocadora, no qual ousamos lançar ideias, pôr à prova hipóteses, afirmar uma verdade incômoda e impopular, dizer ao Rei que está nu ou ouvir dizer que nós é que estamos nus. Nunca nos poderemos aproximar do mistério se não tivermos a lúdica liberdade dos filhos de Deus, se não fizermos experiências e errarmos e avançarmos às apalpadelas para a verdade.

Vimos, muitas vezes, que os cristãos deveriam ser aqueles que continuam a levantar questões, quando todos os outros pararam de o fazer.

O silêncio pode ser causado pela discrição. Era uma das características dos sábios no Antigo Testamento. "Guardai, Senhor, a minha boca, defendei a porta dos meus lábios" (Sl 141[140],3). As palavras são tão poderosas que não se devem lançar sem cuidado. Mas o silêncio pode também ser sinal de morte, o silêncio do túmulo, a extinção da palavra de vida. "Não são os mortos que louvam o Senhor nem quantos descem ao silêncio" (Sl 115,17[113,25]). Nós acreditamos na ressurreição, na qual a Palavra de Deus quebrou o silêncio da sepultura na manhã de Páscoa. Por isso devemos ousar falar.

E então como vamos falar? Em que poderia consistir uma espiritualidade do falar e do escutar? É a ascese e o encanto de se encontrar com os que pensam diferentemente de nós, sentem diferentemente, habitam mundos diferentes. Todos nós devemos a nossa existência ao encontro da diferença. Cada um de nós é o fruto do encontro de um homem e de uma mulher. Como se costuma dizer na política francesa: "*Vive la différence!*". A diferença é a fonte da fertilidade e de nova vida. No Benim, visitei uma fazenda ecológica, dirigida pelos dominicanos, e Nzamujo, um dominicano nigeriano que criou o projeto, teve muito prazer em dizer-me que os porcos dessa fazenda eram o resultado de um cruzamento entre gordos porcos brancos de Yorkshire, como eu, e pequenos porcos pretos, como ele!

Um dos modos de a modernidade tender para a esterilidade é temer a diferença e refugiar-se no igual. A destruição do lar, o choque das raízes, torna-nos receosos dos que não são como nós, mas, se não corremos esse risco, não teremos filhos. Será apenas uma coincidência o fato de as taxas de natalidade no Ocidente estarem caindo drasticamente? As diferenças custam muito mais a serem suportadas se são de pessoas que nos são próximas, a quem se pertence. Toleram-se posições extravagantes em estrangeiros, que seriam intoleráveis em familiares. Um teólogo da tendência de Comunhão confessou-me que só conseguia lidar com as posições dos "liberais" fazendo de conta que não eram seus correligionários católicos. A Igreja também só terá filhos se ousarmos a arriscada e estimulante aventura de ir ao encontro dos que pensam diferentemente.

Nos tempos modernos, o modelo típico para lidar com opositores é o do tribunal. Quando não se consegue chegar a acordo, a lei que decida. A sua linguagem é contraditória. Só um dos lados ganha. Também nós, frequentemente, na Igreja, recuamos para o contraditório, que é a rejeição de um encontro frutuoso. Isto acontece nos dois lados. John Cornwell, um católico liberal inglês bem conhecido, escreveu um livro chamado *O Papa no inverno: o lado sombrio do papado de João Paulo II* (2004). É um livro acusatório contra o Papa. Andrew Greeley, na sua recensão para o *Tablet,* escreveu que "Cornwell preparou um vigoroso dossiê de advogado contra a presente administração papal".[5] Os últimos livros de Hans Küng, um dos fundadores da *Concilium*, dão muitas vezes a impressão de estarem surdos a outras posições, descrevendo os pontos de vista "do outro lado" em termos tais que os tornam absurdos. É uma maneira de evitar um empenhamento sério com outros pontos de vista. Mas muita gente, na outra ala da Igreja, procede exatamente da mesma maneira, esmiuçando

[5] 13 de novembro de 2004, p. 22.

as opiniões das pessoas em busca de erros, em campanha contra as pessoas de posições errôneas para as condenar por heresia. É o que John Allen chama "catolicismo talibã".[6] O cardeal Yves Congar escreveu que a primeira condição da reforma da Igreja era a *caritas*, "aquele amor desinteressado e realista que quer apenas o bem do outro".[7] Não se trata apenas de um assunto do coração, mas da cabeça. É usar a inteligência para compreender os que são diferentes. É falar e escutar de maneira a criar comunhão.

No verão de 2004, tomei parte em um Capítulo Geral da Ordem, em Cracóvia. O documento sobre a pregação provocou uma longa e acalorada discussão. É um assunto com o qual os dominicanos se preocupam! O texto proposto ao Capítulo para debate defendia que "devemos aprender a humildade e sermos dóceis perante a sabedoria e a linguagem da experiência dos outros, das quais nós, como pregadores, recebemos muito mais do que damos. Como Domingos, somos apenas mendicantes, esperando em silêncio por uma palavra de Deus ou de outros". Era uma afirmação desassombrada, mas alguns irmãos no capítulo reagiram fortemente. Devemos proclamar o Evangelho e a doutrina da Igreja. Temos um ensino a oferecer. Era o enfrentamento típico entre católicos do Reino e de Comunhão. Evidentemente, corrigimos o texto e encontramos o nosso caminho em frente para um consenso mais ou menos amigável.

Mais tarde, refleti que poderíamos ter conseguido muito mais se tivéssemos tido tempo. Este enfrentamento de pontos de vista diferentes podia ter sido mais fértil. Isso significa não

---

6 J. ALLEN, "A Spirituality of Dialogue among Catholics", in *Origins*, 34, 15 de julho de 2004.

7 C. RUDDY, "Tomorrow's Catholics", op. cit.

apenas a negociação de um compromisso mas, sobretudo, compreender por que motivos não estamos de acordo. O que exigiria não apenas ouvir as palavras dos outros irmãos, mas compreender as suas experiências. Quais são as histórias das suas vidas que os fazem pensar de outro modo a respeito da pregação? Alguns irmãos falaram a partir da sua longa experiência de diálogo com o islamismo, da infinita e humilde paciência de tentar criar relações de amizade com membros de outra fé. Outros falaram a partir de uma experiência totalmente diferente, da luta pela sobrevivência sob o regime comunista, agarrando-se à fé, apesar da perseguição, de ousar manter-se firme nas suas crenças, apesar da ameaça da prisão. Vidas dominicanas tão diferentes dão naturalmente compreensões diferentes do que seja pregar. Temos não só de ouvir as palavras uns dos outros, mas também a experiência donde brotam. Confrontados com uma mera afirmação, podemos simplesmente discordar, mas, se escutarmos a história de vida de um irmão, podemos ser capazes de fazer o salto da imaginação requerido para entender por que motivo ele pode sustentar outra opinião e por que motivo, em função dessa narrativa, pode fazer todo o sentido que ele o faça.

Ludwig Wittgenstein escreveu que "o significado de uma palavra é o seu uso na linguagem".[8] Como está a outra pessoa usando a palavra? É preciso tempo e atenção para o descobrir. Preciso ver o papel que desempenha na sua vida. Se é usada de maneiras que me surpreendem, preciso compreender o que se passa, o que se está fazendo com a palavra. Quando cheguei a Roma, passei um documento a um dominicano americano e pedi-lhe a sua opinião. Ele disse que era "muito bom" (*quite good*). Não

[8] L. WITTGENSTEIN, *Philosophical Investigations*, Vol. I, Oxford, 1963, § 43, p. 20.

gostei. Para um inglês, isso significa que é bastante mau. E foi quando ele disse que um prato de massa especialmente saboroso estava "muito bom", que me dei conta que ele usava as palavras em sentido diferente!

Quando falamos acerca do que há de mais profundo nos nossos corações, falamos a partir de qualquer coisa. Falamos a partir da *Gaudium et spes*, das vitórias e derrotas que deram forma às nossas vidas e aos nossos espíritos. Somos todos moradores de um lar espiritual, de um lugar delimitado e planejado com os seus mapas e sinalizações. Isto dá-nos identidade. Mas cada um destes lares oferece o seu próprio acesso a Deus, a sua janela para a eternidade.

Seamus Heaney, o poeta irlandês que recebeu o prêmio Nobel, escreve acerca da experiência da sua casa quando era criança e da Irlanda do Norte cujos contornos e solo e vocabulário o formaram. De pé, aí, nesse lugar especial, pode vislumbrar um céu sem limites. Ele escreveu:

> Os romanos guardavam uma estátua de Terminus [o deus dos limites] no templo de Júpiter, no Capitólio, e o interessante é que o telhado por cima do lugar onde a estátua se encontrava estava aberto ao céu, como que dizendo que um deus dos limites e das fronteiras da terra precisa ter acesso ao interminável, a toda a altura ilimitada e à largura e profundidade dos próprios céus. Como se dissesse que todos os limites são males necessários e que a condição verdadeiramente desejável é a de sentir que não se está limitado, que se é rei de um espaço infinito. E é dessa dupla capacidade que possuímos como seres humanos – a capacidade de sermos atraídos, precisamente ao mesmo tempo, para a segurança do que é intimamente conhecido e para os desafios e arrebatamentos

> do que está para lá de nós mesmos – que a poesia jorra e a ela se dirige. Um bom poema permite-lhe ter, ao mesmo tempo, os pés no chão e a cabeça no ar.[9]

Poderia dizer-se a mesma coisa também de uma boa espiritualidade. A particularidade é o ponto de partida na nossa caminhada para o infinito e o universal.

Quando encontramos alguém muito diferente de nós próprios podemos primeiro detectar como é diverso de nós. Ele é irlandês e não inglês, como eu. Ela é uma mulher e não homem, como eu. Ele é um jovem conservador irritadiço e não, como eu, um velho liberal encantador e aberto. Mas, para realmente escutar o que me dizem, devo alegrar-me com a diferença, vê-la como um outro lugar para estar de pé e olhar para o alto. Posso avançar na ponta dos pés para o seu chão, imaginar-me à vontade em sua casa e descobrir o telhado aberto por cima e o infinito que revela. Jesus, o judeu, juntou os seus discípulos em uma determinada terra, em um determinado tempo, e sentou-se com eles à volta de uma determinada mesa para partilhar o seu Corpo e o seu Sangue e abrir o caminho para os espaços ilimitados do Reino.

Gustavo Gutiérrez e Hans Urs von Balthasar são pessoas o mais diferente possível um do outro. Um é indígena, teólogo da libertação, nascido em Lima, no Peru, e o outro, um aristocrata suíço. O primeiro entrou nos dominicanos já tarde e o segundo saiu dos jesuítas. Cada um deles é uma figura simbólica: um, dos católicos do Reino e, o outro, dos católicos da Comunhão. Situam-se – ou, no caso de Balthasar, situava-se – em campos

---

9 S. HEANEY, *Finders Keepers: Selected Prose 1971-2001*, London, 2002, p. 48.

diferentes. Mas ambos são essencialmente místicos, sedentos do Deus que não se pode nomear. Não podemos ficar de fora a examinar os limites das suas casas, mas entrar e olhar para cima, com eles, para a mesma inexprimível transcendência na qual estão unidos. Cada um ocupa um terreno próprio para daí se estender para o infinito.

Esta atenção ao outro exige que eu aceite que ele se agarre firmemente a verdades que não se ajustam facilmente com aquilo que acredito. As suas convicções são diferentes. Recordemos as palavras do bispo Christopher Butler ao Concílio: "*Ne timeamus quod veritas veritati noceat* – Não tenhamos medo de que a verdade ponha em perigo a verdade". Nenhum encontro poderá ser fértil se eu não admitir, ao menos por um momento, convicções que parecem incompatíveis. Devo ousar viver no provisório, no inseguro, procurando de novo uma coerência que naquele momento perdi. De fato, como William Carlos Williams escreveu:

> A dissonância
> (Se estás interessado)
> Conduz à descoberta.[10]

Quando ouso admitir duas verdades que parecem ser incompatíveis, sou forçado a procurar o horizonte mais vasto no qual se possam reconciliar. Isto significa ser atraído, para além da lealdade para com qualquer partido com o seu manifesto, por uma lealdade mais fundamental, a lealdade para com a verdade. Porque é a verdade que me libertará. É na verdade que liberta que os católicos do Reino e da Comunhão podem se encontrar.

---

10 *Paterson* IV, citado por H. RAYMENT-PACKARD, op. cit., p. 1.

Jesus disse aos discípulos na Última Ceia: "Na casa de meu Pai há muitas moradas" (Jo 14,2). A casa de Deus é espaçosa e ampla. Não quer isto dizer que se possa acreditar em qualquer coisa, porque Deus é de vistas tão largas que a verdade não tem importância. Não posso imaginar Deus dizendo: "Ah! Tu, então, pensas que o meu Filho casou com Maria Madalena, não é? Por mim, está tudo bem. O *Código Da Vinci* ou a *Suma Teológica*? Para mim tudo serve". A largueza de Deus é mais entusiasmante do que a mera indiferença.

O Bom Pastor leva as suas ovelhas dos pequenos e apertados retângulos em que nos fechamos para pastagens espaçosas. Temos de ter confiança na voz do Pastor que nos liberta das ideologias estreitas e dos pequenos vocabulários. Temos de encontrar maneiras de falar que se aproximem da amplitude da Palavra de Deus. Como Robert Jensen escreveu: "Deus pode, se o escolher, alojar outras pessoas na sua vida sem desfigurar essa vida. Deus, para o dizer da pior maneira possível, é acolhimento espaçoso".[11] E isso quer dizer que tenho de descobrir maneiras de falar que sejam acolhedoras! Fazermo-nos um pouco mais acolhedores é doloroso. Eckhart diz que esta dor não é o julgamento de Deus. "Não é devido à justiça de Deus ou à sua severidade que Ele exige tanto de nós; isto vem antes da sua grande liberalidade, porque quer que a alma tenha *capacidade* para acolher a dádiva que está pronto a outorgar [...]. O profeta diz: 'Deus conduz o justo por caminhos estreitos para a estrada larga, para que venham para a luz'".[12]

---

11 R. JENSEN, *Systematic Theology*, Vol. I, New York, 1997, p. 236.

12 *Sermão 69*, cit. por P. MURRAY, "Dominicans and Happiness", in *Dominican Ashram*, setembro de 2000, p. 129.

Em *A festa de Larry* (*Larry's Party*), a romancista canadense Carol Shields explora o modo como a linguagem oferece uma casa para se viver. O primeiro casamento de Larry acabou porque ele e a sua jovem esposa não tinham linguagem com largueza suficiente para que se encontrassem e se amassem. Quando finalmente se reconciliam é porque a sua linguagem já é suficientemente ampla para estarem à vontade um com o outro, pela primeira vez. Larry pergunta: "Era esse o nosso problema? O não ter suficientemente palavras?".[13] Shakespeare descreveu-se a si mesmo como "um homem ardente por novas palavras".[14]

A Igreja é mantida na unidade porque o Espírito Santo, sempre fértil, paira por cima do ninho, chocando palavras novas com as quais podemos permanecer unidos. No século IV, havia duas maneiras incompatíveis de compreender Cristo. Numa simplificação imensamente redutora, havia, por um lado, os antioquenos que acreditavam num Jesus muito humano, que lutou e pensou e foi tentado como nós. De outro modo, argumentavam eles, que teríamos nós a ver com Ele? E havia os alexandrinos, que acreditavam num Jesus majestoso e divino. De outro modo, argumentavam eles, como poderíamos ser salvos? Duas teologias, duas maneiras de ver o mundo, duas geografias do coração e do espírito, enraizadas em dois tipos de cultura muito diferentes: Alexandria, a herdeira do grande mundo teocrático dos Faraós, e Antioquia, uma próspera e democrática cidade grega. O encontro destas duas teologias passou através de todas as espécies de conflitos e tensões, mas, por fim, foi fecunda na cristologia de

---

13 London, 1998, p. 336.

14 M. Bragg, *The Adventure of English: The Biography of a Language*, London, 2003, p. 144.

Calcedônia no século V. Isto significou mais do que o negociar de proposições que fossem aceitáveis por todos e mais do que um regateio teológico. Foi o avanço para um mundo teológico mais amplo, a descoberta de maneiras de falar nas quais duas tradições, anteriormente opostas, puderam reconhecer as suas intuições e sentir-se à vontade.

A criatividade teológica não é só uma questão de diferentes ideias sobre Jesus. Como vimos no capítulo 8, compreender as coisas de maneira nova leva a novas maneiras de viver. Porque, como São Tomás nos ensinou, a compreensão é uma espécie de vida, um modo de estar vivo. Por isso, a sociedade precisa de pensadores – historiadores e filósofos, cientistas e poetas, antropólogos e psicólogos – não apenas porque são úteis e bons para a economia, mas também porque renovam a nossa linguagem e ajudam-nos a descobrir maneiras novas e mais profundas de ser humano e, portanto, a partilhar mais plenamente a vida de Deus. Até os teólogos fazem isso, às vezes!

Para um acasalamento ter sucesso, é preciso haver diferença, mas não uma incompatibilidade radical. Não se pode fazer procriar ovelhas e bodes uns com os outros. Se cavalos e burros acasalam, só conseguem produzir mulas infecundas. A ortodoxia é o vasto campo aberto no qual o acasalamento com sucesso pode ter lugar. Se alguém afirmar que Jesus comia cogumelos mágicos ou era um marciano, não contribui para a fertilidade. Nisso não há nada em comum, suficientemente, para poder haver relações de qualquer espécie. Até onde pode ir a diferença entre dois crentes para que o encontro ainda seja fértil? Essa é uma questão muito complexa que não temos necessidade de aprofundar aqui. Evidentemente, em última análise temos de ter em comum a ortodoxia, mas isso não significa reduzir o âmbito do debate; é entrar no vasto terreno do mistério, no qual somos libertados da estreiteza da ideologia. É uma séria incorreção da linguagem usar a palavra "ortodoxo" para significar conservador ou, ainda pior, rígido. Ortodoxia não significa a repetição impensada e invariável das fórmulas usuais. Como Karl Rahner fez notar, isso pode ser uma forma de heresia. Ortodoxia é falar da nossa fé de maneira a manter em aberto a peregrinação para o mistério. Muitas vezes, é difícil saber imediatamente se uma nova afirmação de fé é uma nova maneira de exprimir a fé ou de a trair. Leva tempo para descobrir isso. Quando perguntaram a Chou en Lai se a Revolução Francesa tinha sido um sucesso, respondeu que era muito cedo para se saber!

É uma falta de coragem precipitar-se para a condenação. Quando, em 1890, Marie-Joseph Lagrange OP fundou a Escola Bíblica de Jerusalém e começou a fazer estudos histórico-críticos do Antigo Testamento, mostrando que a Bíblia não devia ser sempre tomada em sentido literal, a fúria do Santo Ofício caiu sobre ele e foi condenado. Anos mais tarde, foi reconhecido que o que ele dizia era perfeitamente ortodoxo e veio a ser universalmente aceito na Igreja Católica. O medo nunca é útil ao prosseguimento da verdade. É da responsabilidade dos guardiães da ortodoxia não deixar que o pânico suprima a reflexão, ter a coragem de impedir condenações prematuras e assegurar que lhe damos o tempo necessário.

Mesmo se alguém diz alguma coisa que é claramente heterodoxa, a minha primeira reação deverá ser a de procurar ver que verdade está tentando dizer, em vez de imediatamente condenar esse erro. A pessoa pode estar esforçando-se por dizer algo de verdadeiro, mesmo se o apresenta de modo que não é verdadeiro. Se um cristão afirma que Jesus é apenas uma outra manifestação de Deus, como Krishna, acredito que está no erro. Isso é incompatível com a nossa fé. Mas talvez esteja tentando desajeitadamente dizer algo de verdadeiro a que tenho de prestar atenção. Noel O'Donoghue disse uma vez que a heresia era como "luz encurralada". Deve tentar-se encontrar uma maneira de deixar sair a luz que lá está.

Tudo isto exige paciência. Se já alguma vez tentou fazer criação de pandas, saberá que é preciso muito tempo. Ignoram-se um ao outro, durante anos, e fazem de conta que o outro não existe, passando por ele na selva sem um olhar sequer. Por fim, poderá haver uns vagos sinais de reconhecimento, momentos de agressão, ocasionalmente alguma rosnadela ou mordidinha, até que, finalmente, se se tiver muita sorte, poderá haver um pequenino panda a caminho. É por isso que os pandas são tão raros. Os pensadores cristãos são quase tão lentos como os pandas, embora felizmente muito mais numerosos.

No VI Congresso da Iniciativa Católica pelo Terreno Comum, deste ano, em Washington, John Allen fez uma magnífica conferência sobre "A espiritualidade do diálogo entre católicos". Fiquei orgulhoso ao ver que ele me citava e, dado que não me lembro quando e onde escrevi aquelas palavras, não posso fazer mais do que citá-lo na citação que faz de mim!

> Só pode haver diálogo se lhe dermos tempo. Foram necessários 400 anos para que a cristologia de Calcedônia emergisse. Se discordamos de alguém, não podemos fazer progresso algum quando agendamos com ele um encontro de apenas vinte minutos. O

ponto crucial é este: A quem damos esse preciosíssimo dom que é o tempo? Deus apenas nos dá uma pequena porção, uns 27 mil dias em média. Como vamos usá-los? Se a unidade da Igreja é importante, temos de dar tempo àqueles com quem brigamos, tempo para compreender e para sermos contestados. Uma cultura de ativismo significa não só que estamos todos demasiado ocupados, mas também que estamos ocupados fazendo o que não é talvez assim tão importante.

Chegados aqui, podemos ser tentados a pensar que tudo isto parece muito simpático, mas será que algo vai acontecer? Para sarar a polarização da Igreja precisamos mais do que espiritualidade; precisamos de ação. Eu iria sugerir, rapidamente, que precisamos de duas coisas: lugares nos quais esse tipo de conversa possa acontecer e liderança.

Os pandas necessitam do contexto adequado para procriar. Não gostam de procriar em jardins zoológicos, com pessoas espiando pelas grades e atirando-lhes comida. Necessitam estar livres e não ser perturbados. Nós necessitamos de lugares do que o filósofo alemão Jürgen Habermas chama a "comunicação sem distorção". São lugares onde a comunicação não é trespassada por relações que intimidam ou ameaçam, e nas quais se reconhece a dignidade de todos os participantes. Precisamos de lugares onde se possa falar sem medo e sem preconceitos. Podemos ter necessidade de nos zangarmos uns com os outros e ainda haver tempo para nos reconciliarmos. O Projeto Católico pelo Terreno Comum, iniciativa do cardeal Bernardin, visava à formação de um desses lugares e ainda se mantém, apesar da sua rejeição por parte de muitas das pessoas com quem o cardeal mais gostaria de dialogar. Temos necessidade desses lugares de conversa. Há as Conferências Odres Novos, na Universidade Notre Dame, que reúnem jovens teólogos moralistas de todas as tendências teológicas para debater livremente e sem medo as questões morais.

Recentemente, Cherie Blair, a esposa do ex-Primeiro-Ministro britânico e uma bem conhecida advogada de direitos humanos, organizou um debate acerca do papel dos católicos na vida política. Foi desencadeado pelas discussões sobre se o candidato presidencial John Kerry poderia ser admitido à comunhão, dado que tinha apoiado medidas legislativas em favor do aborto. Procuramos organizar um debate que agrupasse pessoas de todos os quadrantes do espectro eclesiástico: um filósofo de Princeton, membro da Opus Dei; um advogado escocês católico liberal; um professor de Direitos Humanos da London School of Economics. O objetivo era o de encontrar uma nova maneira de discutir ou, antes, de recuperar uma antiga, a da *disputatio* medieval, em que os participantes se forçavam uns aos outros a pensar mais claramente com a esperança de convergirem. O meu papel era o de fazer o resumo final e tentar levar a discussão para lá da oposição recíproca. Muitos católicos empenhados na vida pública assistiram ao debate e participaram vivamente nas discussões. Muitas pessoas acreditavam que o debate não resultaria em nada e que acabasse em azedume. Isso não aconteceu. Foi um sinal de que, mesmo aqueles que se opõem profundamente, conseguem falar entre si. Foi a iniciativa de uma leiga. Não foi necessário que um clérigo desse o primeiro passo.

Precisamos também de muitas pequenas iniciativas no âmbito diocesano e paroquial. As pessoas queixam-se, por vezes, da Igreja institucional, como se fossem apenas pequenos indivíduos isolados confrontando uma enorme instituição monolítica.

Mas a Igreja é uma complexa rede de instituições que inclui não só a hierarquia, mas também as Ordens religiosas, universidades, confrarias e associações, novos movimentos, publicações etc. Precisamos de muitas mais que abram espaços e lugares nos quais possamos falar livremente com os que são diferentes e sermos férteis. Precisamos de criatividade institucional.

Para tanto, necessitamos do que vulgarmente se denomina "liderança". Confesso que detesto a palavra. Na Igreja temos só um líder, Cristo, que foi à nossa frente para a Galileia, segundo Marcos, e que, segundo Hebreus, nos precedeu junto do Pai. Todos nós somos seguidores, discípulos. Uso a palavra porque goza de tal aceitação que espero, provavelmente em vão, modificar o seu uso para uma significação ligeiramente mais cristã. Afirma-se frequentemente, em muitas partes do mundo, que há uma crise de "liderança" na Igreja. Em um recente congresso em Los Angeles, Richard Gaillerdetz, um teólogo leigo da Universidade de Toledo, fez uma avaliação do modo de atuação da Igreja nos Estados Unidos. Em matéria de estruturas e exercício de liderança, deu uma nota muito baixa, e todos o aplaudiram. Diz-se muitas vezes que a polarização da Igreja nos Estados Unidos é devida ao fracasso dos bispos em ser homens de unidade, que, em vez de se interessarem por todo o seu rebanho, apoiam uma facção e promovem a divisão. Se isto é verdade ou não, não compete a mim julgar: mas a liderança é a tarefa de todo o cristão batizado. Que possa ser a tarefa dos bispos em sentido exclusivo parece ser uma ideia estranha e muito moderna. Muitos dos grandes reformadores da Igreja, como São Francisco de Assis, Santa Catarina de Sena e Dorothy Day, não foram bispos. Nem sequer foram ordenados. Eram leigos e, frequentemente, mulheres. Bento, cujo nome o Papa tomou, quase certamente não foi ordenado padre.

A única compreensão da liderança cristã que acho estar de acordo com o Evangelho é a obrigação de cada um de nós de dar o primeiro passo. A coragem de avançar à frente de todos e correr o risco de ser ferido. O rabino Hugo Gryn descreve assim a lenda talmúdica de Nachshon ben Amminadab: "Nachshon era um rapaz que estava com o seu povo nas margens do Mar Vermelho. Atrás deles vinham os egípcios, perseguindo-os, em frente estavam as águas profundas e perigosas. Quando Moisés instigou Israel a avançar, tiveram medo e hesitaram. Mas Nachshon deu um pulo e foi só então que as águas se separaram".[15]

Quando Alexandre Magno estava tomando de assalto uma cidade da Ásia Menor, de repente descobriu que estava só. Encontrava-se nas muralhas da cidade e as suas tropas estavam em retirada, enquanto o inimigo o rodeava por todos os lados. Tinha de fazer uma escolha. Ou saltava para fora, juntando-se aos que se retiravam, ou então saltava para dentro da cidade, e avançava para a vitória. Saltou para dentro. As suas tropas juntaram-se à sua volta e a cidade foi tomada. Podia ter sido ferido e mesmo morto, mas foi grande! Se se tivesse retirado, quem se lembraria dele, hoje?

A parábola do filho pródigo mostra-nos a natureza da liderança. O filho mais novo ousou dar o primeiro passo de regressar a casa, sem esperar uma palavra do pai, garantindo que seria bem acolhido. O pai deu o passo na sua direção, sem esperar que ele lhe pedisse perdão. Ambos mostram liderança. Esta liderança foi também, muitas vezes, mostrada pelo Papa João Paulo II,

---

[15] H. GRYN, *Chasing Shadows*, London, 2001, p. 111.

avançando no diálogo com os ortodoxos e com os muçulmanos. Ele arriscou e, por vezes, foi rejeitado. Mas fazê-lo não é só o papel de Papas e bispos. Na história, têm sido habitualmente outras pessoas, com frequência leigos. A grande virtude de que necessitamos hoje, na Igreja, é a coragem de avançar, de tomar iniciativas, de pedir perdão, de procurar dar atenção mesmo àqueles que nos condenam. É mais fácil e mais seguro censurar os outros, em especial a hierarquia.

Santo Agostinho disse num sermão: "Todos dizeis: 'Os tempos estão perturbados, os tempos estão difíceis, os tempos estão desgraçados'. Vivei vidas boas e mudareis os tempos vivendo vidas boas. Mudareis os tempos e já não tereis nada de que vos queixar".[16] Talvez gostemos de ter sempre alguma coisa de que nos possamos queixar. É mais seguro do que correr o risco de avançar e arriscarmo-nos a ser feridos. Mas o Espírito Santo é derramado sobre nós para fazer algo de novo, se ousarmos. Podemos construir uma Igreja que seja uma casa para todos e sermos curados do nosso choque das raízes. Podemos encontrar novas maneiras de falar acerca da fé e também redescobrir maneiras antigas, já esquecidas, para que as pessoas que pensam que estão presas numa estéril oposição recíproca possam reconhecer um lar a que possam pertencer juntos. Necessitamos um pouco da criatividade de São Tomás, que das tradições aparentemente opostas de Agostinho e Aristóteles teceu uma nova e mais espaçosa narrativa. Podemos até ser mais criativos do que os pandas, e a Igreja será um melhor sinal da unidade de todo o gênero humano em Cristo.

---

[16] *Sermon* III, 9, 74, in *Sermons of St. Augustine: A Translation for the 21st Century*, ed. J. Rotelle OSA, New York, 1991.

CAPÍTULO 11

"Sem o Dia do Senhor, não podemos viver"

No ano de 304, na África do Norte, um grupo de cristãos foi preso por se ter reunido para celebrar a Eucaristia num domingo. Quando o procônsul perguntou a Emérito, o dono da casa, por que tinha acolhido aquelas pessoas, respondeu que elas eram seus irmãos e irmãs. Quando o procônsul insistiu de novo que deveria ter-lhes proibido a entrada, Emérito respondeu que não, não podia: "*Quoniam sine Dominico non possumus*". O então cardeal Ratzinger traduziu assim o texto: "Sem o Dia do Senhor, não podemos viver". E comentou: "Para eles, não era uma questão de escolha entre um preceito e *outro*, mas antes de escolha entre tudo o que dava sentido e consistência à vida e uma vida sem sentido".[1] Por isso, guardar o Dia do Senhor deverá projetar alguma luz sobre a diferença que a fé traz às nossas vidas, enquanto cristãos.

Em *Lei, amor e linguagem*, Herbert McCabe escreveu que o mandamento de santificar o sábado – o *Shabat* – com o repouso "visava à idolatria do trabalho. Tal como os ídolos são 'obras

---

1 J. RATZINGER, "O significado do domingo", in *Communio*, primavera de 1994, p. 7.

das mãos do homem', também o trabalho pode sempre tornar-se um ídolo, um meio de alienação [...]. O sábado existe para não permitir que sejamos absorvidos numa história de sucesso, para evitar que sejamos escravos da produtividade e do lucro".[2] Num mundo em que as pessoas encontram o sentido para a vida no seu trabalho, o que se faz quando não se está trabalhando não tem grande importância. Não se trabalha para se poder eventualmente repousar. Os tempos de ócio existem para que se possa voltar de novo ao trabalho. O que se faz nos tempos livres, no nosso *Shabat*, não tem importância, desde que na segunda-feira de manhã, descansado, se volte ao trabalho. Cito outra vez McCabe:

> Um homem deve fazer o que lhe mandam durante o tempo de trabalho, mas no seu lazer (não trabalho) tem a liberdade de fazer, acreditar, adorar, ler, o que lhe agrada. É apenas à medida que tocam na relação de trabalho que estas coisas são restringidas [...]. Nesta sociedade, a cultura tende a tornar-se um jogo privado porque é "livre", sem importância e, porque é irrelevante, nem vale a pena controlar. Filósofos, cientistas, romancistas e teólogos não têm de se sentir responsáveis para com a sociedade pelo que dizem, porque ninguém os leva a sério.[3]

Josef Pieper escreve, no seu maravilhoso livrinho *Lazer, a base da cultura*, que temos de redescobrir as prioridades de qualquer sociedade civilizada. A palavra para trabalho em grego – ἀσχολία, *ascholía* – vem de "não estar em lazer", ἀχολία, *acholía*; tal como o latim *negotium*, "negócio, ocupação, emprego",

---

2 H. McCabe, *Low, Love and Language*, pp. 119s.
3 Ibid., pp. 156, 158.

vem de *neg-otium*, não ócio, não lazer.[4] Devemos, portanto, ser libertados de uma bárbara ética do trabalho que faz do nosso emprego, se tivermos a sorte de ter um, o centro das nossas vidas e o nosso lazer um apêndice ao tempo em que estamos trabalhando. O *Shabat* convida-nos, para lá da idolatria do trabalho, a adorar o verdadeiro Deus em liberdade.

Pieper escreveu o seu livro em 1948, no final da Grande Guerra, quando a Alemanha se esforçava na sua reconstrução. O livro do Herbert foi publicado em 1968. O que escrevem ainda é esclarecedor. Para muitos seres humanos, o trabalho é ainda um fardo e uma escravidão. Mas talvez, no início deste novo milênio, o trabalho comece a mudar de significado. A antiga ética do trabalho, que dominou as vidas dos nossos antepassados, está perdendo o seu controle. Está emergindo uma nova compreensão do trabalho, mais rapidamente nuns lugares do que noutros. Por ora, afeta apenas um pequeno número de pessoas, mas convida-nos a descobrir uma dimensão adicional ao repouso do *Shabat*.

No capítulo 8, referi-me à tese de Bauman de que o capitalismo está entrando numa nova fase. Estamos deixando o mundo do *fordismo*, no qual havia uma relação estável e duradoura entre capital e trabalho. No mundo do que ele chama a "modernidade líquida", a economia não tem tanto a ver com a produção de bens como com a comercialização de ideias, imagens, informação, símbolos, marcas. A mão de obra não tem garantias de emprego para toda a vida. Os contratos são a curto prazo. Em caso de dificuldades, o capital desloca-se para outro lado, dando trabalho

---

4 *Leisure, The Basis of Culture*. Trad. para inglês de Gerald Malsbary, South Bend, 1998, p. 4.

a uma mão de obra mais barata e mais submissa. Todas as vezes que se faz um voo intercontinental com a British Airways, o entretenimento do voo começa sempre com um anúncio da Agência Galesa para o Desenvolvimento. Mostra homens de negócios americanos e japoneses muito felizes, dizendo como é maravilhoso construir fábricas no País de Gales. Há anos que vejo isto, enquanto espero o primeiro *cocktail*. Mas não diz nada acerca de todas as fábricas estrangeiras que foram fechadas no País de Gales e que, tendo recebido avultados subsídios do Governo, se mudaram para lugares como o México ou a Indonésia.

As pessoas mais poderosas, neste novo mundo líquido, são as que têm maior mobilidade e podem transferir o seu capital para onde possa dar mais lucro. Bauman chama-lhes "os nômades". Até aqui, os nômades acampavam à volta dos centros industriais, procurando uma brecha para entrar. Agora, são eles que mandam. Precisam apenas dos seus computadores portáteis e dos seus celulares. Viajam com pouca bagagem. Há cada vez mais companhias, como a Nike, que nem sequer precisam desse empecilho que é possuir fábricas e contratar trabalhadores. Deixam que outras pessoas o façam por eles. Possuem as marcas e as ideias. Vivemos no que Diane Coyle chamou "o mundo sem peso".[5]

No mundo da modernidade líquida, o trabalho está, portanto, adquirindo um novo significado. Bauman escreve: "O trabalho já não oferece o eixo seguro em torno do qual se concluíam e se fixavam as autodefinições, as identidades e os projetos de vida. Como também não pode ser concebido como o fundamento

---

[5] D. COYLE, *The Weightless World: Strategies for Managing the Digital Economy*, Cambridge (Mass.), 1997.

ético da sociedade ou como o eixo ético da vida individual".[6] Isto significa que o repouso e a celebração do *Shabat* também podem ter um novo sentido. Vou considerar dois aspectos da compreensão do trabalho que está emergindo: em primeiro lugar, considerando o modo como a destruição da dependência mútua do capital e do trabalho está produzindo uma insegurança e uma perda de confiança no futuro, o que muda a nossa compreensão do sábado; depois, vou considerar a transformação do trabalho numa forma de entretenimento e o que isso significa para o "descanso no Senhor".

"Não se planta um limoeiro para espremer um limão"

O americano tem, em média, onze empregos durante toda a sua vida. Hoje, na Europa, muita gente vive e morre sem nunca ter tido um único emprego. Cito Bauman outra vez:

> Empregos estáveis em empresas estáveis parece ser uma criação mítica do saudosismo dos avós; e também não há muitas aptidões e experiências que, uma vez adquiridas, garantam a oferta de um emprego que, uma vez oferecido, se revele duradouro. Ninguém pode razoavelmente pensar que está garantido contra a próxima ronda de "redução de efetivos", de "otimização" ou "racionalização", contra as mudanças inesperadas da procura do mercado e as pressões caprichosas mas irresistíveis e indomadas de "competitividade", de "eficácia", de "produtividade". Flexibilidade é a palavra-chave neste tempo. Pressagia empregos sem compromisso de

---

[6] Z. BAUMAN, op. cit., p. 139.

estabilidade, compromissos firmes ou sem prerrogativa de futuro, oferecendo apenas contratos a prazo, demissões sem aviso prévio e sem direito à indenização.[7]

O *fordismo* foi construído sobre a mútua dependência de capital e trabalho. As pessoas eram, em primeiro lugar, produtores e para produzir bem era necessário segurança. A modernidade líquida está fundada na mútua dependência de capital e consumidores, e a única coisa que o consumidor precisa é dinheiro. Uma companhia pode perder os seus trabalhadores: terá apenas de contratar alguns mais; mas urge segurar os seus consumidores. Don Peppers e Martha Rogers escreveram: "Todos os seus produtos são efêmeros. Só os seus consumidores é que são reais".[8] As companhias cultivam uma coisa a que chamam LTV, sigla proveniente do inglês e que significa *valor em tempo de vida*. É a relação com um cliente, que se prolonga enquanto ele viver. Num mundo de relações transitórias e frágeis, é o que se encontra de mais próximo à estabilidade.

O emprego está tão instável que mesmo a velha solidariedade dos sindicatos se dissolveu. Os empregos não estão garantidos e, por isso, o mais importante é guardar o posto de trabalho e não levantar problemas. Em casa e no trabalho, os antigos contratos até a morte ou, pelo menos, até a reforma, acabaram. Logo que o capital descobre uma melhor oportunidade noutro lado, muda-se para lá. Mesmo no Japão, a tradição da lealdade da companhia está desaparecendo. As pessoas são descartáveis – peças sobressalentes que podem ser ajustadas ou retiradas dos

---

7 Ibid., p. 161.

8 Citado por J. Rifkin, *The Age of Access: How the Shift from Ownership to Access is Transforming Modern Life*, London, 2000, p. 97.

empregos, como as peças de um carro ou de uma máquina de lavar. O mundo do trabalho está se tornando um lugar de profunda insegurança e os empregos já não exercem o mesmo papel na definição da nossa identidade e configuração da vida.

Nicholas Boyle escreveu:

> O conceito de vocação, de emprego – ou de uma tarefa – para toda a vida, que define em larga medida o que uma pessoa é, perde o seu valor e é ativamente censurado. Podemos ainda dizer: "Ela é tipógrafa" ou "ele é professor", mas o que queremos dizer – e no futuro diremos cada vez mais – é que "ela neste momento trabalha numa tipografia", "ele está com um contrato de ensino por três anos". A questão do que "ele" ou "ela" são, permanentemente, não se levanta: mesmo o gênero é irrelevante – para o mercado, o que conta é o desempenho que ele/ela, a unidade de produção, pode dar.[9]

Em Atlanta, conheci um homem que me disse ter começado a trabalhar como jardineiro, depois foi agente funerário, passando em seguida para a publicidade e, agora, era técnico de computadores a serviço da Federação Nacional de Padres. Há poucas relações estáveis na modernidade líquida. Uma vocação, seja ela a de padre ou religioso, de casado ou praticante de uma profissão, opõe-se a esta tendência. É um testemunho da nossa esperança de que a minha vida como um todo tenha sentido. Não faço coisas apenas; sou chamado a ser alguém e uma vocação é parte do dizer quem sou.

Que poderia significar, neste contexto fluido, celebrar o *Shabat* e repousar no Senhor? Em Ezequiel 20,19, o sábado é visto

---

9 N. BOYLE, op. cit., p. 79.

como uma aliança da fidelidade de Deus ao seu povo: "Eu sou o Senhor teu Deus; caminha nos meus estatutos e tem cuidado em observar os meus mandamentos e santificar os meus sábados para que possam ser um sinal entre mim e ti e possas saber que eu o Senhor sou o teu Deus".

Não é de admirar que os judeus, que conheceram uma insegurança mais radical que qualquer outro povo, tenham desenvolvido uma teologia do *Shabat* como sinal do matrimônio de Deus com o seu povo. Ao passar por expulsões e *progroms*, ao serem banidos de Espanha, Inglaterra, Rússia e Alemanha, o *Shabat* era a celebração de um pilar de estabilidade, a aliança com Deus. O *Shabat* é a noiva de Israel, o sinal da fidelidade eterna de Deus. Como escreveu o poeta Bialik: "Quando o Santo – bendito seja Ele – terminou o trabalho da Criação, foi o *Shabat* que Ele introduziu no seu universo 'para que o dossel nupcial que acabara de ser construído e erguido não ficasse sem a sua noiva'. Para este *Shabat* que é a maravilha preferida pelo Santo – bendito seja Ele – entre todos os tesouros que possui, não encontrou outro par a não ser Israel, que forma com ele um casal perfeito".[10] A razão pela qual o *Shabat* dura mais de 24 horas é porque os judeus querem que a noiva não os deixe. Agarram-se à sua presença. O Cântico dos Cânticos é o texto do *Shabat*.

Há trinta e quatro anos, McCabe via o *Shabat* como o nosso protesto contra a idolatria do trabalho e a nossa recusa em encontrar nele a nossa identidade. Para muitas pessoas, isto pode ser ainda assim, mas esta idolatria específica está perdendo o seu domínio. A fluidez da nossa sociedade torna cada vez mais

[10] Citado por M. Sales, "The Fulfilment of the Sabath: From the holiness of the seventh day to God's resting in God", in *Communio*, primavera de 1994, p. 29.

impossível, para muita gente, entenderem-se a si próprios com base em seus empregos. O trabalho tornou-se, antes, uma fonte de insegurança e, por isso, o descanso pode vir a ser a nossa celebração daquilo que é mais estável em um mundo líquido e inseguro: o matrimônio, em Cristo, de Deus com a humanidade. Como se pode dar corpo a essa fidelidade na nossa celebração do Dia do Senhor? As paróquias são frequentemente comunidades transitórias, porque as pessoas circulam pelo país em busca de empregos – montando nas suas bicicletas, como o governo da sra. Thatcher lhes disse para fazer –, procurando boas escolas e casas acessíveis. Como se pode ser sinal da fidelidade de Deus?

A obrigação da missa do domingo é, seguramente, um sinal dessa fidelidade. É habitualmente vista como um constrangimento da nossa liberdade, uma regra que deve ser obedecida, imposta de cima pelas "autoridades". É vista como um elemento típico do legalismo católico e de uma cultura de controle que nos está sempre a dizer o que devemos fazer. Não poderíamos, antes, vê-la como um sinal da nossa pertença estável neste mundo líquido e mutável? Temos obrigação de celebrar os anos da nossa mãe, mas, em geral, ninguém o encara como um constrangimento. É uma expressão dos laços que nos unem às nossas mães. Não é uma obrigação externa como a proibição de guiar a mais de 60 quilômetros por hora nas áreas urbanas. É uma expressão do que se é. Tanto obrigação como religião vêm de uma raiz que significa "estar em ligação". As obrigações exprimem as maneiras de estarmos enraizados em relações duradouras com outras pessoas. São sinais daquelas fidelidades persistentes que nos dão força e identidade.

A versão do Decálogo, no Deuteronômio, liga diretamente o *Shabat* à libertação da servidão: "Lembra-te de que foste escravo na terra do Egito, donde o Senhor, teu Deus, te tirou com mão forte e braço estendido; por isso te ordenou o Senhor, teu Deus, que guardasses o sábado" (Dt 5,15). Israel é libertado da servidão para uma relação com o seu Deus. Estes laços não nos amarram, mas acolhem-nos em casa. O movimento de uma espécie de ligação para outra está subjacente nas palavras de Oseias:

> Quando Israel era ainda menino,
> Eu amei-o, e chamei do Egito o meu filho.
> Mas, quanto mais os chamei,
> mais eles se afastaram;
> ofereceram sacrifícios aos ídolos de Baal
> e queimaram oferendas a estátuas.
> Entretanto, Eu ensinava Efraim a andar,
> trazia-o nos meus braços,
> mas não reconheceram
> que era Eu quem cuidava deles.
> Segurava-os com laços humanos,
> com laços de amor,
> fui para eles como os que levantam
> uma criancinha contra o seu rosto;
> inclinei-me para ele para lhe dar de comer (Os 11,1-4).

Israel é libertado da escravidão do Egito para encontrar o seu lar nas cordas de compaixão e nos laços de amor. Lembro-me de que, quando era criança e ia de férias com os meus pais, a primeira coisa que se tinha de fazer, ao chegar ao lugar de férias, era descobrir a igreja católica mais próxima e os horários das missas. No nosso mundo líquido, onde não temos cidade permanente mas mudança constante, esta obrigação é sem dúvida uma expressão da nossa pertença. Onde quer que estejamos, temos o direito de ir à paróquia local e tomar parte numa assembleia de estranhos que são nossos irmãos e irmãs. Para nós, que somos exilados/peregrinos do Reino, qualquer Eucaristia é um sinal do lar. Temos lugar em qualquer celebração do sacramento. Quando era mestre-geral e passava oito meses por ano a visitar os irmãos e irmãs em mais de uma centena de países, a Eucaristia diária era o momento de volta a casa, onde quer que estivesse.

Richard Sennett escreve que "as formas flutuantes de associação são mais úteis do que as conexões a longo prazo".[11] Na Europa, isto levou a uma religião que Grace Davie descreveu como "acreditar sem pertencer",[12] exceto na Escandinávia, onde aparentemente se pertence sem acreditar! Somos consumidores que podemos escolher entre várias paróquias e até entre Igrejas e religiões no grande supermercado religioso. As Igrejas têm que conquistar a nossa fidelidade semana após semana, se quiserem ter acesso ao LTV. Neste contexto, a obrigação do domingo pode ser vivida não como um legalismo nem como um constrangimento da minha liberdade, uma pressão autoritária, mas como sinal de que posso encontrar um enraizamento seguro no Deus que desposou o seu povo. Como Deus, em Cristo, se ligou à humanidade, assim também sou libertado para pertencer à humanidade em Deus. Poderá de fato ser verdadeiro, como Sennett escreve, que as formas flutuantes de associação sejam mais úteis para mim. Mas, em religião, é-se chamado a ultrapassar a consideração do que é útil para mim para considerar Aquele em nome do qual toda a utilidade é julgada: Deus. A minha vida pode avançar em todas as direções, ser movida por diversas paixões e

---

11 Citado por Z. BAUMAN, op. cit., p. 149.

12 G. DAVIE, *Religion in Modern Europe: A Memory Mutates*, Oxford, 2000, *passim*.

interesses, mas a Eucaristia dominical revela a única orientação constante da minha existência, o regresso a casa, em Deus. O *Shabat* relembra-nos do sentido de tudo, e qual é o sentido de ser cristão.

"Ide brincar"

Para milhões de pessoas, o trabalho é uma mó que destrói toda a alegria. É uma árdua labuta. Evidentemente, para essas pessoas o *Shabat* permanece um tempo para pôr de lado as ferramentas e descansar, como Deus fez no sétimo dia, depois de completar a Criação. Os vizinhos de Israel também tinham as suas histórias acerca da criação, que narravam como os seres humanos tinham sido feitos para servir os deuses. Os deuses refestelavam-se em confortáveis assentos, aspirando o aroma dos sacrifícios e saboreando os seus vinhos, enquanto os seres humanos trabalhavam duro para manter o fornecimento das iguarias.

Segundo a *Epopeia de Gilgamesh*, que os israelitas devem ter descoberto durante o exílio na Babilônia, os deuses inferiores faziam habitualmente este trabalho de servir os deuses superiores até que um dia se fartaram e fizeram greve. Queixaram-se acerca das suas horríveis horas de trabalho e condições de vida. E os deuses superiores fizeram os seres humanos para que os deuses inferiores se pudessem juntar ao lazer. Ser deus era ter lazer; ser humano era ser escravo. Por isso, quando a história bíblica contou como Deus tinha convidado os seres humanos a partilhar o seu repouso, era como se um homem rico dissesse ao seu mordomo que deixasse de servir à mesa e se sentasse para partilhar com ele o seu vinho do Porto. O *Shabat* era o sinal de que, em última análise, nós não somos escravos nem do trabalho nem de outros seres humanos nem sequer de Deus. O *Shabat* era um sinal da dignidade de todo o ser humano, que Deus chamou a partilhar a sua vida. A erosão de um dia de repouso semanalmente partilhado é um sinal de que a nossa sociedade não reconhece essa irrevogável dignidade partilhada. Continuamos a produzir e a consumir sem interrupção. Um provérbio russo diz: "O trabalho não faz o homem rico. Apenas o faz curvado". O *Shabat* convoca-nos a pormo-nos de pé e direitos, *homo erectus*.

Há alguns jovens para quem o significado do trabalho está mudando. Começam a encarar o trabalho como uma forma de lazer. Enquanto os seus pais iam para o trabalho, eles vão jogar. De fato, todos nós somos "jogadores" neste campo de jogos desigual. Jeremy Rifkin escreveu que a geração dos mais jovens no mundo dos negócios, os "proteicos" como são chamados, pertencem a "um mundo que é mais teatral do que ideológico, e orientado mais para um *ethos* de jogo do que para um *ethos* de trabalho".[13] Se a Ford era a indústria típica do capitalismo sólido de antigamente, Hollywood é o novo modelo. Todo o negócio é um espetáculo. "A economia está transformando-se de uma fábrica gigantesca num enorme teatro".[14] Isto se deve, em parte, ao fato de a chamada "produção cultural" ser hoje a maior indústria no Ocidente. Nos Estados Unidos, passou à frente da Defesa como o maior empregador. Mas Hollywood oferece o modelo sobre o qual todas as formas de produção se baseiam. Cito de novo

---

13 J. Rifkin, *The Age of Access: How the Shift from Ownership to Access is Transforming Modern Life*, London, 2000, p. 12.

14 Ibid., p. 164.

Rifkin: "Enquanto a fase de fabricação do capitalismo se caracterizava pela produção, a fase cultural é caracterizada pelo desempenho". O consultor de gestão Tom Peters afirma que "quase não é exagero nenhum dizer que *todo mundo* está indo para o negócio de diversão". Reconheçamos que é ainda uma pequena percentagem de pessoas que veem o trabalho nestes termos, e que estas são sobretudo pessoas jovens, frequentemente ocidentais, mas pode ser um sinal do futuro para a maioria da humanidade. A teoria do jogo está em rápido crescimento e dá-nos jogos de computadores cada vez mais complexos, que absorvem grandes porções do tempo de milhões de jovens, mesmo na China. A teoria do jogo não é apenas para crianças que dispõem de tempo para gastar; está interessando filósofos, pedagogos, consultores de gestão e especialistas de estratégia militar. Todo mundo está entrando nisso!

Neste novo mundo, ir às compras não é, em primeiro lugar, para comprar objetos. É para participar no "drama do retalho". Os novos e imensos hipermercados são projetados como lugares de diversão, onde se podem ter experiências interessantes, viver em mundos de fantasia e jogar com a realidade virtual. Na América, são chamados "centros destinados à diversão" (*entertainment centers*).[15] Cada vez mais, a tensão social centra-se sobre quem é admitido a estes mundos de jogo. Tornam-se espaços privados e reservados, dos quais os pobres são excluídos: só iriam estragar a brincadeira.

Creio que levaria muito tempo para aprofundar por que é que isto é assim. Um dos elementos é, sem dúvida, a perda de confiança no futuro da humanidade. A "geração do agora" já não

[15] Ibid., p. 158.

sonha com a construção do paraíso na Terra. A ética do trabalho do antigo capitalismo tinha o seu fundamento na gratificação adiada. Cito de novo Bauman:

> Na forma de "atraso da gratificação", a procrastinação (à letra, o deixar para amanhã) punha cavar e semear acima de colher e ingerir as colheitas, investir acima de gozar dos rendimentos, poupar acima de gastar, sacrifício acima de autocomplacência, o trabalho acima do consumo [...]. Quanto mais severa fosse a autorrestrição tanto maior haveria de ser a autocomplacência. Poupe a sério, porque quanto mais poupar mais poderá gastar. Trabalhe a sério, porque quanto mais trabalhar mais poderá gastar.[16]

Mas a perda de confiança no futuro transforma o que se entende por trabalho. Já não é uma contribuição para o progresso da humanidade e, portanto, uma obrigação moral. É apenas o que torna possível a vida no momento presente. Esta é a "geração do agora". Para que adiar a gratificação? Come, bebe e diverte-te, porque amanhã podes morrer ou, pelo menos, estar desempregado. O trabalho não consegue estruturar a nossa vida, dar-nos uma identidade e prometer um futuro. Agora, é o tempo de gozarmos enquanto pudermos. Quem sabe o que o amanhã vai trazer?

Que significado pode ter a celebração do *Shabat* nesta espécie de sociedade? Que significado pode ter abster-se de trabalhar se o trabalho é cada vez mais encarado como uma forma de jogo? Começamos com Emérito e os seus amigos, condenados à morte no Norte de África, em 304, por observar o *Shabat*: "Sem o Dia do Senhor, não podemos viver". Cento e um anos antes, em 203,

---

16 Ibid.

duas jovens, Perpétua e Felicidade, com os seus companheiros, também tinham sido presas e condenadas à morte por serem cristãs. Deveriam ser todos lançados às feras. Os homens seriam lançados ao leopardo e ao temível urso. Perpétua e Felicidade, por serem mulheres, teriam de enfrentar uma novilha brava! Seriam usadas no divertimento mais popular do Império Romano. Era o equivalente, no século III, do atual *Big Brother.*

Pouco antes de morrer, um dos companheiros teve uma visão. Subiram ao Céu, que se parecia bastante com o jardim de um colégio universitário de Oxford, com árvores e flores, e foram acolhidos por anjos que diziam: "Estão aqui, estão aqui!". Depois, um ancião disse-lhes: "*Ite et ludite* – Ide brincar!". E Perpétua disse: "Sou mais feliz agora do que quando estava na carne".[17] Há aqui um contraste intencional entre os jogos que iriam ser realizados no circo aqui em baixo, e nos quais Perpétua e Felicidade serão as vítimas, e os jogos em que tomarão parte no Céu. Os jogos do circo são um eco deformado da verdadeira brincadeira do Céu.

Será possível que na nossa sociedade, em que muitos negócios estão se tornando negócios do espetáculo, esta explosão de diversão seja uma vaga saudade da promessa cristã do paraíso onde, no dizer de Jeremias, "a sua vida será como um jardim bem irrigado e não voltarão a desfalecer. Então, a jovem alegrar-se-á, bailando, e jovens e velhos partilharão o seu regozijo" (31,12-13)? Para uma geração que perdeu a esperança no Céu, será a *Disneylândia* o último eco dos nossos sonhos? Substituímos a esperança pela fantasia; em vez da escatologia, temos a realidade virtual!

---

17 *The Acts of the Christian Martyrs*, trans. H. Musurillo, Oxford, 1972, p. 121.

Talvez uma das maneiras pelas quais o verdadeiro jogo se distinga melhor da sua falsificação esteja na reciprocidade. No circo, as pessoas divertem-se vendo Perpétua e Felicidade serem comidas pelas feras. São espectadores. Estão do lado de fora, observam e, depois, vão-se embora. Isto contrasta com a reciprocidade do paraíso no qual veremos e seremos vistos. Como diz São Paulo: "Agora conheço em parte; então, conhecerei plenamente como sou conhecido" (1Cor 13,12).

Para todos, com exceção dos famosos e ricos, o divertimento consiste em serem espectadores. Olhamos para telas: as telas das televisões, as telas dos cinemas, as telas dos nossos computadores. Olhamos, mas não somos vistos. É verdade que os computadores são cada vez mais interativos, mas ainda assim podemos escolher com exatidão quanto de nós será visto. Uma coisa só é real se aparecer na tela. A televisão concede existência. Jean Baudrillard escreve que "hoje vivemos no mundo imaginário da tela, da interface [...] e das redes informáticas. Todas as nossas máquinas são telas. Nós próprios nos tornamos telas [...]. Já vivemos por todo o lado numa alucinação 'estética' da realidade".[18]

O espectador é alguém que não é visto e, portanto, não é vulnerável. Pode tomar a forma da crueldade, como no caso do espectador dos jogos romanos que em segurança observa Perpétua, Felicidade e seus amigos serem lançados às feras, ou pode ser a invulnerabilidade do *voyeur* que pode ver pornografia sem a ameaça de que o vejam. Susan Griffin escreveu que, "acima de tudo, o *voyeur* deve ver e não sentir. Mantém uma distância segura. Não transpira e as suas fotografias não

---

[18] Citado por J. RIFKIN, op. cit., p. 197.

brilham com suor. Não é tocado pela realidade. E, no entanto, na sua mente, acredita que possui a realidade. Porque tem controle sobre estas imagens que faz e a que dá forma como quer".[19] Sem dúvida, a crueldade e a pornografia coincidem naquelas terríveis imagens da humilhação sexual dos prisioneiros na cadeia de Abu Ghraib.

A promessa do *Shabat* é de outro tipo de olhar. Olharemos para Deus e repousaremos no olhar de Deus. Simeão vem ao Templo, vê o Menino Jesus e encontra o seu repouso. "Agora, Senhor, segundo a tua palavra, deixarás ir em paz o teu servo, porque meus olhos viram a Salvação que ofereceste a todos os povos, Luz para se revelar às nações e glória de Israel, teu povo" (Lc 2,29-32). Isto é uma pequena antecipação da visão beatífica.

Então, seremos também vistos. O espectador resiste à visibilidade. E, quando é visto, escolhe o rosto que apresentará ao mundo. Como referi no capítulo 3, a nossa confiança cristã está em que podemos repousar no olhar de Deus. Rowan Williams argumenta que este é o olhar definitivamente libertador, porque é o olhar do Criador com quem não estamos em rivalidade ou concorrência. Deus é "o Outro que não faz concorrência, com quem não posso e não tenho de negociar; o Outro para lá da violência, o olhar que não pode ser evitado ou desviado e que, no entanto, não tem nem procura nenhuma vantagem".[20] Ele salienta que os ícones dos ortodoxos são pintados não tanto para serem vistos mas para olharem para nós. Somos considerados numa contemplação cheia de graça. Escreve que

---

19 S. GRIFFIN, *Pornography and Silence: Culture's Revenge against Nature*, London, 1981, p. 122.

20 R. WILLIAMS, *On Christian Theology*, p. 186.

> a pessoa que olha para o ícone é convidada (ou ensinada?) a renunciar a ser um agente a observar um fenômeno imóvel: o idioma da pintura insiste na sua própria atividade, no seu "pesar sobre" o observador, espalhando mais do que recebendo luz, reunindo e lançando a sua energia em vez de a propagar a partir de um ponto de convergência invisível. E isto encontra a sua expressão mais acabada nos olhos de Cristo ou dos santos (nunca são apresentados de perfil). Com a perspectiva "descendo" para os olhos do observador, os olhos da figura icônica atuam, buscam, prendem. A arte de olhar para os ícones, a ciência da sua "leitura", é, de fato, a estranha arte de nos deixarmos ver, de sermos lidos.[21]

Assim, a nossa esperança é a de podermos repousar numa reciprocidade de olhares, vendo e sendo vistos. Em relação a isto, uma das mais encantadoras imagens que conheço é *A Virgem Mãe com o Cônego van der Paele* do Museu Groeninge de Bruges. O cônego tirou os óculos, que tinha utilizado para ler um livro, para, a olho nu, olhar para o Menino Jesus. Acaba de mudar de uma maneira de olhar, a maneira tipicamente moderna de ler livros com óculos, para outra forma de olhar, para contemplar o seu Senhor que pode ver a olho nu. Jesus está voltado para ele e responde ao seu olhar com extraordinária intensidade. Nossa Senhora está lá, também olhando para o cônego, como se estivesse ajudando-o a manter aquela troca de olhares. Segura Jesus para que possa olhar para o homem e olha também ela para o cônego. À direita, está São Jorge fazendo a apresentação formal do cônego. São Jorge aponta para o cônego, mas olha para a criança. E ao lado está São Donaciano observando toda a cena. Toda a pintura está, deste modo, unida por estes olhares recíprocos, todos

---

21 Id., *Lost Icons*, p. 185.

focados sobre a criança. O Menino Jesus abre um espaço em que todo mundo pode livremente repousar no olhar de um outro.

Que nos sugere isto acerca da celebração do *Shabat*? As comunidades modernas são, frequentemente, as de um espetáculo que se partilha, em que se oferece às pessoas uma comunidade passageira olhando para o mesmo teatro. As pessoas unem-se ao serem espectadoras do mesmo evento. Para uns, poderá ser a ópera, para outros, um desafio de futebol. Zygmunt Bauman chama-lhes "as comunidades de vestiário" ou "as comunidades do carnaval". Depois de o espetáculo ter terminado, volta-se ao vestiário, põe-se a roupa habitual por cima dos trajes de gala da ocasião especial, a roupa formal para noite ou o uniforme de futebol e é-se de novo parte da multidão. A qualidade de espectador dissolve os vínculos mais profundos da comunidade. Esta era essencialmente a crítica que Marx fazia ao cristianismo. É com isto que as nossas Eucaristias se parecem? Um breve espetáculo em que se toma parte, associando-se ao canto dos hinos, rindo-se com as piadas do pregador [...], uma rápida chávena de chá e sair de novo para o dia frio e isolado?

Antecipamos certamente o nosso repouso em Deus, não apenas por interrompermos o trabalho, mas pela qualidade da presença recíproca. Temos necessidade de momentos de lazer em que, com toda a serenidade, estamos nus diante de Deus e aos olhos daqueles que amamos. Leva tempo desvelarmo-nos, deixar que nos vejam na nossa complexidade e nas nossas contradições. Não nos podemos mostrar num instante. Temos necessidade de momentos de descanso – *Shabat* – uns com os outros, com as nossas famílias, os nossos amigos, as nossas comunidades religiosas, em que nos aproximamos da visibilidade, confiantes num olhar misericordioso. Quando se faz profissão nos dominicanos, pede-se a misericórdia de Deus e a dos irmãos. É só confiando num olhar de misericórdia, em olhos de perdão, que ousamos viver uns com os outros. Isto implica tempo para que possa dizer quem sou e aprender quem é o meu companheiro. Precisamos de tempo para descobrir que, aos olhos dos outros, temos valor e que a minha vida tem uma coerência e um sentido. Ser amado é ser visto de certa maneira: que consiste em ser mais do que útil, mais do que divertido, mais do que desejável. É ser visto não como um objeto, mas como um sujeito, alguém que responde ao nosso olhar.

Este repouso não é apenas uma pausa no trabalho febril da semana. É um repouso da representação da vida do dia a dia, de ser espectador, de usar máscaras e de praticar jogos vazios. É o repousar no silêncio de um outro, para quem não somos apenas um "outro", mas um "outro eu". Santo Aelredo de Rivaulx, o cisterciense inglês, escreveu no início da sua *Amizade espiritual*: "Aqui estamos, tu e eu, e espero que um terceiro, Cristo, esteja no meio de nós. Não há ninguém que venha interromper a nossa conversa amiga, nenhuma tagarelice, nenhum barulho de qualquer espécie se aproximará desta agradável solidão. Vem, então, amado, abre o teu coração e derrama nestes ouvidos amigos tudo o que quiseres e aceitemos com graça a mercê deste lugar, tempo e lazer".[22]

Deus convidou-nos a tomar parte no seu repouso. Segundo Agostinho, este repouso é o próprio ser de Deus. Escreveu nas *Confissões*: "Porque Vós mesmos, ó Deus, repousastes no sétimo dia, no final dos vossos trabalhos, que eram muito bons. Isto é assim para que possais falar-nos de antemão pela voz do vosso

22 Citado a partir da trad. de Mary Eugenia Laker (Kalamazoo, 1977), p. 51.

livro (as Sagradas Escrituras) e dizer-nos que, no fim dos nossos trabalhos 'que são muito bons' porque Vós no-los destes, também possamos repousar em Vós no sábado da vida eterna".[23]

Mas o mestre de Agostinho, Santo Ambrósio, diz que Deus também repousa em nós. No Sábado Santo, o sábado entre a Morte e a Ressurreição, Ambrósio disse estas maravilhosas palavras:

> O sexto dia está agora completo; a soma do trabalho do mundo foi concluída [...]. Agora é certamente o tempo da nossa contribuição de silêncio, porque Deus descansa agora do seu trabalho de fazer o mundo. Ele encontrou repouso nos lugares profundos da humanidade, na mente e vontade e objetivo da humanidade, porque Ele fez a humanidade com o poder da razão, fez a humanidade para o imitar, para se esforçar em alcançar a virtude, para desejar ardentemente a graça do Céu. Nisto, Deus acha conforto como Ele próprio dá testemunho quando diz: "Em quem encontrarei repouso senão naquele que é humilde e pacífico e cheio de admiração pelas minhas palavras?". Dou graças ao Senhor, nosso Deus, porque fez uma obra de tal natureza que pudesse encontrar repouso nela. Ele fez os céus, mas não leio que depois tivesse repousado. Fez a terra, mas não leio que depois repousasse. Fez o Sol e a Lua e as estrelas, mas não leio que aí encontrasse repouso. O que leio é isto: fez a humanidade e, então, encontrou repouso naquele cujos pecados seria capaz de perdoar.[24]

[23] AGOSTINHO, *Confissões*, XIII, 36, 51.
[24] *Fathers of the Church*, vol. 42, New York, 1961, p. 282.

Conclusão

Que sentido tem ser cristão? A minha reação inicial a essa pergunta foi bastante depreciativa. Não há outra resposta senão que o cristianismo é verdade. Se a nossa fé é verdadeira, Deus é o sentido de tudo, Aquele para quem estamos orientados como nosso destino e felicidade.

Como disse, fui atraído à Ordem Dominicana porque o seu lema é *Veritas,* Verdade. Ao princípio, o meu entendimento do que isso significava era bastante ingênuo. O primeiro dominicano que encontrei, sem contar com o Frei Pedro que me abriu a porta, foi o Provincial, que devo ter irritado bastante com a minha insistência em fazer-lhe perguntas sobre a verdade das doutrinas da Igreja quando ele estava muito mais interessado em falar de futebol. Lembro-me de fazer parar, nas escadas do convento, antes do pequeno-almoço, o grande teólogo Cornelius Ernst, e de lhe pedir que me explicasse em que sentido a doutrina da Assunção era verdade. Onde estava agora Nossa Senhora? Até onde tinha Ela ido, ao subir? Por vezes, devo ter importunado os meus irmãos.

O cristianismo aguenta-se ou desaba na verdade das suas afirmações, mas levanta questões complexas ao tentar compreender em que sentido essas afirmações são verdadeiras, questões que não tentei aprofundar neste breve livro. Não são apenas a constatação de fatos. A fé alcança, pelas proposições e para lá delas, o mistério de Deus que está para lá das palavras. As nossas palavras orientam-se para lá das palavras. Sugeri que eram como setas apontadas para o que já não conseguimos ver. Atiramo-las para o escuro. As nossas afirmações sobre Deus só são compreensíveis no contexto de vidas que se orientam para Deus. Fora do contexto de vidas que se estendem para lá de si mesmas, todas as afirmações sobre Deus têm pouco significado. Serão como setas que nunca são lançadas do arco. Não convencerão ninguém e não terão autoridade. Podemos falar tudo o que nos apetecer sobre amor e liberdade, mas, se não houver sinais disto nas nossas vidas, estamos gastando o nosso fôlego.

O desafio para a Igreja é, portanto, tornar-se aquele tipo de comunidade que pode falar de Deus de modo convincente, o que quer dizer um espaço de misericórdia, de admiração recíproca, de alegria e liberdade. Se nos virem como pessoas receosas, com medo do mundo e uns dos outros, como é que alguém poderá acreditar numa só palavra do que dizemos? Certa dose de excentricidade nas nossas vidas deveria surpreender e intrigar as pessoas. Devemos, em alguns aspectos, ser radicalmente diferentes, como diz a *Epístola a Diogneto*, para que as pessoas se tenham de perguntar qual o sentido das nossas vidas. E o sentido das nossas vidas é, evidentemente, Deus. Isto não pretende de forma alguma sugerir que só poderemos dar testemunho do Evangelho se formos imensamente bons e superiores aos outros. Foi precisamente esse o gênero de comunidade que Jesus não quis fundar. Ele chamou os pecadores, os fracos, a escória.

Chegados ao fim deste livro, estaremos mais esclarecidos quanto ao modo em que somos chamados a ser diferentes?

Não procurei descobrir *aquela* qualidade única do cristianismo, o ingrediente secreto da caçarola cristã. No entanto, apesar disso, certo polo sobressaiu, embora não tivesse sido esperado ou desejado. Muito do que consideramos concentra-se na ideia de se estar em sua casa. Somos chamados a estar em casa de maneiras que, aparentemente, são tão diferentes quanto se possa imaginar, nos nossos corpos e no Reino. E, em ambos, a Igreja é um termo médio que nos deveria ajudar a estar em casa e que oferece à humanidade um oásis no nosso mundo em choque de raízes.

"O Verbo se fez carne e habitou entre nós." Deus tornou-se corporalmente como um de nós. Poder-se-ia dizer que Jesus se fez ainda mais corpóreo do que nós, em casa, na sua pele, à vontade em si mesmo, corpo e alma, um rosto sem máscaras. A nós, Jesus só poderia dar-se Ele próprio – "Este é o meu Corpo, entregue por vós" – porque antes de mais se tinha aceitado com um dom do Pai.

Somos convidados a fazer o mesmo. Numa cultura que, de muitos modos, é contra o corpo, pela banalização do sexo e o culto do desejo sem limites, podemos começar por aceitar ser os corpos que somos, magros ou gordos, novos ou velhos, masculinos ou femininos, mortais. Lembremos mais uma vez as palavras do pastor ao seu filho, em *Gilead*: "Imagino que não serás muito mais bonito do que a maioria das crianças. És só um rapaz de aspecto agradável, um pouco franzino, bem cuidado e de boas maneiras. Tudo isso é bom, mas é sobretudo pela tua existência que te amo". Grande parte deste livro andou à volta da libertação da fantasia, de descer à terra, estar à vontade em e conosco mesmos.

É aqui que Deus vem ao nosso encontro nos sacramentos que abarcam todos os dramas da nossa vida: nascimento e morte, comer e beber, os da vida sexual e os da doença. É aqui que a peregrinação para o Reino começa. É esta a verdade do que somos. Muitas das doutrinas da fé cristã não têm sentido se não se tiver uma compreensão clara da bondade da nossa existência corporal: criação, encarnação, os sacramentos, a ressurreição dos mortos, tudo radica na nossa carne e sangue. E é de esperar que as pessoas que nos encontrarem à vontade na nossa pele sintam o convite para estarem à vontade também na sua. É de esperar que nas nossas caras encontrem olhos que não os destruam ou os desprezem, mas tenham apreço por eles na sua singularidade.

Vimos também que fomos feitos para o lar inimaginável que é o Reino de Deus. Aspiramos a um lar universal, católico na acepção literal da palavra, do qual ninguém é excluído. Aceitamos o dom deste lar, permitindo à nossa linguagem que se deixe abrir e estender pela Palavra de Deus, purificando-se de todo desprezo e domínio. Deus diz a Isaías: "Aumenta o espaço da tua tenda, estende depressa a lona, estica as cordas, fixa as estacas" (54,2). Se a libertação da fantasia nos traz de novo à terra, a nossa imaginação estende-se para o Reino.

A particularidade do corpo e a universalidade do Reino coincidem na Eucaristia. É o dom de um corpo muito particular que abre o espaço para a inimaginável vastidão do Reino. Jesus oferece este caminho estreito, que passa pela morte e ressurreição, como um carreiro para as pastagens vastas e abertas do Reino, dado "por vós e por todos". A Igreja, para ser uma testemunha do Reino mais convincente, deve ser uma espécie de lar em que nos sentimos à vontade, como as pessoas que somos, independentemente do que tenhamos sido ou feito, e em que as pessoas que encontrarmos possam sentir as boas-vindas do regresso a casa.

Como Toulmin observou, a dilaceração da cristandade durante a Guerra dos Trinta Anos marcou a Igreja desde então. Foi um momento essencial – houve outros – na evolução do cristianismo moderno e na realidade da própria modernidade. Ele sustenta que produziu um cristianismo com tendência para ser medroso e para desconfiar, inclinado ao conformismo, receoso de levantar as questões difíceis e se envolver em debate profundo. Há demasiado medo.

Para apoiar as vidas que estão orientadas para Deus e ajudar os peregrinos a irem avançando para o lar derradeiro, temos de nos dar uns aos outros coragem. Se estamos confiantes de que o Espírito Santo foi derramado sobre a Igreja no Pentecostes, podemos certamente descontrair uns com os outros. Não precisamos de nos afligir com a possibilidade de a Igreja ruir pela base, por causa da rigidez dos considerados demasiado conservadores ou por causa das caóticas aspirações dos considerados demasiado liberais. Podemos resistir à tentação de expulsar os que não concordam conosco. No período napoleônico, alguém veio visitar o Secretário de Estado do Vaticano, o cardeal Consalvi, e disse-lhe: "Eminência, a situação é muito séria. Napoleão quer destruir a Igreja". Ao que o cardeal respondeu: "Isso nem sequer nós fomos capazes de fazer!".

Devemos dar-nos uns aos outros coragem e evitar toda a conivência com os poderes do silêncio, os poderes do túmulo. Podemos recusar aquela autocensura que está sempre com medo do que os outros possam pensar se nos resolvermos a dizer a verdade. "Que os vossos corações não se perturbem; acreditais em Deus, acreditai também em mim" (Jo 14,1). Podemos gozar juntos de momentos sabáticos e tomar parte agora mesmo do próprio repouso de Deus.

Impresso na gráfica da
Pia Sociedade Filhas de São Paulo
Via Raposo Tavares, km 19,145
05577-300 - São Paulo, SP - Brasil - 2012